Le Club des Baby-Sitters

Ce volume regroupe trois titres de la série
Le Club des Baby-Sitters d'Ann M. Martin

Pas de panique, Mary Anne (Titre original : *Mary Anne saves the day*)
Édition originale publiée par Scholastic Inc., New York, 1987

La Revanche de Carla (Titre original : *Little Miss Stoneybrook...and Dawn*)
Traduit de l'anglais par Françoise Rose et Camille Weil
Édition originale publiée par Scholastic Inc., New York, 1988

La Meilleure Amie de Lucy (Titre original : *Stacey's Ex-Best Friend*)
Traduit de l'anglais par Sabine Sirat
Édition originale publiée par Scholastic Inc., New York, 1992

Le Club des Baby-Sitters

Amies pour toujours

Ann M. Martin

Traduit de l'anglais
par Françoise Rose, Camille Weil
et Sabine Sirat

Illustrations d'Émile Bravo

GALLIMARD JEUNESSE

La lettre de KRISTY

Présidente du Club des Baby-Sitters

Le Club des Baby-Sitters, c'est une histoire de famille. On se sent tellement proches les unes des autres... comme si on était sœurs. Pourtant, il nous arrive parfois de nous chamailler, mais c'est pour mieux nous réconcilier ensuite ! Notre dispute la plus mémorable remonte aux débuts du club, alors que nous étions encore en cinquième...
Mais avant de commencer, nous allons nous présenter. Même si nous sommes tout le temps ensemble et que nous nous ressemblons beaucoup, nous avons chacune notre personnalité et nos goûts, dans lesquels vous allez peut-être d'ailleurs vous retrouver.
Alors pour mieux nous connaître, lisez attentivement nos petits portraits. Je vous souhaite de vous amuser autant que nous...

Bonne lecture à toutes !

Kristy

Comme promis, voici le portrait des sept membres du

Club des Baby-Sitters...

NOM : Kristy Parker, présidente du club
AGE : 13 ans – en 4e
SA TENUE PRÉFÉRÉE : jean, baskets et casquette
ELLE EST... fonceuse, énergique, déterminée.
ELLE DIT TOUJOURS : « J'ai une idée géniale... »
ELLE ADORE... le sport, surtout le base-ball.

NOM : Mary Anne Cook,
secrétaire du club
AGE : 13 ans – en 4e
SA TENUE PRÉFÉRÉE :
toujours très classique,
mais elle fait des efforts !
ELLE EST... timide,
très attentive aux autres
et un peu trop sensible.
ELLE DIT TOUJOURS :
« Je crois que je vais pleurer. »
ELLE ADORE... son chat,
Tigrou, et son petit ami, Logan.

NOM : Lucy MacDouglas,
trésorière du club
AGE : 13 ans – en 4e
SA TENUE PRÉFÉRÉE : tout
du moment que c'est à la mode...
ELLE EST... new-yorkaise
jusqu'au bout des ongles,
parfois même un peu snob !
ELLE DIT TOUJOURS :
« J'♥ New York. »
ELLE ADORE... la mode,
la mode, la mode !

NOM : Carla Schafer, suppléante
AGE : 13 ans – en 4^e^
SA TENUE PRÉFÉRÉE :
un maillot de bain pour bronzer
sur les plages de Californie.
ELLE EST... végétarienne,
cool et vraiment très jolie.
ELLE DIT TOUJOURS :
« Chacun fait ce qu'il lui plaît. »
ELLE ADORE... le soleil,
le sable et la mer.

NOM : Claudia Koshi,
vice-présidente du club
AGE : 13 ans – en 4^e^
SA TENUE PRÉFÉRÉE :
artiste, elle crée ses propres
vêtements et bijoux.
ELLE EST... créative,
inventive, pleine de bonnes idées.
ELLE DIT TOUJOURS :
« Où sont cachés mes bonbons ? »
ELLE ADORE... le dessin,
la peinture, la sculpture
(et elle déteste l'école).

NOM : Jessica Ramsey,
membre junior du club
AGE : 11 ans – en 6e
SA TENUE PRÉFÉRÉE :
collants, justaucorps
et chaussons de danse.
ELLE EST... sérieuse,
persévérante et fidèle en amitié.
ELLE DIT TOUJOURS :
« J'irai jusqu'au bout de mon
rêve. »
ELLE ADORE... la danse
classique et son petit frère,
P'tit Bout.

NOM : Mallory Pike,
membre junior du club
AGE : 11 ans – en 6e
SA TENUE PRÉFÉRÉE : aucune
pour l'instant, elle rêve juste
de se débarrasser de ses lunettes
et de son appareil dentaire.
ELLE EST... dynamique et très
organisée. Normal quand on a sept
frères et sœurs !
ELLE DIT TOUJOURS : « Vous
allez ranger votre chambre ! »
ELLE ADORE... lire, écrire. Elle
voudrait même devenir écrivain.

SOMMAIRE

LE CLUB DES BABY-SITTERS

Pas de panique, MARY ANNE !

Ce livre est dédié à Claire et Margo,
Claire DuBois Gordon et Margo Méndez-Penate,
promotion 2006

C'était un lundi du mois de janvier. Il était près de cinq heures et demie, heure à laquelle devait se réunir le Club des baby-sitters.

J'arrivais juste chez moi quand, devant la maison d'à côté, j'ai aperçu Kristy Parker. C'est la présidente du club et aussi ma meilleure amie. Comme ma mère est morte quand j'étais encore toute petite – je vis seule avec papa maintenant – Kristy est presque une sœur pour moi, et Mme Parker une mère. Les parents de Kristy ont divorcé il y a quelques années, et son père est parti vivre ailleurs. Mais mon père n'est pas un père pour elle. Il n'est pas chaleureux et compréhensif comme Mme Parker.

On a couru l'une vers l'autre, en faisant craquer ce qui restait de neige sous nos pas, puis on a traversé la rue pour aller chez Claudia Koshi, qui est vice-présidente du club. Nous nous réunissons chez elle, parce qu'elle a le téléphone dans sa chambre.

Les réunions du Club des baby-sitters ont lieu les lundi, mercredi et vendredi de cinq heures et demie à six heures. Les gens qui ont des enfants à faire garder nous appellent sur la ligne de Claudia. La garde est assurée par l'une ou l'autre d'entre nous. C'est simple, mais génial, c'est une idée de Kristy. L'avantage, c'est que nous sommes quatre, les gens qui appellent sont donc sûrs de trouver une baby-sitter disponible.

Bien sûr, le club n'est pas parfait. Par exemple, les quatre membres qui le composent – Kristy, Claudia, Lucy MacDouglas, la trésorière, et moi, la secrétaire – n'ont que douze ans. Nous devons rentrer assez tôt chez nos parents. En fait, seule Lucy et Claudia ont la permission de faire quelques baby-sittings jusqu'à dix heures. Kristy et moi, nous devons être rentrées chez nous à neuf heures et demie du soir le week-end et à neuf heures la semaine.

A cause de ça, le club a failli disparaître : il n'y a pas longtemps, des filles plus âgées que nous et qui pouvaient sortir tard le soir nous ont imitées en montant l'Agence de baby-sitters. Beaucoup de gens se sont alors adressés à elles. Mais ça n'a pas marché, car les baby-sitters ne faisaient pas bien leur travail. Nous avons donc récupéré nos clients et l'année qui commence s'annonce bien.

Kristy a sonné chez les Koshi. C'est Mimi, la grand-mère de Claudia, qui a ouvert. Mimi vit avec les Koshi, elle s'occupe de Claudia et de sa sœur Jane, car leurs deux parents travaillent. Les Koshi sont d'origine japonaise, mais Claudia et Jane sont nées aux États-Unis. Leurs parents y sont venus quand ils étaient petits. Mimi, elle, avait une trentaine d'années quand elle a quitté le Japon. Elle en a gardé un joli accent, que j'aime beaucoup.

– Et ton écharpe, ça avance Mary Anne ? m'a demandé Mimi.

Elle m'aide à tricoter une écharpe pour mon père.

– J'ai presque fini, mais il faut que vous m'aidiez pour la frange.

– Avec plaisir, quand tu veux, Mary Anne.

Je l'ai embrassée rapidement sur la joue puis, Kristy et moi, nous sommes vite montées dans la chambre de Claudia. Il fallait se dépêcher pour ne pas avoir à parler à Jane, au cas où elle serait à la maison.

Jane est un génie. Vraiment. Elle n'a que quinze ans et elle est déjà en première au lycée. Elle corrige absolument tout ce qu'on lui dit. Kristy et moi, nous l'évitons autant que possible. Ce jour-là, on a eu de la chance, Jane n'était pas là. Nous avons surpris Claudia la tête dans son range-pyjama, en train de fouiller à l'intérieur. Elle s'est redressée en brandissant fièrement trois barres de Mars. Claudia est folle des bonbons. Elle achète toutes sortes de friandises qu'elle cache partout dans sa chambre. Elle a beau grignoter sans arrêt, elle ne grossit pas d'un gramme et n'a pas l'ombre d'un bouton. Elle nous a offert une barre chocolatée à chacune, mais j'ai refusé. Papa s'affole si je ne mange pas bien à table, et je n'ai pas un gros appétit. Claudia a remis le Mars dans sa cachette. Elle ne pourrait pas le proposer à Lucy quand elle arriverait, car Lucy est diabétique, elle ne peut pas manger n'importe quoi.

– Il y a déjà eu des appels ? ai-je demandé.

Il était à peine cinq heures et demie, mais les gens appellent parfois avant.

– Oui, un. La mère de Kristy veut quelqu'un pour garder David Michael jeudi.

Kristy a hoché la tête

– La baby-sitter qui venait deux fois par semaine n'est plus disponible. Maman aura besoin du club plus souvent en attendant de retrouver quelqu'un.

Kristy a deux frères plus âgés, Samuel et Charlie, et un petit frère de six ans, David Michael. Les trois grands s'occupent à tour de rôle de David Michael, un après-midi par semaine. Mme Parker avait dû engager en plus une baby-sitter pour les jours restants, mais elle se décommandait très souvent.

– Salut, tout le monde ! a fait Lucy en entrant dans la chambre.

Elle était superbe, comme toujours. Lucy est ravissante. Elle a quitté New York pour venir s'installer à Stonebrook, l'été dernier. Elle est très élégante. Elle porte des vêtements très chics, des bijoux surprenants, comme des boucles d'oreilles avec un chien d'un côté et un os de l'autre. En plus, elle a une super coupe de cheveux. Je donnerais n'importe quoi pour être à sa place, sans son diabète évidemment, parce qu'elle a vécu à New York et sait s'habiller comme un mannequin. Mon père me laisse aussi m'habiller comme un mannequin… de six ans. Je dois me faire des tresses (c'est une obligation) et, tous les jours, il donne son avis sur ce que je porte, ce qui est un peu bête puisqu'il m'achète tous mes vêtements et quels vêtements !

Des jupes en tissu écossais, des pulls bleu marine, des chemisiers à col rond et des mocassins.

Une fois au moins, j'aimerais aller en classe en caleçon turquoise, avec la chemise de Lucy, celle avec des flamants roses et des toucans partout, et des baskets rouges. J'aimerais me faire remarquer. Enfin, une partie de moi aimerait, l'autre est trop timide pour ça.

Lucy se fait souvent remarquer. Claudia aussi. Bien qu'elle ne soit pas tout à fait aussi chic que Lucy (rien de tel que d'avoir vécu à New York), elle est très jolie. Elle a de longs cheveux noirs et soyeux qu'elle coiffe toujours différemment.

Heureusement, Kristy ne s'habille pas comme Claudia et Lucy. Elle fait aussi bébé que moi. Mme Parker ne l'empêche pas de porter ce qu'elle veut, mais elle se moque un peu de son apparence. Elle ne se coiffe pas vraiment et elle s'habille uniquement parce que la loi interdit d'aller nue en classe !

J'ai ouvert l'agenda du club. Nous avons un agenda et un journal de bord. Dans l'agenda sont notés nos rendez-vous, les adresses et numéros de téléphone de nos clients, nos tarifs, les sommes gagnées par chacune de nous et les frais occasionnés par le club. Lucy garde une trace de tout ce qui concerne les chiffres.

Dans le journal de bord, Kristy nous a demandé de noter chacune de nos expériences de baby-sitting, pour que nous soyons toutes informées des problèmes, habitudes et besoins particuliers des gens chez qui nous allons. Comme vous voyez, nous sommes très organisées. C'est grâce à Kristy, même si elle est parfois autoritaire, assez souvent même.

– Voyons, ai-je dit en consultant l'agenda, jeudi… il n'y a

que toi de libre, Claudia. Tu es d'accord pour garder David Michael ?

Elle a accepté. J'ai noté le rendez-vous pendant que Claudia rappelait Mme Parker au bureau. Elle avait à peine raccroché que le téléphone sonnait à nouveau. Claudia a répondu :

– Allô. Ici le Club des baby-sitters... Oui ?... Oh, bonjour... Samedi après-midi ? Je vérifie et je vous rappelle.

– C'était Jim, Kristy. Il veut quelqu'un samedi de quatorze à seize heures.

Jim est le fiancé de la mère de Kristy. Ils doivent se marier en automne. Jim est divorcé, tout comme Mme Parker, et il a deux enfants, Karen, qui a cinq ans, et Andrew, qui en a trois. Kristy aime bien Karen et Andrew et elle les aurait volontiers gardés samedi, mais le règlement du club veut que chaque demande de baby-sitting soit proposée à tout le monde et qu'on en discute ensemble.

– On dirait que tout le monde est libre samedi, ai-je remarqué.

– Non, je vais chez le médecin, m'a informée Lucy.

– Mimi m'emmène faire du shopping, a poursuivi Claudia.

– Alors, il reste Kristy et moi. Si tu veux, tu peux y aller, je sais que ça te ferait plaisir de voir Karen et Andrew.

– Merci ! a répliqué Kristy toute contente.

J'avais envie de faire plaisir à mon amie, mais c'était aussi parce que j'avais un peu peur. Il y a une vieille femme bizarre, Mme Porter, qui vit à côté de chez Jim. Karen dit que c'est une sorcière et que son vrai nom est Morbidda Destiny. Elle a très peur d'elle. Et moi aussi. C'est pour ça que ça ne m'embêtait pas de ne pas y aller.

Le téléphone a sonné à nouveau et Kristy a répondu. C'était Mme Newton, une de nos clientes préférées. Elle a un adorable fils de trois ans, Simon, et un nouveau-né, Lucy Jane, qui n'a même pas deux mois.

Nous essayions de savoir, d'après ce que disait Kristy, si Mme Newton voulait une baby-sitter juste pour Simon ou aussi pour Lucy Jane. Chacune de nous espérait avoir la chance de pouvoir s'occuper du bébé.

– Oui... Oh ! Simon et Lucy Jane. Vendredi de six à huit... Bien sûr. J'y serai.

Et elle a raccroché. Kristy irait ? Et pourquoi ne proposait-elle pas ce baby-sitting aux autres comme elle devait le faire ? Claudia, Lucy et moi, nous nous sommes regardées. J'ai lu sur le visage de mes amies colère et indignation.

Kristy était aux anges. Elle était tellement enchantée d'aller s'occuper de Lucy Jane qu'elle ne s'est pas tout de suite rendu compte de ce qu'elle venait de faire.

– Les Newton organisent une soirée vendredi, ils veulent quelqu'un pour surveiller les enfants pendant ce temps-là, expliqua-t-elle. Je suis si contente ! De six à huit heures... Il faudra sûrement donner le biberon au bébé...

Elle s'est arrêtée net, réalisant d'un coup que personne d'autre n'avait l'air de se réjouir.

– Oh ! Excusez-moi !

– Kristy ! s'est exclamée Claudia. Tu devais le proposer à tout le monde. Tu le sais, c'est toi qui as fait le règlement. Moi aussi, j'aurais aimé garder Lucy Jane.

– Moi aussi, a renchéri Lucy.

– Et moi aussi, ai-je complété.

J'ai vérifié dans l'agenda.

– En plus, nous sommes toutes libres vendredi.

– Il y a des profiteuses par ici, a déclaré Claudia en prenant un chewing-gum caché sous sa couette.

– J'ai dit que j'étais désolée, s'est énervée Kristy. D'ailleurs, tu n'as rien à dire.

« Ouh là là ! ça va chauffer », ai-je pensé.

– Et pourquoi ? a répliqué Claudia.

Lucy s'en est mêlée :

– Eh bien, tu as fait la même chose. Tu te souviens d'une fois avec Charlotte Johanssen ? Et avec les Marshall ?

– Et avec les Pike ? ai-je ajouté timidement.

C'était vrai. Claudia avait souvent oublié de proposer des baby-sittings aux autres.

– Eh, vous n'oubliez jamais rien vous ? Vous êtes parfaites, peut-être ?

– Ça a posé des problèmes, a insisté Kristy.

– Tu ne vas pas me faire croire ça ! s'est écriée Claudia en pointant un doigt accusateur sur Kristy. C'est toi qui enfreins le règlement et on se jette sur moi ! Je n'ai rien fait. Je suis innocente.

– Pour cette fois, a marmonné Lucy.

– Et toi qui veux tant te faire des amis à Stonebrook, ne te fâche donc pas avec les seuls que tu aies, a lâché alors Claudia.

– C'est une menace ? Vous savez, je n'ai pas besoin de vous. N'oubliez pas d'où je viens.

– On sait, on sait… New York. Tu nous le répètes assez.

– Ce que je voulais dire, a poursuivi Lucy avec arrogance, c'est que je peux très bien me débrouiller toute seule, je n'ai besoin de personne. Ni d'une frimeuse profiteuse (elle regardait Claudia), ni d'une mademoiselle je-sais-tout autoritaire (elle a fixé Kristy), ni d'un petit bébé pleurnichard (maintenant, c'était mon tour).

– Je ne suis pas un petit bébé pleurnichard ! ai-je protesté.

Mais aussitôt mon menton s'est mis à trembler et mes yeux se sont remplis de larmes.

– Oh, la ferme ! m'a ordonné Kristy.

Cette fois, c'en était trop.

– C'est toi qui vas la fermer, ai-je hurlé à Kristy, et toi aussi, Lucy. Je me fiche que tu te croies supérieure parce que tu viens de New York ou à cause de ton stupide diabète, tu n'as pas le droit...

– Ne parle pas comme ça de la maladie de Lucy ! m'a coupée Claudia.

– Je n'ai pas besoin de toi pour me défendre, s'est écriée Lucy. Pas besoin de ta pitié.

– Très bien, a-t-elle répliqué froidement.

Kristy est revenue à la charge :

– Et qui as-tu traité de mademoiselle je-sais-tout autoritaire, juste avant ?

– A ton avis ?

– Moi !

Kristy s'est tournée vers moi.

– Ne me demande pas de la fermer et ensuite de t'aider, ai-je cinglé.

On aurait dit qu'elle venait d'apprendre que sa meilleure amie était une extraterrestre.

– Je suis peut-être timide et calme, ai-je repris bien fort en me dirigeant vers la porte, mais je ne me laisse pas marcher sur les pieds. Vous voulez savoir ce que je pense ?

Lucy, tu es une snob prétentieuse, et toi, Claudia, une profiteuse et une frimeuse, quant à toi, Kristy Parker, tu es la plus autoritaire des mademoiselle je-sais-tout, et je me fiche pas mal de ne plus jamais vous revoir !

Je suis sortie de la chambre de Claudia, en claquant la porte derrière moi si fort que les murs ont tremblé. En dévalant les escaliers, j'entendais les autres continuer à hurler. Alors que j'arrivais dans l'entrée des Koshi, la porte de Claudia a claqué à nouveau. Quelqu'un a descendu précipitamment les escaliers. Je me suis mise à courir, espérant à moitié que Kristy ou Lucy essayerait de me rattraper dans la rue. Mais ce ne fut pas le cas.

2

Après cette terrible dispute, dîner avec papa était la dernière chose dont j'avais envie. Mais mon père tient beaucoup à ce que dînions tous les soirs ensemble.

Par chance, il n'était pas encore là quand je suis rentrée de chez Claudia. Je pleurais et je n'étais pas d'humeur à parler à qui que ce soit. De colère, je faisais tout claquer : la porte du réfrigérateur, où j'ai pris des restes de rôti, la porte du four, où je l'ai mis à réchauffer. Puis j'ai sorti les couverts, les verres, les assiettes, claquant toujours portes et tiroirs. Je les ai posés violemment sur la table, avant de monter me passer de l'eau sur le visage.

Quand papa est arrivé, j'avais meilleure allure et je me sentais mieux. J'ai descendu les escaliers, les cheveux bien coiffés, le chemisier rentré soigneusement dans ma jupe et les chaussettes tirées. Papa estime qu'il est important d'être impeccable au dîner.

– Bonsoir, Mary Anne, a-t-il dit en se penchant pour que je puisse l'embrasser, tu as préparé le dîner ?

– Oui.

Papa déteste les gens qui disent « ouais » ainsi que « hé », « dégueulasse », « débile » et plein d'autres mots qui sortent parfois de ma bouche quand je ne suis pas avec lui.

– J'ai fait réchauffer le rôti.

– C'est parfait. Préparons une salade avec, ça fera un bon repas.

En un rien de temps, la salade était sur la table, dans un saladier en verre. Mon père a découpé le rôti pour nous servir. On s'est assis et on a incliné la tête, pendant qu'il disait le bénédicité. Juste avant de dire « Amen », il a recommandé Alice, ma mère, à Dieu. Il le fait avant chaque repas et, parfois, je pense qu'il exagère. Ma mère est morte depuis près de onze ans, après tout. Je prie pour elle avant de me coucher, et il me semble que ça suffit.

– Comment s'est passée ta journée, Mary Anne ?

– Bien...

– Et ton contrôle de français ?

J'ai pris un peu de salade, bien que je n'aie pas faim du tout.

– Bien. J'ai eu huit sur dix. C'est...

– Je t'en prie, ne parle pas la bouche pleine.

J'ai avalé avant de continuer :

– J'ai eu huit sur dix. C'est la meilleure note.

– Magnifique, je suis fier de toi. Le Club des baby-sitters s'est réuni cet après-midi ?

– Ouais… oui.

Toutes les quatre, nous avons été surprises que papa m'autorise à faire partie du club et à faire tant de baby-sitting. Mais il a ses raisons : il pense que cela m'apprend le sens des responsabilités et aussi à épargner de l'argent et d'autres choses de ce genre.

– Il s'est passé quelque chose de particulier ?

J'ai secoué la tête. Il n'était pas question que je lui parle de notre dispute.

– Eh bien, a repris papa, qui essayait de faire la conversation, mon affaire s'est… s'est très bien passée aujourd'hui, vraiment. Je suis sûr que nous allons gagner.

J'ai remué sur ma chaise. Je ne savais pas de quelle affaire il parlait, mais j'avais le sentiment que j'aurais dû le savoir. Il avait déjà dû m'en parler.

– C'est formidable, papa.

Nous avons mangé en silence pendant quelques instants.

– C'est une affaire intéressante, car elle démontre l'extrême importance de l'honnêteté dans les transactions. Souviens-toi toujours de cela, Mary Anne, sois honnête et loyale. Tu seras toujours récompensée.

– Oui, papa.

J'ai alors réalisé que papa et moi, nous étions assis l'un en face de l'autre à cette table, deux fois par jour la semaine et trois fois le week-end. Si un repas dure en moyenne une demi-heure, nous passions quatre cents heures ensemble à table par an, à essayer de discuter, et pourtant nous savions à peine quoi nous dire. Il aurait tout aussi bien pu être un inconnu, avec lequel je partagerais mes repas seize fois par semaine.

J'ai repoussé mon rôti sur le bord de mon assiette.

– Tu ne manges pas, Mary Anne ? m'a fait gentiment remarquer mon père. Te sens-tu bien au moins ? Tu n'es pas malade ?

– Oui, oui. Très bien.

– Tu es sûre ? Tu ne t'es pas bourrée de biscuits chez les Koshi, au moins ?

– Non, papa. Je te ju... je te promets. Je n'ai pas très faim, c'est tout.

– Essaie au moins de finir ta salade. Ensuite tu iras faire tes devoirs.

Il présentait ça comme une récompense.

Je me suis forcée à manger un peu. Puis mon père a mis la radio pour écouter de la musique classique, tandis que nous rangions la cuisine. Enfin, j'ai pu filer dans ma chambre. Assise à mon bureau, j'ai ouvert mon livre de maths. Une feuille blanche, deux crayons taillés et une gomme rose étaient devant moi. Mais je n'arrivais pas à me concentrer. Avant d'avoir seulement fait un trait sur la feuille, je me suis levée et je me suis jetée sur mon lit.

Je me revoyais traiter mes amies de prétentieuse, de profiteuse, de mademoiselle je-sais-tout. Je regrettais vraiment d'avoir dit tout ça. Puis je me suis souvenue qu'elles m'avaient traitée de bébé et priée de me taire. J'aurais aimé en parler à quelqu'un. Je pouvais peut-être appeler Claudia. Ce qu'elle m'avait dit cet après-midi n'était pas méchant. Mais je n'ai pas le droit de téléphoner après le dîner, sauf pour les devoirs. En soupirant, j'ai jeté un coup d'œil par la fenêtre. De là, je vois la chambre de Kristy en face. Elle était dans l'obscurité

Assise en tailleur sur mon lit, j'ai regardé autour de moi. Pas étonnant que Lucy me traite de bébé. Ma chambre a tout d'une nursery. Il n'y manque que le berceau et la table à langer. Elle est décorée en rose et blanc – ce qui devait plaire à une petite fille, avait dû penser mon père. En fait, j'aime le jaune et le bleu marine. Le rose est une des couleurs que je déteste le plus. Les rideaux sont en tissu à fleurs roses et sont retenus par des embrasses roses. Le dessus-de-lit est assorti aux rideaux. La descente de lit est rose pâle et les murs sont blancs avec des plinthes roses. Vivre dans ma chambre, c'est un peu comme vivre dans une bonbonnière.

Ce qui m'ennuie le plus, c'est ce qui est accroché aux murs, ou plutôt ce qui n'y est pas. J'ai passé des heures dans les chambres de Kristy et de Claudia, je suis allée deux fois dans celle de Lucy, et je crois qu'on apprend beaucoup sur les gens, rien qu'en regardant leurs murs. Par exemple, Kristy aime le sport et ses murs sont couverts de posters de footballeurs, de sportifs. Claudia est une artiste, chez elle, ce sont ses propres œuvres qui sont exposées partout.

Et Lucy, à qui New York manque beaucoup plus qu'elle ne veut bien l'avouer, a mis dans sa chambre une vue de New York la nuit, un poster de gratte-ciel et un plan de la ville.

Et chez moi, qu'y a-t-il sur les murs ? Une photo encadrée de mes parents avec moi le jour de mon baptême, un poster de Pinocchio et deux autres avec des personnages d'*Alice au pays des merveilles*.

Tout cela est encadré en rose.

Vous savez ce que je voudrais avoir sur mes murs ? J'y ai beaucoup pensé, au cas où mon père perdait la tête et me laissait redécorer ma chambre. Je n'ai pas le droit de mettre d'affiches, car les punaises feraient des trous dans les murs… Mais supposons que papa devienne vraiment fou et se moque des trous, je mettrais un immense poster de chatons, une grande photo des membres du club et une vue de New York. J'enlèverais Pinocchio, mais je garderais la photo de ma famille.

Lorsque j'ai à nouveau jeté un œil par la fenêtre, la lumière était allumée chez Kristy. Je pouvais lui faire signe et lui faire savoir que je n'étais plus fâchée. Mais elle a vite baissé son store, sans jeter un regard dans ma direction. Tant pis, je n'aurais qu'à essayer de lui faire signe avec ma lampe de poche à neuf heures. On a inventé un code, pour « parler » sans téléphone. Kristy et moi, nous communiquons ainsi depuis longtemps et nous ne nous sommes jamais fait prendre.

Une fois mes devoirs terminés, je me suis mise au lit avec un livre passionnant : *Les Quatre Filles du docteur March*.

Papa a entrouvert la porte pour me souhaiter une bonne nuit.

Je sais que mon père m'aime et que, s'il est si sévère, c'est pour montrer à tout le monde qu'on peut avoir une jeune fille bien élevée, même sans mère. Mais parfois, j'aimerais bien que les choses soient différentes. Quand il a eu refermé la porte, j'ai pris ma lampe de poche et, sur la pointe des pieds, je me suis postée à la fenêtre, attendant que Kristy en fasse autant. J'avais l'intention de m'excuser. J'ai attendu un quart d'heure, mais son store est resté baissé. Ça voulait dire qu'elle était très fâchée.

Le lendemain, au réveil, j'étais triste. Kristy n'avait jamais été fâchée avec moi si longtemps. Il est vrai que je ne l'avais encore jamais traitée de mademoiselle je-sais-tout autoritaire.

Tout en m'habillant, j'ai essayé de me convaincre que nous ne pourrions pas rester fâchées longtemps. L'avenir du club en dépendait, tout de même. Nous serions sûrement réconciliées pour la réunion de demain.

Après le petit déjeuner, j'ai embrassé mon père avant de sortir. J'espérais qu'il ne me verrait pas partir seule à l'école, car il comprendrait alors que quelque chose clochait. Depuis la maternelle, je n'avais dû aller que six fois à l'école toute seule et, sur ces six fois, quatre parce que Kristy était malade.

Je me suis arrêtée devant chez Kristy, hésitant à sonner pour demander si elle était déjà partie. Finalement je n'ai pas osé. Au fond, je suis lâche. Je ne voulais pas prendre le risque qu'on se dispute devant sa famille. Je me suis mise à marcher vite, regardant si je ne voyais pas Kristy, Claudia ou Lucy. Mais je n'ai vu personne. Soudain, j'ai pensé à quelque chose d'affreux : et si elles s'étaient réconciliées entre elles et qu'elles ne soient plus fâchées qu'avec moi !

Mais en arrivant au collège, le cœur serré, je suis tout de suite tombée sur Kristy ! Elle n'était ni avec Claudia, ni avec Lucy, je me suis donc sentie un peu soulagée. Je lui ai fait un signe de la main. Kristy m'avait vue, j'en étais sûre. Mais elle a levé la tête, a fait volte-face et s'est engouffrée dans le couloir. Je l'ai suivie, car ma classe est à côté de la sienne, tout en maintenant une certaine distance entre nous.

En approchant de ma salle, j'ai vu Claudia qui arrivait en face de nous.

– Hé, Kristy ! a-t-elle lancé.

« Oh, non, ai-je pensé. Elles se sont réconciliées. »

Mais Kristy l'a ignorée.

– Kristy !

– C'est à moi que tu parles, a demandé Kristy d'un ton glacial, ou à une autre profiteuse ?

Le visage de Claudia s'est durci.

– Non, je ne vois pas de profiteuse ici pour l'instant.

– Eh bien, regarde-toi dans une glace ! a répliqué Kristy.

Claudia avait l'air de chercher une réplique cinglante, mais Kristy est entrée dans sa classe en claquant la porte derrière elle. J'hésitais à m'approcher de Claudia. Après tout, elle avait bien cherché à se réconcilier avec Kristy.

Mais la cloche a sonné, et Claudia a disparu dans sa classe et moi dans la mienne.

La matinée a passé très lentement. Je n'arrivais pas à me concentrer. Je réfléchissais au mot d'excuse que je pourrais envoyer à mes amies. Hum, je devais encore être fâchée, car certains n'étaient pas très gentils.

Chère Lucy,
Je suis vraiment, vraiment désolée que tu m'aies traitée de petit bébé pleurnichard. J'espère que tu es désolée, toi aussi, espèce de prétentieuse.

Chère Kristy,
Désolée que tu sois la plus autoritaire des mademoiselle je-sais-tout, mais qu'y puis-je? As-tu pensé à te faire soigner?

Chère Claudia,
Désolée de t'avoir traitée de profiteuse. Tu ne le mérites pas et je ne le pensais pas vraiment. Pardon.
Je t'embrasse,
Mary Anne

Celui-là, je pouvais l'envoyer. En cours de français, j'ai vite fini mon travail et pris une feuille blanche ainsi que mon stylo-plume. Lentement, en faisant bien attention à mon écriture et à mon orthographe, j'ai rédigé le mot pour Claudia. Puis j'ai soufflé dessus pour faire sécher l'encre, je l'ai plié soigneusement en deux et je l'ai mis dans ma trousse. Je le remettrais à Claudia à l'heure du déjeuner.

Mes genoux flageolaient quand je suis entrée dans la cantine un peu plus tard.

J'allais tout de suite savoir si Lucy et Claudia s'étaient réconciliées ou non. Elles étaient en général assises avec un groupe de filles prétentieuses et quelques garçons.

En entrant, j'ai aussitôt regardé qui était avec qui. A la table de Claudia et de Lucy, la bande habituelle était là, Lucy aussi, mais pas Claudia. Tiens donc, elles ne s'étaient pas réconciliées non plus.

J'ai parcouru le réfectoire du regard et j'ai enfin trouvé Claudia. Elle était assise avec Trevor Sandbourne. Ils n'étaient que tous les deux. Trevor est un garçon qu'elle aime bien et avec lequel elle sort parfois. Claudia lui parlait à voix basse. Il écoutait tout en souriant. Ils avaient l'air d'être très proches l'un de l'autre.

J'ai fait le tour d'une table pleine de monde pour me rendre à celle où je m'assieds d'habitude, avec Kristy et les jumelles Millaber, Mariah et Miranda. Il y a quatre places, ce qui est parfait pour notre petit groupe. Mais bientôt je me suis arrêtée net. Kristy et les jumelles étaient déjà installées.

Elles avaient posé leurs plateaux de telle sorte qu'il ne restait pas l'ombre d'une place. En plus, elles avaient enlevé la quatrième chaise ou l'avaient prêtée à une autre table. Enfin bref, ce qui comptait, c'est qu'elles ne m'avaient pas gardé ma place. J'ai observé mes amies un instant. Kristy était juste en face de moi. Elle parlait sans arrêt et les jumelles se tordaient de rire.

En levant les yeux, Kristy m'a aperçue, elle s'est penchée vers les jumelles et a fait tout un cinéma en leur chuchotant à l'oreille et en riant fort. J'ai fait demi-tour.

Tout à coup, j'avais l'impression d'être nouvelle au collège. Je ne connaissais personne d'autre avec qui m'asseoir. Depuis toujours, je déjeunais avec Kristy et les jumelles. Si elle avait été à ma place, elle aurait rejoint d'autres gens, même des inconnus. Moi, j'étais trop timide. J'ai fait le tour de la cantine, jusqu'à ce que je trouve une table vide. Je me suis laissée tomber sur une chaise et j'ai attaqué mon assiette sans grand appétit.

– Excuse-moi, je peux m'asseoir là ? a fait une voix à côté de moi.

En levant les yeux, j'ai vu une grande fille avec des cheveux si blonds qu'ils en étaient presque blancs. Ils tombaient, raides et soyeux, jusqu'à ses reins.

– Bien sûr, ai-je répondu, en montrant de la main toutes les chaises vides.

Elle s'est assise et a posé son plateau devant elle, puis m'a souri timidement.

– Tu dois être nouvelle aussi.

– Nouvelle ?

J'ai rougi. En effet, sinon pourquoi serais-je seule ?

– Oh, hum, non, ai-je bégayé. C'est que... mes amies sont toutes... absentes aujourd'hui.

– Oh ! a-t-elle fait, visiblement déçue.

– Et toi... tu es nouvelle ?

Elle a hoché la tête.

– C'est mon deuxième jour ici. Personne ne veut d'une nouvelle à sa table et ce n'est pas drôle d'être toute seule. Je croyais avoir eu la chance de tomber sur une autre nouvelle.

J'ai souri.

– Ça ne me dérange pas que tu t'asseyes à côté de moi, même si je ne suis pas une nouvelle.

La fille m'a rendu mon sourire. Elle était vraiment jolie, et aussi très agréable, ce qui est plus important. Surtout si je pensais à trois désagréables personnes de ma connaissance.

– Je m'appelle Carla, Carla Schafer.

– Carla, ai-je répété, c'est un joli prénom. Moi, je m'appelle Mary Anne Cook.

Les yeux bleus de Carla, qui étaient presque aussi pâles que ses cheveux, se sont soudain illuminés.

– Tu viens juste d'emménager ici ? ai-je demandé. Ou tu as changé d'école ?

– Je viens d'emménager. La semaine dernière.

Elle s'est mise à manger lentement et avec méthode, prenant d'abord une bouchée de macaronis, puis de carottes et enfin de salade.

– Notre maison est encore un peu en bazar, m'a-t-elle expliqué. Il y a des cartons partout. Hier, j'ai mis vingt minutes avant de trouver mon frère pour le dîner.

J'ai éclaté de rire.

A cet instant, j'ai levé par hasard les yeux et j'ai vu Kristy. Elle m'observait. Dès que j'ai eu croisé son regard, elle s'est remise à parler avec les jumelles, comme si elles vivaient le plus beau jour de leur vie, sans moi.

« A deux, on peut jouer à ce petit jeu aussi », ai-je pensé. Et, bien que je n'aie jamais été très bonne pour faire la conversation à des gens que je ne connais pas bien, je me suis penchée au-dessus de la table et j'ai fait semblant de conspirer avec Carla.

– Tu veux savoir quel est l'élève le plus bizarre du collège ?

Elle a hoché la tête avec avidité. Il se trouvait justement assis à la table voisine de celle de Kristy, j'en ai profité pour pointer le doigt vers elle.

– C'est Alexander Kurtzman. Celui qui porte le costume trois pièces. Tu le vois ? ai-je murmuré.

Carla a acquiescé.

– N'essaie jamais de doubler quand tu fais la queue avec lui à la cantine. C'est un maniaque des règlements.

Nous avons ri ensemble.

– Sur qui dois-je encore apprendre des choses ?

Je lui ai montré d'autres élèves. Nous avons passé le reste du déjeuner à chuchoter et à rigoler.

Par deux fois, j'ai croisé le regard de Kristy, qui me lançait des éclairs.

Je savais que je ne faisais rien pour apaiser notre dispute, mais ça me plaisait bien de la défier, puisqu'elle n'avait pas voulu de moi à notre table.

– Hé, tu veux venir chez moi demain après l'école ? m'a proposé Carla.

– Euh… oui, bien sûr.

C'était si bizarre de parler à quelqu'un d'autre qu'à Kristy, Claudia, Lucy ou aux jumelles.

Je crois que jamais je ne m'étais fait une nouvelle amie sans l'aide de quelqu'un. Mariah et Miranda étaient, à l'origine, des amies de Kristy, Lucy était une amie de Claudia et, si j'étais amie avec Kristy et Claudia, c'est que, comme nous étions voisines, nous avions grandi ensemble.

– Ouais, super ! s'est exclamée Carla.

Elle devait vraiment se sentir seule.

Moi, je me sentais coupable. Je savais parfaitement que, si je voulais aller chez elle, c'était pour énerver Kristy, Lucy et Claudia.

J'espérais que Kristy me verrait quitter l'école avec Carla le lendemain et qu'elle en serait étonnée. J'espérais qu'elle serait fâchée (encore plus qu'elle ne l'était déjà). J'espérais même qu'elle serait un peu peinée.

– Ça me ferait plaisir, ai-je ajouté. Où habites-tu ?

– Dans Hill Road.

– Ce n'est pas trop loin de chez moi ! J'habite près de Bradford Court.

– Génial ! On pourra regarder un film.

– Pas de problème !

Nous nous sommes levées, nos plateaux à la main.

– On pourra encore déjeuner ensemble demain ou tes amies seront-elles revenues ?

Je n'ai rien dit. Et si d'ici demain nous étions réconciliées, toutes les quatre ? Mais chaque chose en son temps.

– Je ne sais pas.

– Ce n'est pas grave, on verra bien.

– OK, alors... A bientôt.

Ce jour-là, jusqu'à la fin des cours, je n'ai plus revu ni Kristy, ni Claudia, ni Lucy. Je les ai aperçues toutes les trois à la sortie du collège. Chacune rentrait seule à la maison, encore fâchée contre les autres. Je me suis mise en route, en les suivant de loin. Et en arrivant chez moi, je me suis rendu compte que j'avais totalement oublié de donner le mot à Claudia !

« On est mercredi ! » me suis-je dit en me réveillant le lendemain matin. Le club devait se réunir aujourd'hui. Nous ne pouvions rester fâchées plus longtemps ou alors la réunion n'aurait pas lieu.

Or, ce n'était jamais arrivé. Tout à coup, j'étais sûre que notre dispute serait oubliée. J'en étais tellement sûre que, en partant pour le collège, je me suis arrêtée chez Kristy et j'ai sonné. On pourrait aller ensemble en classe et se faire des excuses. C'est David Michael qui m'a ouvert.

– Salut, Mary Anne.

– Salut, Kristy est encore là ?

– Ouais, a fait David Michael, elle est...

– Je ne suis pas là ! a crié Kristy du salon.

– Mais si. Tu es juste…

– David Michael, viens par là une seconde, l'a coupé sa sœur.

Il est parti. Peu après, j'ai entendu des pas dans le hall et on m'a claqué la porte au nez. Je suis restée, toute tremblante, sur le perron des Parker, puis j'ai fait volte-face. Tout le long du chemin, la voix furieuse de Kristy et le claquement de la porte m'ont poursuivie.

« Il me reste Carla, c'est déjà ça », pensais-je.

Finalement on a déjeuné ensemble.

– Tes amies sont encore absentes ? m'a demandé Carla, sceptique.

– Ouais.

Je n'avais pas envie d'en dire plus. J'ai cherché des yeux les membres du club dans la cantine. Kristy mangeait toujours avec les jumelles, mais la chaise vide était occupée par Jo Deford, un de leurs amis. Claudia et Trevor étaient avec Ric et Emily. Au bout de la même table se trouvaient Lucy et Peter.

De temps en temps, Lucy levait la tête pour jeter un œil mauvais à Claudia ou Claudia murmurait quelque chose à Trevor, puis regardait Lucy et riait. Elle lui a même tiré la langue. Ça ne s'arrangeait pas, au contraire. Je n'étais pas étonnée que Kristy se montre aussi rancunière, mais je pensais que Lucy et Claudia se seraient réconciliées. Jamais je n'aurais cru voir Claudia tirer la langue à quelqu'un en présence de Trevor Sandbourne.

A la fin des cours, je me suis ruée vers la sortie. Je devais y retrouver Carla et je voulais arriver à temps pour que Kristy me voie bien sortir avec ma nouvelle amie. Les choses se sont passées encore mieux que je ne l'avais souhaité.

Tous les élèves sortaient en même temps. J'ai repéré Kristy. En me voyant, elle m'a fait une grimace méprisante. Moi, j'ai souri. Pas à Kristy, mais à Carla, qui arrivait juste. Je suis sûre que Kristy a pensé que j'essayais de nouveau de me réconcilier avec elle. Mais quelle surprise, quand elle a vu Carla m'appeler et courir vers moi ! Alors que nous nous dirigions vers la sortie, je me suis retournée juste à temps pour voir Kristy, bouche bée, derrière moi. Carla et moi, on n'arrêtait pas de parler. En chemin, on a croisé Claudia et Trevor, j'étais ravie.

La nouvelle maison de Carla était plutôt vieille.

– C'est une ferme qui date de 1795.

– Ouah ! Tu en as de la chance d'habiter dans une si vieille maison.

– C'est vrai, même s'il y a plein de travaux à faire. Et elle n'est pas très haute de plafond, tu verras. Si mon père était là, il devrait se pencher pour y rentrer.

En levant les yeux, j'ai constaté que la porte arrivait juste au-dessus de ma tête.

– Les gens étaient plus petits en 1795, a-t-elle expliqué.

A l'intérieur, je me suis retrouvée au milieu d'une pièce remplie de cartons – soit vides, soit encore fermés –, de papier d'emballage et de choses diverses. Je pensais être dans le salon, mais il y avait des plats, des jouets, des draps et des couvertures, un rideau de douche, un pneu de vélo et des conserves de fruits.

– Ma mère n'a pas encore eu le temps de ranger. En fait, elle a toujours du mal à s'organiser, m'a confié Carla. Maman ! a-t-elle crié.

– Je suis dans la cuisine, chérie.

En enjambant le fouillis, nous sommes parvenues à la cuisine, saines et sauves. Elle était grande comme un mouchoir de poche. On y avait installé avec peine une table et des chaises. Elle était sombre, la fenêtre étant obstruée par toutes sortes de plantes grimpantes. Une jolie femme aux cheveux courts et bouclés, aussi blonds que ceux de Carla, était en train de feuilleter un album photos.

– Maman ! Mais qu'est-ce que tu fais ? s'est étonnée Carla. Tu ne ranges pas ?

Mme Schafer a levé les yeux, l'air coupable.

– Je me suis laissé distraire. En ouvrant un carton, j'ai trouvé cet album avec une enveloppe de photos non rangées et je me suis mise à les coller dans l'album.

Carla a souri en secouant la tête.

– Maman, à l'allure où vont les choses, on ferait mieux de tout laisser dans les cartons, comme ça, on serait prêts pour le prochain déménagement. Je te présente Mary Anne.

Mme Schafer m'a serré la main.

– Ravie de faire ta connaissance. Excuse tout ce fouillis. Mais si tu vas dans la chambre de Carla, tu verras le seul endroit civilisé de la maison. Dès le lendemain de notre arrivée, elle avait déjà tout déballé et rangé.

Carla m'a emmenée à l'étage. Tout était petit dans cette maison : une petite salle à manger, un escalier étroit et sombre, qui menait à un couloir étroit et sombre. Tout au bout, la chambre de Carla, petite aussi, avec un plafond bas et un parquet qui craquait.

– Il y a deux choses super dans cette chambre, m'a-t-elle annoncé. La première, c'est ça.

Elle m'a montré une petite fenêtre ronde près du plafond.

– Je ne sais pas à quoi elle sert, mais je l'aime bien. Et voici la seconde.

Elle a effleuré quelques boutons et la pièce a été inondée de lumière.

– Je ne supporte pas les pièces sombres, m'a-t-elle expliqué. Maman m'a donné des tas de lampes et j'ai mis des ampoules de cent watts partout. J'espère que les plombs tiendront !

– Dis donc, le magnétoscope est dans ta chambre veinarde ! Une télé et un magnétoscope pour toi toute seule !

– C'est juste pour quelque temps, tant que la maison n'est pas rangée. Après, on les mettra dans le salon. Quel film tu veux voir ?

– Qu'est-ce que tu as ?

– Plein de choses. Ma mère adore le cinéma. Elle passe son temps à enregistrer des films.

– Est-ce que tu aurais par hasard *La Mélodie du bonheur* ?

– Bien sûr, c'est le dernier film que maman a enregistré avant...

– Avant quoi ? ai-je demandé.

Carla a baissé les yeux.

– Avant le divorce. C'est pour ça qu'on a déménagé, mes parents ont divorcé.

– Pourquoi vous êtes venus ici ?

– Les parents de maman habitent dans cette ville. Maman a grandi à Stonebrook.

– Oh ! Mon père aussi. Ils se connaissent peut-être.

– Comment s'appelle ton père ?

– Frederick Cook. Et quel est le nom de jeune fille de ta mère ?

– Porter.

– Je demanderai à papa. Ce serait drôle, non ?

Carla regardait toujours par terre.

– C'est affreux quand les parents se séparent, ai-je dit. Mais tu n'es pas seule, tu sais. Des tas de parents sont divorcés. Kristy Parker, ma meill... ma voisine d'à côté, est une enfant de divorcés aussi.

Carla a souri.

– Et ta mère vient aussi de Stonebrook ? a-t-elle demandé pour changer de conversation.

– Non, d'Ithaca. Mais elle est morte il y a déjà longtemps.

– Oh !

Carla a rougi, puis elle a mis la cassette dans le magnétoscope et on a regardé le film.

– Quel beau film, a soupiré Carla alors que le générique de fin défilait sur l'écran.

– Oui. C'est un de mes préférés.

J'ai consulté ma montre. Il était cinq heures et quart.

– Je dois partir maintenant. Merci.

– Je suis contente que tu sois venue.

– A demain, lui ai-je lancé en partant.

J'ai couru jusqu'à chez Claudia. J'avais l'estomac noué. L'heure de la réunion du Club des baby-sitters approchait. Je me demandais bien ce qui allait se passer.

En route, je m'étais dit que si Claudia m'ouvrait la porte, ce serait bon signe. Si elle faisait cet effort-là, ça voudrait certainement dire qu'elle n'était plus fâchée.

Quand j'ai sonné, c'est Mimi qui m'a ouvert. Elle avait l'air soucieux.

– Bonjour, Mary Anne, a-t-elle dit, très solennellement.

– Salut, Mimi.

J'ai hésité. D'habitude, je montais tout de suite.

– Claudia est là, n'est-ce pas ?

– Oui, bien sûr. Lucy est là aussi...

Elle voulait dire autre chose, mais elle n'osait sans doute pas.

– Bon, je vais monter. A plus tard, Mimi.

Je suis montée, en passant le plus rapidement possible devant la chambre de Jane, et je suis entrée dans celle de Claudia. Lucy était en tailleur sur le lit et fixait ses mains. Claudia était bien droite sur sa chaise et regardait par la fenêtre. Ni l'une ni l'autre ne parlait. Ayant encore en mémoire ce qui s'était passé le matin même devant chez Kristy, j'ai décidé de ne pas faire le premier pas. Un peu gênée, je me suis assise par terre.

Le téléphone a sonné. Claudia, qui était à côté, a décroché.

– Allô, ici le Club des baby-sitters... Oh, bonjour, samedi matin ?... D'accord... Je vous rappelle.

« Enfin, quelqu'un va devoir parler maintenant », pensai-je.

– Les Johanssen veulent quelqu'un pour Charlotte samedi matin. Qui est libre ? a demandé Claudia en raccrochant.

– Moi, a dit Lucy, parlant à ses mains.

– Mary Anne ?

J'ai secoué la tête.

– Moi non plus, a fait Claudia. Lucy, c'est pour toi.

– D'accord.

Lucy avait l'air satisfaite. Charlotte est son enfant préférée.

– Et Kristy ? ai-je demandé.

– Elle n'est pas là, a répliqué Claudia, et elle connaît le règlement, c'est elle qui l'a fait. Si elle ne téléphone pas pour dire qu'elle est en retard, tant pis, elle perdra des baby-sittings. Je rappelle le docteur Johanssen pour lui dire qu'elle (Claudia a lancé un regard noir à Lucy de travers) ira chez eux.

Quand elle s'est retournée pour téléphoner, Lucy lui a tiré la langue.

Puis, après le coup de fil de Claudia, le silence s'est à nouveau installé. Quelques minutes après, le téléphone a encore sonné. A la troisième sonnerie, Claudia a lancé :

– Répondez cette fois, je ne suis pas la bonne.

J'ai répondu.

– Allô ?... Oh, bonjour madame Parker. Kristy est malade ?... Elle est où ?... Oh, non, ce n'est pas important... Pour David Michael, je vous rappelle.

J'ai raccroché.

– Kristy est chez les Millaber si ça vous intéresse. Sa mère veut faire garder David Michael jeudi après-midi... je suis libre.

– Moi aussi, a annoncé Claudia.

– Moi aussi, a fait Lucy.

Aïe ! Dans ce cas, d'habitude, on dit des choses du genre : « J'ai deux autres baby-sittings cette semaine, tu peux y aller » ou « il y a un moment que tu n'as pas gardé David Michael, alors vas-y ».

Je n'étais pas convaincue que ça se passerait comme ça ce jour-là. J'avais raison. Claudia a pris trois bouts de papier, a fait une croix sur l'un d'eux, les a pliés en deux, avant de les mettre dans une boîte à chaussures.

– Chacune en pioche un, celle qui a la croix ira garder David Michael.

C'est Claudia qui a eu la croix.

– Hé ! s'écria Lucy, tu savais lequel c'était !

– Mais non, comment l'aurais-je su ?

– C'est toi qui as préparé les papiers.

– Tu me traites de tricheuse ?

– C'est toi qui le dis, pas moi.

« Oh, c'est pas vrai ! ai-je pensé, c'est reparti ! »

Finalement, Lucy a accepté que Claudia fasse le baby-sitting. Le téléphone a sonné encore deux fois avant la fin de la réunion, et on a réussi à se répartir le travail sans dispute.

A dix-huit heures, Lucy s'est levée et a quitté la chambre sans un mot. Claudia et moi, on s'est regardées, mais Claudia n'a pas prononcé un mot non plus. J'ai donc suivi Lucy. Mimi nous a regardées quitter la maison en silence. Alors que nous étions déjà dehors, Lucy s'est mise à courir mais, je ne sais pas pourquoi, je me suis retournée vers la maison. Claudia était à sa fenêtre. J'ai hésité, puis je lui ai fait un signe de la main. Elle m'a souri et m'a fait signe. Du coup, je suis revenue chez les Koshi et j'ai confié à Mimi le mot pour Claudia. Puis j'ai traversé la rue en courant jusque chez moi.

Mon père n'était pas encore là. A six heures et quart, comme il n'était toujours pas arrivé, je me suis décidée à appeler Claudia. Si je ne le faisais pas avant le dîner, je devrais attendre jusqu'au lendemain. J'ai composé le numéro de sa chambre.

– Allô, Claudia, ai-je commencé, nerveuse. C'est Mary Anne.

– Oh, salut. Mimi m'a donné ton mot. Merci.

– Ce n'est rien.

– Je te pardonne et je suis désolée de m'être fâchée aussi, a-t-elle fait assez sèchement.

– Bon...

Je ne savais plus quoi dire. Notre dispute était-elle terminée ?

– J'appelle à cause de Kristy aussi. Si elle était chez les Millaber pendant notre réunion, je suppose qu'elle ne veut plus faire partie du club. Enfin, je ne sais pas... Qu'est-ce que tu en penses ?

– Pour le moment du moins, je suppose, a approuvé Claudia.

– Que va devenir le club alors ? C'est elle, la présidente.

– Je sais. J'y pensais justement. On devrait peut-être arrêter d'accepter du travail si elle n'est pas là quand on le répartit entre nous.

– D'un autre côté, c'est son choix de ne pas venir aux réunions.

– Je ne sais vraiment pas quoi faire. Lucy est presque aussi fâchée que Kristy.

– Ce qui est curieux, c'est que Kristy n'a pas dit qu'elle voulait qu'on arrête le club, elle ne fait que l'ignorer. Mais le club est son idée. Pourquoi nous laisserait-elle le diriger alors qu'elle est fâchée contre nous ?

A l'autre bout du fil, Claudia haussait probablement les épaules.

– Toi et moi, on devrait parler à Lucy et à Kristy demain pour voir ce qu'elles veulent faire. On ne va sûrement pas continuer à avoir des réunions comme celle de tout à l'heure. Si tu parles à Kristy, je parlerai à Lucy.

– D'accord, mais ça ne va pas être facile.

Je ne lui ai pas raconté que Kristy m'avait claqué la porte au nez. Elle devait avoir autant de problèmes avec Lucy que moi avec Kristy.

Comment faire ? Je ne voulais pas retourner chez elle et j'avais l'impression que, si je l'appelais, elle me raccrocherait au nez. Il ne me restait plus qu'à essayer de la prendre par surprise.

Je lui ai tendu une embuscade au collège. A la sortie du vestiaire, je me suis postée devant elle.

– Excuse-moi, a-t-elle fait d'un ton hautain.

Mon cœur battait à tout rompre.

– Je dois te parler.

– Non.

– Si, il le faut.

– Non.

– Nous devons parler du club. Tu n'en fais plus partie ?

– Plus partie ? C'est mon club.

– C'est exact.

– Que veux-tu dire par « c'est exact » ?

– C'est ton club, mais tu n'as pas assisté à la réunion d'hier.

– C'est mon club, je ne suis pas obligée d'aller à la réunion.

– Mais tu as manqué pas mal de baby-sittings. On n'allait pas appeler chez les Millaber sans arrêt pour savoir si tu étais libre.

– Vous auriez dû, a-t-elle répliqué avec humeur.

C'était difficile pour moi de la contredire. J'ai plutôt l'habitude d'approuver les choses, mais j'ai respiré un bon coup avant de répondre :

– Pas selon le règlement. Claudia pense que pendant...

J'allais dire « pendant que nous sommes toutes fâchées », mais j'ai réalisé que ce n'était pas très délicat.

– Pendant...

– Pendant que nous sommes toutes fâchées ? continua Kristy.

– Eh bien... oui. Claudia et moi sommes les seules à nous parler, alors...

– Claudia et toi, vous vous parlez ?

– Oui.

– C'est chouette, les amies fidèles.

– Ouais, c'est chouette, on peut leur claquer la porte au nez ! ai-je rétorqué.

– D'accord, d'accord... Et si on répondait au téléphone chacune notre tour chez Claudia ? Une fois toi, une fois moi...

– Mais il faudrait appeler chaque membre chaque fois que quelqu'un nous contacte. On va passer des heures au téléphone !

Kristy a levé les yeux au ciel.

– Celle qui répondra chez Claudia prendra tous les baby-sittings, et elle proposera aux autres seulement ceux qu'elle ne pourra pas faire. D'accord ?

– D'accord. Je le dirai à Claudia.

– Hé, Mary Anne ! m'a hélée une voix du bout du couloir.

C'était Carla. Je me suis retournée pour lui faire un signe de la main. Elle a couru vers moi.

– Ça va ? C'était bien hier, hein ?

– Super ! Dis donc, tu pourrais venir chez moi samedi ? On n'a pas de magnétoscope, mais on pourrait faire des gâteaux.

J'ai jeté un regard à Kristy. Si elle continuait à ouvrir de si grands yeux, ils finiraient par sortir de leurs orbites.

– Bien sûr ! s'est exclamée Carla.

– Bon. A tout à l'heure à la cantine.

Carla est repartie gaiement dans le couloir.

Kristy me fixait toujours. Elle a fini par dire :

– Tu l'as invitée chez toi ? Mais, à part moi, tu n'as jamais invité personne. Tu n'invites même pas Claudia ou Lucy.

J'ai haussé les épaules.

– Carla est une amie.

Le visage de Kristy s'est crispé. Elle savait très bien à quel jeu je jouais, car c'est à ce moment qu'elle m'a annoncé :

– Au fait, maman me permet de sortir aussi tard que Lucy, vingt-deux heures le week-end et vingt et une heures trente toute la semaine.

C'était à mon tour d'ouvrir de grands yeux. Vingt-deux heures ? Ça voulait dire que j'étais le seul membre du club à devoir rentrer tôt maintenant.

Je suis devenue toute rouge. Kristy aurait aussi bien pu m'épingler un badge « bébé » sur mon pull, car j'en étais un. Le seul bébé du club.

Elle est partie avec un petit sourire satisfait.

J'ai baissé la tête, furieuse contre Kristy et contre mon père. Il fallait que je fasse quelque chose, mais quoi ?

Selon nos nouveaux accords, les réunions du club n'étaient plus assurées que par un seul membre à la fois. Le vendredi, c'était mon tour.

Comme Claudia et moi, nous nous parlions, elle est restée avec moi dans sa chambre, mais nous avons respecté le nouveau règlement de Kristy et j'ai pris tous les baby-sittings sauf un.

Le dernier appel était de Mme Prezzioso. Je la connaissais vaguement. Elle habitait près de chez Carla et c'était une amie des Pike, cette famille de huit enfants, où nous allons souvent.

– Allô, c'est Madeleine Prezzioso à l'appareil. A qui ai-je l'honneur ?

– C'est Mary Anne Cook.

– Oh, Mary Anne, bonjour, ma chérie. Comment allez-vous ?

– Bien. Merci, ai-je répondu poliment.

Je dois préciser que les Prezzioso sont des gens très stricts et très comme il faut. Mme Prezzioso est extrêmement maniérée et pointilleuse. Elle semble tout droit sortie d'un de ces magazines où l'on vous donne des conseils pour enlever les taches difficiles ou faire des courgettes en sauce.

Elle achète des costumes trois pièces à son mari, ainsi que des mouchoirs à ses initiales. Et Jenny, sa fille de trois ans, est habillée tous les jours comme pour le dimanche de Pâques. Elle lui met des rubans dans les cheveux et des chaussettes en dentelle aux pieds. Je n'ai jamais vu Jenny en jeans. Pour Mme Prezzioso, jeans est sans doute un gros mot.

On a l'impression que son mari aimerait parfois s'endormir devant sa télé, en survêtement. Et Jenny fait des efforts, mais elle n'est pas aussi parfaite que sa mère voudrait qu'elle soit.

– Je sais que j'appelle à la dernière minute, ma chère, mais j'ai besoin de quelqu'un samedi après-midi, car mon mari et moi sommes invités à un thé.

– Très bien. Je viendrai.

– C'est magnifique, chère Mary Anne. Merci. A seize heures samedi.

Le samedi après-midi, j'ai sonné chez les Prezzioso à trois heures et demie. Jenny s'est précipitée pour ouvrir. Je l'ai entendue tourner les verrous. Elle a entrouvert, mais la chaîne de sûreté était mise. Blang !

– Jenny ! s'est exclamée une voix derrière elle. As-tu demandé qui était là, avant d'ouvrir la porte ?

– Non, maman.

– Que dois-tu faire, quand on sonne ?

– Dire : « Qui est là ? »

– Alors, fais-le, s'il te plaît.

La porte s'est refermée et on a remis les verrous.

– Mary Anne, pourriez-vous sonner à nouveau, s'il vous plaît ? m'a demandé Mme Prezzioso.

J'ai obéi en retenant un soupir.

Ding-dong !

– Qui est là ? a demandé Jenny.

– C'est moi. Mary Anne Cook.

– Est-ce que je te connais ?

– Non. Je suis la baby-sitter.

– Je peux lui ouvrir maintenant, maman ?

– Oui, mon cœur, c'était très bien.

Enfin la porte s'est ouverte. Jenny et sa mère étaient sur leur trente et un. Mme Prezzioso avait la tenue idéale pour un thé huppé. Mais Jenny semblait un peu trop endimanchée pour un après-midi à la maison.

Elle portait une robe blanche ornée de kilomètres de dentelle et de ruban lavande, des chaussettes lavande assorties et des ballerines noires vernies. Ses cheveux avaient été frisés et étaient retenus en arrière par des barrettes, d'où s'échappaient de longs serpentins.

Franchement, sa mère n'avait plus qu'à la mettre en vitrine !

Jenny a regardé avec envie ma jupe en jean.

– J'aime bien ta jupe, Mary Anne.

– C'est une très belle jupe, a commenté sa mère, mais pas aussi jolie que ta robe neuve, mon petit ange !

Elle a attiré Jenny contre elle pour la couvrir de baisers bruyants.

– Qui est mon petit ange ?

Jenny s'est écartée de sa mère.

– C'est moi, maman.

– Notre petit ange n'est-il pas joli aujourd'hui ? m'a-t-elle demandé.

Notre ange ?

– Euh... Oui, bien sûr, ai-je répondu.

Jenny a eu un sourire adorable.

– Je suis prêt, Madeleine, a annoncé une voix à l'étage.

M. Prezzioso a dévalé les escaliers.

– Mon ange, sois gentille avec Mary Anne. Tu me le promets ?

Il l'a fait tournoyer dans les airs. La petite poussait des cris de joie.

– Oh, fais attention ! s'est écriée sa femme. Sa robe neuve... et ta veste. Nick, je t'en prie.

M. Prezzioso avait à peine reposé Jenny que sa femme s'est jetée sur lui pour arranger sa cravate, ajuster son veston et faire ressortir les initiales de la pochette. Puis elle s'est mise à côté de lui.

– Comment nous trouvez-vous, Mary Anne ? m'a-t-elle demandé.

J'ai rougi.

– On dirait... une photo de magazine, ai-je fini par lâcher.

C'était vrai, ils en avaient la pose et la raideur.

– Les numéros d'urgence sont à côté du téléphone et si nous ne sommes pas rentrés à dix-neuf heures, vous pouvez la faire dîner.

Nous avons accompagné ses parents jusqu'à la porte. Puis j'ai fermé les verrous et j'ai regardé Jenny.

– Que veux-tu faire maintenant ?

Elle s'est affalée sur le canapé en faisant la moue.

– Rien.

– Allez, il y a sûrement quelque chose que tu aimerais faire.

Jenny a secoué la tête.

– Non, non.

– Dans ce cas, c'est moi qui vais jouer seule avec le coffre à jouets.

Le coffre est une trouvaille de Kristy pour occuper et amadouer les enfants. Chacune de nous a décoré une boîte en carton, remplie de livres et de jeux. Les enfants que nous gardons adorent ça et sont toujours contents de nous voir arriver avec. Mais Jenny ne connaissait pas encore le coffre magique.

– C'est quoi ? a-t-elle demandé.

– Quelque chose que j'ai apporté avec moi.

Je l'ai ouvert par terre dans le salon. J'en ai sorti trois livres, deux jeux de société, une dînette et un album à peindre. Au bout d'un moment, Jenny a quitté le canapé et s'est approchée de moi.

– Je peux jouer avec ça ? a-t-elle demandé en prenant des casseroles et des plats de dînette.

– Bien sûr, c'est fait pour ça.

– Ça, c'est pour peindre ?

Je me suis mordu les lèvres.

– Oh… Oui. Mais tu ne veux pas essayer autre chose ?

– Je veux peindre !

J'ai regardé la robe d'un blanc immaculé, puis l'album à peindre. N'allait-on pas vers un beau gâchis ? Je suis allée dans la cuisine remplir un verre d'eau. Puis j'ai installé Jenny par terre avec la peinture.

– Tu as juste à passer sur les images et les couleurs apparaîtront. Rince bien le pinceau chaque fois, pour ne pas mélanger les couleurs. D'accord ?

Jenny a hoché la tête.

– Et… fais bien attention, ajoutai-je.

Elle était assise en tailleur, l'album devant elle. Elle a trempé le pinceau dans l'eau et l'a tendu lentement vers l'album. Ploc… ploc… ploc.

Trois petites gouttes d'eau sont tombées sur sa robe.

J'ai fermé les yeux. Heureusement, ce n'était que de l'eau.

– Tu ne voudrais pas mettre d'autres vêtements pour peindre ?

Je pensais qu'elle devait avoir quelque chose de plus adapté à se mettre.

– Non.

– Un tablier de ta maman ?

– Je ne veux pas de tablier !

Je l'ai observée barbouiller une grosse pomme, qui est devenue rouge. Jenny a soulevé le pinceau et l'a replongé dans l'eau. Tout allait bien. Je me détendais un peu. Puis elle a secoué le pinceau mouillé au-dessus de l'album. Deux minces filets roses sont apparus sur la robe.

« Ça devrait partir avec de l'eau », ai-je pensé. Mais je n'en étais pas si sûre.

Il fallait que Jenny mette un tablier, que ça lui plaise ou non. Je me suis précipitée dans la cuisine. Je venais d'en trouver un, quand j'ai entendu un :

– Ouuuh !

– Jenny ? Qu'est-ce qu'il y a ?

Silence puis :

– Rien.

Un rien de mauvais augure. J'ai couru vers elle. J'en ai eu le souffle coupé. Elle avait renversé tout le verre d'eau sur ses genoux. Une énorme tache rosâtre s'étendait rapidement sur sa robe. Jenny me fixait avec de grands yeux.

– Vite, enlève tout de suite ta robe.

– Non, non, non, non !

Elle s'est couchée sur le ventre, tapant des pieds et des poings. J'en ai profité pour déboutonner sa robe.

– Dépêche-toi, je te ferai un tour de magie après.

Elle a cessé de taper et de hurler.

– De la magie ?

– Oui. J'espère que je réussirai mes trucs.

Elle m'a laissée lui enlever sa robe, puis m'a suivie à la cuisine et m'a regardée passer la robe sous un filet d'eau au-dessus de l'évier. La tache est partie. J'ai poussé un soupir de soulagement.

– Ta maman a un sèche-cheveux ? ai-je demandé.

– Ouais.

Jenny, en riant, m'a aidée à sécher sa robe. Je lui ai dit qu'il fallait qu'elle mette autre chose, si elle voulait continuer à peindre. Elle m'a emmenée dans sa chambre et m'a montré un placard.

– C'est là que sont mes vêtements pour jouer.

En ouvrant le placard, j'ai trouvé trois piles de chemisiers et de pantalons, presque neufs, soigneusement pliés et rangés.

– Ce sont tes vêtements de jeu ?

Jenny a haussé les épaules, l'air de dire : « Tu aurais dû t'en douter. »

Bref, nous sommes redescendues et Jenny a passé l'après-midi à peindre... en sous-vêtements. Je l'ai rhabillée juste pour le retour de ses parents.

– A-t-elle été sage ? a demandé sa maman.

– Un ange, ai-je répondu, un vrai petit ange.

Jenny m'a souri. Notre secret était sauf.

Je ne pouvais plus y tenir. Il fallait que je demande à mon père la permission de sortir plus tard. Si les autres membres du club pouvaient faire du baby-sitting jusqu'à vingt-deux heures, pourquoi pas moi ?

J'ai le même âge que les autres, je suis tout aussi responsable qu'elles et je n'ai pas plus de travail qu'elles au collège.

La seule demande que j'avais dû refuser le vendredi après notre dispute était celle d'un client qui voulait une baby-sitter jusqu'à dix heures le samedi. C'est Kristy qui avait assuré la garde. J'étais vexée, mais j'avais peur d'affronter mon père. Il ne serait pas en colère, mais il ne tiendrait aucun compte de mon opinion, à moins que je ne sache exactement comment le prendre et je n'étais pas sûre de le savoir.

Mais le lundi soir, j'étais décidée à lui parler, peu importait comment j'allais m'y prendre. Par malheur, il est rentré de mauvaise humeur.

– J'ai perdu le procès Cutter aujourd'hui. Je n'arrive pas à le croire. Le jury a été tout à fait illogique.

J'ai hoché la tête.

– Papa...

– Honnêtement, les gens sont parfois dépourvus de moralité... Non, pas vraiment, mais irréfléchis, voilà, irréfléchis.

Nous étions en train de mettre le couvert pour dîner.

– Papa..., ai-je répété.

– Peut-on acquitter quelqu'un qui est de toute évidence coupable de vol ?

J'ai secoué la tête.

– Je suppose que non... Papa ?

– Oui, qu'y a-t-il, Mary Anne ?

A cet instant, j'aurais dû comprendre que ce n'était pas le moment, mais j'avais pensé toute la journée à ce que j'allais lui dire et je n'en pouvais plus d'attendre. Je ne savais pas si ça allait marcher, mais je me suis lancée :

– Papa, j'ai réfléchi. J'ai douze ans maintenant et je crois pouvoir sortir jusqu'à vingt-deux heures, à l'occasion, quand je fais du baby-sitting. Pas la semaine, bien sûr, parce que je dois me lever tôt le lendemain, mais seulement le vendredi et le samedi. J'ai réfléchi et...

Mais le téléphone a sonné. Mon père a bondi pour décrocher.

– Allô ? Oui, je sais, je sais... En appel. C'est ce que je pens... Quoi ? Oh, oui. Absolument...

La conversation a duré vingt minutes, pendant lesquelles notre pizza a eu le temps de décongeler, puis de brûler dans le four. Enfin, papa a raccroché, mais le téléphone a resonné aussitôt. Quand il a eu de nouveau raccroché, je lui ai presque jeté la pizza dans son assiette.

– Papa, je veux pouvoir sortir jusqu'à vingt-deux heures quand je fais du baby-sitting, ai-je alors insisté.

Mon père m'a fixée, le regard vide.

– Comment ?... Oh, Mary Anne, non... C'est hors de question.

– Mais... papa, toutes les autres ont le droit.

– Je n'en suis pas sûr du tout. Je serais étonné que tu sois la seule élève à ne pas pouvoir sortir après neuf heures du soir.

– Papa, je suis en cinquième, et je suis le seul membre du Club des baby-sitters qui ne peut pas sortir jusqu'à dix heures. Tu me traites comme un bébé. Mais, regarde-moi ! Je vais bientôt passer en quatrième !

Pendant un moment, mon père a paru troublé, puis son visage a changé d'expression. L'air las, il s'est frotté les yeux et a fini par dire doucement :

– Ce n'est pas facile pour un père d'élever sa fille, seul. Je dois être à la fois père et mère. En plus, je ne suis pas souvent à la maison. Je fais de mon mieux.

– Mais, Kristy, Claudia et Lucy...

– Ce qu'elles et leurs parents font ne nous concerne pas.

– Tu ne penses pas que Mme Parker est une bonne mère ? Tu crois que Mimi et les Koshi ne s'occupent pas bien de Claudia ?

– Là n'est pas la question. Moi, ce qui m'intéresse, c'est l'heure à laquelle tu vas au lit.

– Papa, je suis assez grande pour sortir jusqu'à dix heures. J'ai douze ans, je ne suis plus un bébé. Sinon pourquoi mes professeurs écriraient dans tous mes bulletins : « C'est un plaisir d'avoir une élève comme Mary Anne. Elle est responsable et mûre. »

– Tu ne le prouves pas en ce moment.

Je le savais. Je pleurnichais. Mais il était trop tard, je ne pouvais plus m'arrêter.

– Je n'ai plus l'âge non plus de porter ces tresses stupides et ma chambre a l'air d'une nursery. C'est une chambre de bébé.

Mon père m'a regardée avec sévérité.

– Jeune fille, je n'aime pas le ton sur lequel tu parles.

Je l'ai ignoré.

– Tu sais, tu n'es pas le seul parent à avoir des problèmes. Mme Parker est très peu chez elle et elle est seule pour élever Kristy et ses frères. Pour autant, ils n'ont pas Pinocchio accroché sur les murs de leur chambre. J'aimerais que les choses changent un peu ici. J'aimerais pouvoir choisir mes vêtements. J'aimerais me coiffer autrement qu'avec des tresses J'aimerais porter des collants, mettre du vernis à ongles. Et si un garçon m'invite au cinéma, j'aimerais pouvoir lui dire oui sans avoir à te le demander d'abord. Tu sais quoi ? Parfois j'ai l'impression d'avoir un gardien de prison plutôt qu'un père.

A ce moment précis, j'ai compris que j'étais allée trop loin. Mon père s'est retourné et, d'un ton extrêmement calme, il m'a dit :

– Mary Anne, la discussion est close. Va dans ta chambre, s'il te plaît.

J'ai quitté la pièce. C'était affreux. Je lui avais fait de la peine sans le vouloir. Mais que pensait-il qu'il arriverait, si jamais je défaisais mes nattes ou enlevais Pinocchio de ma chambre ? Pensait-il que j'allais m'enfuir ou aller traîner toute la journée dans les rues ? Et que pouvait-il arriver entre vingt et une et vingt-deux heures, qui ne puisse aussi arriver avant vingt et une heures ?

Je ne connaissais pas les réponses, mais Mimi, elle, les connaîtrait sûrement. Elle savait écouter patiemment et je parlais souvent avec elle de choses dont j'aurais aimé parler avec ma mère. En tout cas, je parlais avec elle de choses dont je ne pouvais pas discuter avec mon père.

Je lui ai rendu visite le lendemain après les cours. Le matin, je m'étais excusée deux fois auprès de mon père. Il avait accepté mes excuses, mais nous étions toujours un peu en froid.

– Bonjour, Mary Anne, m'a lancé Mimi en ouvrant la porte. Tu es venue voir Claudia ? Elle n'est pas là. Elle fait un baby-sitting chez les Marshall, je crois.

– Oh, non. C'est vous que je viens voir. Je me demandais si nous pourrions parler...

– Bien sûr. Entre, je t'en prie. Veux-tu du thé, Mary Anne ?

– Oui, merci.

Je n'aime pas vraiment le thé, mais j'aime en boire avec Mimi. Elle le sert dans de petites tasses sans anses, et je peux y mettre tout le lait et le sucre que je veux.

Je l'ai suivie dans la cuisine. Mimi a posé le service à thé sur la table et fait chauffer de l'eau. Elle a pris quelques biscuits dans une boîte et les a disposés sur une assiette. Quand tout a été prêt, elle s'est assise en face de moi.

– Le temps est triste, a-t-elle commencé en montrant les arbres sans feuilles secoués par le vent et ruisselants de pluie.

– Oui, ai-je confirmé.

Je me sentais triste moi aussi.

– Par ce temps-là, a poursuivi Mimi, je pense au printemps. La neige me fait aimer l'hiver, mais pas ce temps sinistre. Nous aurons peut-être la chance que les beaux jours arrivent vite cette année.

J'ai souri.

– Ce serait super !

– Et toi, comment te sens-tu quand il fait ce temps-là ?

J'ai regardé Mimi. Ses cheveux noirs, depuis longtemps striés de blanc, étaient noués en chignon sur sa nuque.

Elle ne portait aucun bijou. Elle n'était pas maquillée et son visage était tout ridé. Je la trouvais belle. Sans doute à cause de son imperturbable sérénité.

– Je supporte assez bien le temps, mais assez mal mon père... Mimi, pensez-vous que je suis différente de toutes les autres filles de douze ans ?

– Que veux-tu dire par là ?

– Suis-je... aussi responsable, aussi mûre, aussi intelligente que les autres ? Est-ce que j'aime les mêmes choses qu'elles ?

A sa place, la plupart des adultes auraient dit quelque chose du genre : « C'est difficile de répondre » ou « Que veux-tu vraiment savoir ? »

Mais Mimi, elle, a posé sa tasse. Elle m'a regardée et a fini par répondre :

– Oui, tu me sembles être une fille de douze ans comme les autres. Tu ne portes pas le même genre de vêtements que Claudia, mais je ne pense pas que ça veuille dire grand-chose. Tu es très responsable et tu sembles aussi très mûre. Mais tu es aussi trop sérieuse, et il est faux de confondre sérieux et maturité.

Ça me dépassait un peu, mais ce qui comptait, c'est qu'elle pensait que j'étais semblable à n'importe quel autre enfant de mon âge.

– Alors Mimi, ai-je poursuivi, comment se fait-il que je ne puisse pas décorer ma chambre comme je le veux ? Vous savez ce qu'il y a sur mes murs ? Alice au pays des merveilles et Pinocchio... Vous savez qui est Pinocchio ?

– Oh, oui. La marionnette en bois, dont le nez s'allonge quand elle ment.

J'ai ri, retrouvant vite mon sérieux.

– Oui, mais ces posters sont bons pour les bébés, pas pour la chambre d'une fille de douze ans. Mais papa ne veut pas que je les enlève et il ne veut pas non plus que j'en ajoute d'autres à côté. Je n'ai pas le droit d'avoir les cheveux lâchés, ni de sortir après neuf heures dernier délai. Claudia, Kristy et Lucy ont le droit de faire toutes ces choses... et même plein d'autres. A chaque instant, je me heurte à une nouvelle interdiction de mon père : « Tu ne dois pas aller en ville à vélo, tu ne dois pas porter de jeans pour aller en classe, tu ne dois pas faire ceci, tu ne dois pas faire cela. »

Je me suis interrompue pour reprendre mon souffle. Mimi a levé légèrement les sourcils.

– Je sais que ce n'est pas facile pour toi, a-t-elle commencé, en buvant son thé à petites gorgées. Et on t'a sûrement répété que ton père faisait de son mieux.

J'ai hoché la tête.

– Je vais te dire quelque chose que j'ai souvent dit à ma Claudia. Si tu n'aimes pas certaines choses, tu dois les changer toi-même.

– Mais j'ai essayé !

– Tu n'as peut-être pas encore trouvé le bon moyen. Si c'est vraiment important pour toi, il y a sûrement un moyen de changer les choses. Et je sais que toi, ma Mary Anne, tu vas trouver ce moyen.

A ce moment-là, Claudia a fait irruption dans la cuisine.

– Qu'est-ce que j'ai entendu ? a-t-elle demandé à Mimi d'un ton accusateur.

– Claudia, tu as déjà fini ton baby-sitting ?

Elle a ignoré la question.

– Je t'ai entendue, a-t-elle crié en jetant un regard furieux à Mimi. Tu l'as appelée ma Mary Anne.

– Oui, et alors ? a répliqué Mimi tranquillement.

– Mais, il n'y a qu'à moi que tu parles comme ça. Tu ne dis même pas ma Jane.. Je pensais qu'il n'y avait qu'à moi...

J'avais rarement vu Claudia si bouleversée, même quand elle avait de mauvaises notes ou quand l'Agence de baby-sitters avait failli faire disparaître notre club. Elle était debout devant nous et des larmes coulaient le long de ses joues. Elle est partie en courant.

– Oh, non, ai-je soupiré.

– Ne t'en fais pas, m'a rassurée Mimi. Tout est ma faute. Je vais parler à Claudia et dissiper ce malentendu.

Elle s'est levée et j'en ai fait autant.

– Merci, Mimi.

Après m'avoir embrassée, elle s'est dirigée vers les escaliers, et moi, je suis partie.

Comment changer les choses ? Je n'en avais aucune idée. Et pourtant, il fallait que je trouve. Toute seule.

8

Mardi

Je suis furieuse ! Je sais que ce journal sert à noter nos problèmes de baby-sitters, mais celui-ci concerne un membre du club. Son nom est Mary Anne Cook ou, comme certains l'appellent aussi, « ma Mary Anne ». Comment Mary Anne fait-elle pour être si proche de Mimi ? Ce n'est pas juste. C'est une chose qu'elle lui apprenne à tricoter, mais c'en est une autre qu'elles prennent le thé ensemble dans des petites tasses spéciales et que Mimi l'appelle « ma Mary Anne ». C'est une traîtresse. Voilà.

Ouah ! ce que Claudia était en colère. Mimi s'était excusée et avait essayé de lui expliquer les choses, mais Claudia ne me parlait plus, ce qui voulait dire que, à nouveau, tous les membres du club étaient fâchés.

A deux reprises, j'avais essayé d'appeler Kristy à sa fenêtre, avec ma lampe de poche. La première fois, la chambre de Kristy était restée dans l'obscurité. La seconde fois, il y avait de la lumière, mais elle n'était pas venue à la fenêtre. Je l'avais vue en train de faire ses devoirs, parler à sa mère et jouer avec son chien Foxy. Mais elle n'avait pas levé une seule fois les yeux vers la fenêtre.

Combien de temps encore allait durer notre dispute ? J'ai pensé en parler à Carla, mais j'y ai renoncé.

Quand j'ai dû de nouveau répondre aux appels téléphoniques pour le club, ça n'a pas été facile. D'abord, Claudia était chez elle et pas très contente de me voir dans sa chambre. Elle a mis la musique à fond. C'est à peine si j'entendais la sonnerie du téléphone.

– Allô, ai-je crié dans le récepteur, ici le Club des baby-sitters.

J'étais sûre qu'on me parlait, mais je n'entendais qu'une chose : « Doun da da doum da da doum da. Je ne peux vivre sans toi-oi-oi. »

– Quoi ? ai-je hurlé.

« Da dou dou da dou di. Tu es toute ma vie-ie-ie. »

– Claudia, peux-tu baisser le son, s'il te plaît ?

Claudia a fait comme si de rien n'était et s'est mise à chanter :

– Da dou dou da dou di, la belle vie-ie-ie !

J'ai plaqué ma main sur mon oreille.

– Allô ?

J'ai alors entendu une voix :

– Pourquoi tu cries ? Tout va bien ?

– Madame Newton ? Je veux dire, est-ce vous, madame Newton ?

– Oui. Mary Anne? Qu'est-ce que c'est que tout ce bruit?

– Oh... juste un peu de musique.

– Écoute! J'ai besoin d'une baby-sitter mercredi après-midi pour garder Simon. Je vais voir des amis et j'emmène le bébé avec moi. Y a-t-il quelqu'un de libre?

Entre deux chansons, le bruit a cessé. J'entendais beaucoup mieux.

– Je vais me renseigner, en tout cas, moi je ne peux pas.

– Peux-tu demander à Kristy, s'il te plaît? Simon serait content de la voir.

– Pas de problème, ai-je répondu à contre cœur.

Zut. Il allait falloir téléphoner à Kristy.

– Je vous rappel...

« Oh, mon amour, mon amour, tu es triste », recommençait à hurler le chanteur.

Heureusement, j'avais raccroché. Mimi est alors entrée dans la chambre. Elle avait dû frapper, mais bien évidemment, nous ne l'avions pas entendue. Elle a fait signe à Claudia, qui avait légèrement baissé le son.

– Claudia, je dois te demander d'écouter ta musique plus doucement. C'est beaucoup trop fort. Je voulais te proposer de descendre boire une tasse de thé avec moi, pendant que Mary Anne répond au téléphone.

Claudia a réfléchi. Elle a fini par arrêter la musique et a suivi Mimi. En sortant, elle m'a tiré la langue, et j'ai fait de même. Elle a claqué la porte. Les doigts tremblants, j'ai composé le numéro des Parker. Kristy a répondu.

– Allô, c'est Mary Anne Cook.

Silence. Puis :

– Oui ?

Elle aurait pu répondre autre chose !

– Mme Newton veut quelqu'un pour garder Simon mercredi. Elle aimerait que ce soit toi. Tu peux y aller ?

– Ouais.

– Parfait, je vais la rappeler.

– Hé, attends !

Non ? Je n'y croyais pas ! Kristy allait me faire la grande scène des excuses. Après tout ce temps, Kristy l'autoritaire allait céder la première, alors que moi, Mary Anne la timide, avais tenu bon. Notre dispute était enfin finie ! J'étais si heureuse à cette idée...

– Ouais ? ai-je fait.

– A quelle heure veut-elle que je vienne ?

– Demande-lui toi-même, ai-je répliqué en raccrochant.

Puis j'ai rappelé Mme Newton.

Le coup de fil suivant était de Jim, qui cherchait une baby-sitter pour le samedi après-midi suivant.

– Je sais que ce n'est pas dans les habitudes de votre club, m'a-t-il expliqué, mais peux-tu demander à Kristy d'abord ? J'aimerais bien qu'Andrew et Karen la voient régulièrement, puisqu'elle sera bientôt leur demi-sœur.

– Bien sûr...

J'étais découragée.

Que pouvait-il encore m'arriver ? J'ai composé à nouveau le numéro de Kristy. C'est David Michael qui a répondu.

– Allô, qui est à l'appareil, s'il vous plaît ?

– C'est Mary Anne.

– Salut ! Quand vas-tu revenir me garder ? Tu te souviens

la dernière fois quand on a joué aux quilles avec des gobelets en carton ?

– Oui. C'était amusant, hein ?

– Ouais.

– David Michael, peux-tu appeler Kristy ? Je dois lui parler.

– Bien sûr.

Quand Kristy a pris l'appareil, elle n'a pas dit un mot. J'ai deviné sa présence à sa respiration.

– Kristy ?

– Quoi ?

– Jim veut que tu ailles garder ses enfants samedi... de quatorze heures trente à dix-sept heures, ai-je précisé.

– D'accord.

– Je le rappelle. Au revoir.

J'avais à peine raccroché que le téléphone a sonné à nouveau.

– Mary Anne, c'est encore Mme Newton. J'ai oublié de te demander, si toutes les quatre, vous vouliez venir au goûter d'anniversaire de Simon. C'est dans deux semaines, et j'aimerais que vous soyez là en tant qu'invitées et en tant que baby-sitters. Il y aura seize enfants et j'aurai bien besoin d'aide.

– Bien sûr ! me suis-je exclamée. Je veux dire, si c'est possible. Ce serait sympa. Je vais appeler les autres.

Mme Newton m'a donné des détails sur ce goûter et j'ai entrepris d'appeler les autres. Par chance, Lucy n'était pas chez elle et j'ai simplement laissé le message à Mme MacDouglas.

Je n'avais aucune envie de rappeler Kristy une troisième

fois et je ne voulais pas non plus parler à Claudia. J'ai donc tiré au sort pour savoir par qui commencer. J'ai lancé une pièce. Claudia. J'ai descendu lentement les escaliers et je l'ai trouvée en train de boire du thé avec Mimi.

– Claudia ?

Elle a posé sa tasse et s'est bouché les oreilles :

– La, la, la !

Elle fermait les yeux et chantait à tue-tête :

– Je ne t'entends pas.

J'ai lancé un regard désespéré à Mimi, qui s'est penchée par-dessus la table pour toucher légèrement le bras de Claudia. Cela fut suffisant pour qu'elle se comporte à nouveau comme un être humain. Elle a ouvert les yeux et ôté les mains de ses oreilles.

– Mme Newton demande que nous allions toutes les quatre l'aider pour le goûter d'anniversaire de Simon. Tu es d'accord ?

– Oui, a-t-elle répondu, j'irai.

Je me demandais si c'était une si bonne idée. Comment pourrions-nous aider à organiser un goûter si nous ne nous parlions toujours pas ? Quoi qu'il en soit, je suis remontée dans la chambre de Claudia, pour rappeler Kristy une troisième fois.

– Qu'est-ce qu'il y a ? a-t-elle demandé, visiblement agacée.

Je lui ai expliqué. Elle a soupiré.

– Bon, j'irai aussi.

– Ne te force pas. Je peux dire à Mme Newton que tu es prise.

– Tu n'oserais pas !

– Je te proposais juste une autre solution.

– Ouais, c'est ça !

Et elle a raccroché.

Il était déjà près de dix-huit heures, mais j'ai encore reçu deux autres appels. L'un de Mme Prezzioso, qui voulait que je garde Jenny. J'ai vérifié dans l'agenda que j'étais libre et lui ai confirmé que je viendrais. L'autre appel était de Mme Pike, qui est la mère de huit enfants.

Les Pike sont de bons clients, bien qu'ils n'aient besoin de baby-sitters que pour leurs plus jeunes enfants. En général, les plus grands se gardent seuls. Mais cette fois, la demande de Mme Pike était différente.

– Voilà, Mary Anne. Mon mari et moi sommes invités à un cocktail. Nous serons de retour à vingt et une heures... mais nous ne voulons pas laisser les enfants seuls. En fait, il nous faudrait deux baby-sitters.

– OK.

J'ai expliqué à Mme Pike que je la rappellerais dès que j'aurais trouvé une deuxième baby-sitter. J'ai alors consulté l'agenda. Je n'en croyais pas mes yeux. La seule autre personne libre était Kristy. Sans me poser de question, j'ai pris le téléphone et composé le numéro. Kristy a répondu.

– C'est encore moi. Les Pike veulent deux baby-sitters vendredi. Nous sommes les deux seules libres. Il faudra garder tous les enfants. Tu serais d'accord ?

– Avec toi ?

– Oui.

– Pas vraiment.

– Bon. Je demanderai à Carla Schafer de venir avec moi. Je ne veux pas laisser tomber les Pike.

– Tu n'oserais pas !

– Il le faudra bien.

– Mary Anne Cook, pour quelqu'un de timide, tu peux être vraiment…

– Quoi. Je peux être quoi ?

– Laisse tomber. Je viendrai avec toi.

– Il faudra faire preuve de maturité, tu sais.

– C'est toi qui dis ça ?

– Je suis sérieuse, Kristy. Tu ne veux sûrement pas que les enfants Pike racontent à leurs parents que nous nous sommes disputées devant eux ?

– Aucun problème pour ça.

– Pourquoi ?

– Parce que je ne te parlerai pas.

– Bien.

Je lui ai raccroché au nez. Puis j'ai noté notre rendez-vous dans l'agenda et j'ai rappelé Mme Pike.

Je ne me réjouissais pas du tout d'aller faire du baby-sitting avec Kristy Parker.

9

Samedi

Hier, Mary Anne et moi, nous avons gardé les enfants Pike. Je suis vraiment surprise que nous nous en soyons sorties. Il y avait pourtant deux obstacles de taille :

1) Il est difficile de garder huit enfants à la fois sans devenir folle.
2) Il est encore plus difficile pour deux baby-sitters de faire leur travail sans échanger un seul mot

Nous pourrions figurer dans le livre des records du baby-sitting. Car une garde comme celle-ci demande beaucoup d'imagination.

Kristy a tort. Ça nous a demandé beaucoup plus que de l'imagination. Il faut vraiment être fâché avec quelqu'un pour faire ce que nous avons fait chez les Pike ce soir-là.

Avant de vous le raconter, laissez-moi vous présenter les enfants Pike. La chose la plus remarquable est que trois d'entre eux sont des triplés : Byron, Adam et Jordan, trois garçons de neuf ans qui se ressemblent comme trois gouttes d'eau. (Kristy et moi arrivons à les différencier, malgré tout.) L'aînée, Mallory, a dix ans. En général, elle aide beaucoup les baby-sitters. Après les triplés viennent Vanessa, huit ans, Nicky, sept ans, Margot et Claire, qui ont six et quatre ans.

Bref, une famille plutôt nombreuse, mais ce sont de gentils enfants, que leurs parents élèvent de façon très particulière. Il leur arrive parfois de faire des choses vraiment bizarres. Par exemple, il arrive que Claire se déshabille et coure toute nue dans la maison. Personne n'y prête attention. Au bout d'un moment, elle se rhabille. De même, chaque enfant doit aller au lit à une heure précise, mais aucun n'éteint ou ne dort tant qu'il, ou elle, n'en a pas envie. Et ils ne sont pas obligés de manger ce qu'ils n'aiment pas.

Kristy et moi, nous sommes arrivées chez les Pike à cinq heures, le vendredi. Chacune de notre côté, bien sûr. Je dois avouer que j'ai suivi Kristy de très près, tout le long du chemin. Je marchais très lentement, pour qu'elle ne s'aperçoive pas de ma présence. Elle s'est retournée une fois brusquement et j'ai dû me cacher très vite derrière un bosquet pour qu'elle ne me voie pas. Une fois devant chez les Pike, je suis restée près du garage, pendant que Kristy entrait dans la maison. J'ai attendu que la porte se referme derrière elle pour aller sonner à mon tour. Les parents étaient pressés. Mme Pike m'a fait entrer en vitesse et nous a donné ses instructions, à Kristy et à moi.

Après leur départ, tous les enfants nous ont entourées, Kristy et moi. Ils aiment bien les baby-sitters.

– Qu'est-ce qu'il y a à dîner ? a demandé Byron, dont la passion est de manger.

– Du poulet froid ou du thon, a répondu Kristy.

– Est-ce que je pourrais avoir les deux ?

– Non, a dit Kristy.

– Oui, ai-je dit en même temps

– Je n'aime pas le poulet et le thon, s'est plainte Margot.

– Fais-toi une tartine de beurre, alors, a suggéré Mallory.

– Quand est-ce qu'on mange ? a repris Byron.

– A sept heures moins le quart, ai-je répondu.

– A sept heures, a corrigé Kristy.

– Je peux regarder des dessins animés? a demandé Claire.

– On peut organiser une course d'obstacles dans le salon ? a demandé Byron, porte-parole des triplés.

– Je peux lire ? a demandé Vanessa qui est la plus calme. Je suis au milieu du *Mystère de la maison hantée.*

– Je peux faire des coloriages ? a demandé Margot.

– On peut jouer au foot ? a demandé Nicky.

– Je peux vous aider à préparer le dîner? a demandé Mallory.

– Oui, non, oui, oui, non et oui, ai-je répondu.

Les enfants ont ri tandis que Kristy faisait la grimace.

– On n'a qu'à faire quelque chose tous ensemble, a

suggéré Adam. Nous sommes dix, on peut former deux équipes de cinq.

– Hé, Kristy ! ai-je repris, soudain pleine d'enthousiasme. C'est vrai, si on organisait un jeu ?

Kristy a fait celle qui n'entendait pas. J'ai fait la grimace à mon tour.

– Mallory, explique à Kristy que ce serait amusant de faire un jeu.

– Kristy, a commencé Mallory, Mary Anne dit... mais pourquoi n'aurait-elle pas entendu, Mary Anne ? Elle n'est pas sourde.

– Je sais. Alors on va... on va jouer au téléphone arabe, ai-je proposé.

– Tout le monde est d'accord ? a demandé Mallory à ses frères et sœurs. Mettons-nous en ligne ici dans le salon. Kristy à un bout et Mary Anne à l'autre. On commence, vas-y Mary Anne.

Je me suis penchée vers Adam, qui était à côté de moi, et lui ai murmuré :

– Kristy Parker est une tête de pioche.

Adam a pouffé. Puis il a transmis à Jordan, Jordan à Claire et ainsi de suite. Quand le message est parvenu à Kristy, elle a eu l'air perplexe.

– Quoi ? dit Mallory. Qu'est-ce que tu as entendu ?

– J'ai entendu : le moulin a de la brioche.

Les enfants Pike étaient pliés de rire.

– Mary Anne, dis-nous ce que tu as vraiment dit, s'est écriée Mallory.

Ce que j'avais vraiment dit ! J'avais oublié cette règle du jeu. J'ai réfléchi un instant.

– J'ai dit : les tambourins de cristal...

– C'est pas vrai, m'a coupée Adam. Tu as dit... Je veux dire... Je veux dire... Oh, je ne sais plus ce que tu as dit !

Tout le monde a ri à nouveau.

– Kristy, à toi maintenant.

Elle m'a ignorée. J'ai murmuré à Adam :

– Dis à Kristy de commencer le jeu.

Le temps que le message lui parvienne, il s'était transformé en : « Ris et change de vœu ! »

– Non. Commence le jeu ! a crié Adam.

On a joué encore un moment, en mettant les enfants, à tour de rôle, à chaque extrémité. Par chance, Kristy et moi, on ne s'est jamais retrouvée l'une à côté de l'autre. A six heures et demie, Byron a regardé sa montre et a annoncé :

– C'est l'heure de dîner ! On y va !

– OK, a fait Kristy. Tout le monde à la cuisine !

Elle semblait avoir oublié qu'elle avait annoncé le dîner pour sept heures. J'ai bien vu qu'elle voulait diriger les opérations.

– Allez vous laver les mains ! ai-je ordonné aux enfants.

– Non, on n'est pas obligés, a fait Nicky.

– Que si on a envie, a ajouté Margot.

Kristy m'a souri, l'air satisfait. Dans la cuisine, ce fut un beau chahut. Dix personnes s'y agitaient, prenant couverts, assiettes et verres et n'arrêtant pas d'ouvrir le réfrigérateur pour en sortir de la nourriture. Kristy a alors glissé ses doigts dans sa bouche et a sifflé très fort Soudain, le silence s'est fait.

– Maintenant du calme ! a-t-elle crié.

– Il faut un peu d'ordre, ai-je ajouté.

– Quoi ? a fait Kristy. Quelqu'un a parlé ?

– Elle a dit qu'il fallait de l'ordre, a répliqué Mallory.

Les enfants se sont transmis le message l'un à l'autre. Claire, qui était près de Kristy, a répété :

– Il faut de l'ordre, Kristy.

Kristy a souri.

– Dis à Margot de s'asseoir.

– Assieds-toi, a fait Claire en s'installant à la grande table de la cuisine.

Margot s'est assise.

– Assieds-toi, a-t-elle dit à Nicky.

Et ainsi de suite jusqu'à Byron, qui était déjà assis et attendait pour manger. Tout le dîner s'est déroulé ainsi. Pas une fois, Kristy n'a eu à me parler ou inversement. Les enfants ne se rendaient pas du tout compte que quelque chose n'allait pas entre nous deux. Ils ne pensaient qu'à poursuivre le plus longtemps possible leur jeu.

Il était plus de huit heures quand le repas s'est terminé. Il avait duré plus longtemps que d'habitude, car chaque phrase avait été répétée neuf fois pour les besoins du jeu et pour le plus grand plaisir de tous. J'ai décidé que le repas devait s'arrêter là, quand Nicky, assis entre Claire et Jordan, s'est tourné vers Jordan en clamant :

– Dis à Claire qu'elle a une tête de hot dog.

Nicky a ri tellement fort qu'il en a recraché son lait sur la table.

– C'est terminé. Aidez-nous à ranger et à mettre la vaisselle sale dans le lave-vaisselle, ensuite nous ferons quelque chose.

– Quoi ? a demandé Mallory.

– Un jeu, ai-je annoncé fermement, sans me soucier de l'avis de Kristy.

Je me fichais de savoir si elle en avait envie ou pas, et je ne voulais pas que la question soit posée dix fois avant de connaître la réponse. Quand la cuisine a été rangée (laisser une maison impeccable derrière soi fait aussi partie du travail d'une bonne baby-sitter), j'ai rassemblé les enfants et Kristy, peu enthousiaste, dans le salon.

– Maintenant, nous allons faire...

– ... Ce que vous voulez, m'a coupée Kristy.

Je me suis efforcée de ne pas montrer ma colère. J'avais pensé leur raconter des histoires mais, après l'intervention de Kristy, tout le monde s'est mis à parler. Après dix minutes de discussion, on a décidé de faire deux jeux différents. Kristy, les triplés et Mallory ont fait un Trivial Pursuit. Nicky, Vanessa, Claire et Margot ont lu *Jeannot Lapin.* Les enfants se sont beaucoup amusés et, quand j'ai regardé l'heure, il était déjà huit heures et demie. Il était temps de mettre Claire et Margot au lit. J'ai réalisé que si les Pike n'étaient pas de retour d'ici vingt minutes, je ne serais pas chez moi à vingt et une heures. Mais ils avaient promis de rentrer avant vingt et une heures et, en général, ils tenaient leurs promesses. J'ai donc mis Claire et Margot au lit, pendant que Nicky et Vanessa enfilaient leur pyjama. Kristy est restée en bas avec Mallory et les triplés. Quand les deux plus jeunes ont été couchées, j'ai proposé à Nicky et à Vanessa de leur lire une histoire.

– Oui ! Oui ! On est en train de lire *Le Petit Prince.*

On en a lu quelques pages.

J'ai consulté ma montre. Neuf heures moins cinq ! Que

faire ? Si je partais, les Pike seraient contrariés. Après tout, ils payaient deux baby-sitters ! Si j'étais en retard chez moi, c'est papa qui serait contrarié. Par chance, alors que je commençais à paniquer, je les ai entendus arriver.

– Vos parents vont venir vous dire bonsoir dans un instant, ai-je dit à Nicky et à Vanessa, avant de me précipiter en bas.

Je n'avais pas le temps d'être très polie.

– Madame Pike, ai-je fait, hors d'haleine, sans oser regarder Kristy, je devrais déjà être à la maison ! Il est presque vingt et une heures !

– Je sais. Excusez-nous. Nous avons été pris dans les embouteillages. Grimpez vite dans la voiture de mon mari, toutes les deux. Il va vous déposer chez vous.

– D'accord. Merci. Au revoir.

Quand M. Pike nous a laissées devant chez nous, il était neuf heures cinq. Il nous a donné un peu plus d'argent que prévu, à cause du retard, ce qui était gentil.

J'ai piqué un sprint jusqu'à ma porte. Juste comme j'arri· vais, j'ai entendu quelqu'un scander dans le noir :

– Bébé, bébé, bébé !

Humiliée, je suis vite rentrée chez moi Mon père m'attendait.

10

– Bonsoir, papa, ai-je fait avec appréhension.
– Mary Anne, je commençais à m'inquiéter.
– Excuse-moi pour le retard. Les Pike ont été pris dans les embouteillages. Ils n'y pouvaient rien... et moi non plus.

– Ce n'est pas grave. Il n'est que neuf heures cinq. Ce sont des choses qui arrivent.

J'étais tellement soulagée que je suis repassée à l'attaque.

– Tu sais papa, ce serait beaucoup plus facile pour les parents si je pouvais garder leurs enfants un peu plus tard... disons vingt-deux heures ou même vingt et une heures trente.

– Mary Anne, nous en avons déjà parlé. Si les gens

veulent quelqu'un qui puisse rester tard chez eux, alors il faut qu'ils cherchent une personne plus âgée.

– Mais Claudia, Kristy et Lucy...

– Je sais. Elles ont le droit de sortir plus tard et elles ont ton âge.

– Exactement.

– Mais elles ne sont pas toi, et je ne suis pas leur père. Je fais ce que je pense être le meilleur pour toi.

J'ai hoché la tête.

– Et la prochaine fois que tu sauras que tu vas être en retard – pour une raison ou une autre – appelle-moi, pour me prévenir, d'accord ?

– D'accord !

Essayait-il de me dire quelque chose ? Voulait-il me faire remarquer que je n'avais pas été très responsable ? Peut-être que si je l'étais plus, il me laisserait sortir plus tard. Il décidait ce que je pouvais faire ou non par rapport à mon sens des responsabilités et non par rapport à mon âge. Il fallait que j'y réfléchisse.

C'est ce que j'ai fait en montant dans ma chambre. Je me trouvais déjà assez responsable. Je faisais toujours mes devoirs, j'avais toujours de bonnes notes en classe. En général, je faisais les choses à temps. Je préparais toujours le dîner pour papa et moi. Je faisais presque tout ce que mon père me disait de faire. Pourtant... je pouvais certainement encore faire des progrès. J'aurais pu appeler papa de chez les Pike, au lieu de paniquer. Il fallait que j'apprenne à affronter les choses qui m'effrayaient.

L'une de mes grandes peurs, c'est d'affronter des gens que je ne connais pas – comme prendre le téléphone pour obtenir un renseignement, ou parler à un vendeur ou demander mon chemin. Papa sait tout cela. Il fallait que je cesse de fuir devant ces choses, il le remarquerait sûrement.

Bien que mon père ne sache rien de la dispute des membres du club, il était réellement temps d'y mettre un terme. Que ce soit ma faute, celle d'une autre, ou celle de toutes, il fallait en finir une bonne fois. Ça au moins, c'était être une jeune fille responsable.

Je me rendais compte que la soirée chez les Pike aurait pu tourner au désastre. Si les enfants avaient remarqué que Kristy et moi étions fâchées, c'est la réputation du club qui en aurait souffert. Par chance, les enfants Pike sont faciles à garder et ont le sens de l'humour. Et s'il était arrivé quelque chose à l'un d'eux et que Kristy et moi, nous ne soyons pas tombées d'accord sur ce qu'il fallait faire ? En plus de ça, ne pas faire de réunions était idiot. Il était temps de reprendre les choses en main, avant que le club ne finisse par disparaître tout à fait.

Comme Kristy en est la présidente, je pensais que le meilleur moyen était de me réconcilier avec elle. Ça allait être une rude épreuve, mais ce serait avoir le sens des responsabilités.

Comment faire ? Longtemps après avoir éteint ma lampe, j'ai réfléchi dans mon lit. Je pourrais lui écrire un mot et lui envoyer cette fois :

Chère Kristy,

je suis vraiment désolée de notre dispute. Réconcilions-nous et soyons amies à nouveau. Ta meilleure amie (je l'espère).

Mary Anne

C'était bien. Court, mais gentil. Et sincère. J'étais vraiment désolée de cette dispute. Peu importe qui avait commencé. Et je voulais vraiment qu'on soit amies à nouveau.

Le lendemain était un samedi, mais je me suis réveillée tôt quand même. J'ai pris mon petit déjeuner avec mon père. Puis je suis remontée dans ma chambre écrire le mot pour Kristy.

Mais comment allais-je faire pour le lui remettre ? Si je le lui portais moi-même, elle me claquerait la porte au nez. Je pourrais peut-être le déposer dans sa boîte aux lettres ou le donner à David Michael, pour qu'il le lui donne. Non. Comment saurais-je si elle l'avait lu ?

Un mot n'était peut-être pas une bonne idée, mais je ne voyais pas d'autre moyen de réconciliation.

A ce moment-là, le téléphone a sonné. Mon père m'a appelée. C'était pour moi. J'ai couru, espérant que c'était peut-être Kristy qui appelait pour s'excuser.

Mais non, c'était Carla. J'étais contente d'avoir de ses nouvelles.

– Salut ! Qu'est-ce que tu fais aujourd'hui ? m'a-t-elle demandé.

– Rien et toi ?

– Rien.

– Tu veux venir chez moi ?

– Oui. Tout de suite ?

– Ouais. Je ne sais pas ce qu'on fera, mais on trouvera bien.

– D'accord, j'arrive.

Carla a pris son vélo et est venue chez moi en un temps record. Je l'ai accueillie à la porte et on a filé dans ma chambre.

– Mary Anne, en venant ici j'ai pensé à quelque chose. Sais-tu ce que nous avons oublié de faire ?

– Quoi ?

– Chercher à savoir si ton père et ma mère s'étaient connus dans leur jeunesse.

– C'est vrai ! me suis-je exclamée. Ta mère allait-elle au lycée de Stonebrook ?

– Ouais ! Et ton père ?

– Ouais ! C'est fou, non ?

– En quelle année ton père a passé le bac ?

– Je n'en sais rien.

– Quel âge a-t-il ?

– Voyons. Quarante et un ans. Non, quarante-deux.

– Vraiment ? Maman aussi.

– Tu veux rire ! Je parie qu'ils se connaissent. Viens, on va lui demander.

Nous nous sommes ruées dans le couloir et nous avons croisé papa en haut des escaliers.

– Mary Anne, je dois aller au bureau. Je rentrerai dans l'après-midi. Réchauffe le ragoût pour ton déjeuner. Carla, tu es la bienvenue.

– OK. Merci papa. A plus tard.

Carla m'a donné un coup de coude. Elle voulait que je questionne mon père au sujet de sa mère, mais ce n'était pas le bon moment. Papa était pressé et il n'aime pas être embêté quand il doit partir en vitesse. Dès qu'il a été sorti, elle m'a fait remarquer d'un ton légèrement accusateur :

– Pourquoi tu ne lui as pas demandé ?

– Ce n'était pas le moment, crois-moi. Mais j'ai une autre idée. Toutes ses photos d'école sont rangées au salon. Viens, on va les regarder. Quand j'étais petite, je passais mon temps à ça.

– Oh, chouette, des photos de classe ! s'est écriée Carla.

Dans le salon, nous avons trouvé plusieurs albums de photos.

– Pourquoi y en a-t-il autant ?

– Il y a ceux de ma mère et ceux de mon père, de la maternelle à la terminale. Voilà les photos du lycée de Stonebrook. Ce sont celles de papa, puisque maman allait au lycée à Ithaca. Qu'est-ce qu'on regarde d'abord ?

– Celles de terminale, a répondu Carla avec empressement. De quelle année date cette photo ? Oh ! L'année où maman a passé le bac aussi ! Alors, ils étaient peut-être dans la même classe...

L'année où papa avait passé son bac était inscrite en grands chiffres blancs, au-dessus de la photo de classe. Nous avons plissé les yeux pour mieux voir le cliché en noir et blanc. Les élèves avaient un drôle d'air vieillot. En dessous, il y avait des commentaires qui ne voulaient pas dire grand-chose pour nous. Je me demandais si les gens qui les avaient écrits se souviendraient encore aujourd'hui de ce qu'ils avaient voulu dire vingt-cinq ans plus tôt.

Tout à coup, nous avons éclaté de rire.

– Regarde les cheveux de cette fille ! dis-je. Elle les a gonflés avec une pompe à vélo ou quoi !

Carla s'est roulée par terre, pliée de rire.

– On dirait la coiffure du Roi-Soleil !

– Attends, mon père a aussi des tonnes de vieux disques.

J'ai fouillé dans une étagère pour les montrer à Carla.

– Ce ne sont que des chanteuses : Brenda Lee, Joan Baez et quelques groupes : les Beach Boys, les Beatles. Regarde la fille de la photo. Ses cheveux ressemblent à ceux de Joan Baez sur cette pochette !

Carla a pouffé.

– Maintenant cherchons ton père.

– Le voilà ! C'est bien lui. Waouh ! J'avais oublié comme il avait l'air bizarre ! Il ne ressemble pas du tout à mon père. On dirait un inconnu !

– Il avait dix-sept ans, mais il fait plus, a estimé Carla. Il avait les cheveux en brosse. Vite ! Cherchons si maman est sur la photo.

Tout excitées, nous avons scruté chaque visage…

– La voilà ! a crié Carla. Mais on dirait qu'elle n'a rien écrit.

– Si, regarde.

Nous nous sommes penchées un peu pour déchiffrer ce qui était écrit en tout petit :

Très cher Fred,

– Fred ! C'est mon père, mais personne ne l'appelle Fred ! me suis-je esclaffée.

Surprise, Carla a poursuivi sa lecture :

Quatre ans n'ont pas suffi. Restons ensemble, envers et contre tout. Comment pourrions-nous nous séparer? Nous avons encore un été, profitons-en bien.

A toi pour toujours,
S.E.P.

– S.E.P ? me suis-je étonnée.

– C'étaient les initiales de maman avant son mariage.

Nous nous sommes regardée avec de grands yeux.

– J'ai l'impression qu'ils se connaissaient bien, a finalement commenté Carla.

– Je te l'avais dit ! Je te l'avais dit !

11

Carla et moi, nous avions failli avoir une crise cardiaque en lisant ce qui était écrit sous la photo de terminale de papa.

Nous étions d'accord pour ne pas en parler à nos parents, sans trop savoir pourquoi d'ailleurs.

Nous avons passé le reste de la journée à en discuter. Le lendemain, dimanche, nous sommes allées chez Carla regarder la photo de terminale de sa mère.

Nous avons eu du mal à trouver l'album, car il était encore dans un carton sur lequel était inscrit : « cuisine ».

– Cuisine ? ai-je lu sans comprendre.

Carla a haussé les épaules.

– Ne t'en fais pas, c'est comme ça avec ma mère.

Sous la photo, mon père avait écrit :

Pour Sharon,
Ne marche pas devant moi, je ne pourrais pas te suivre. Ne marche pas derrière moi, je ne pourrais pas te guider. Marche à mes côtés, et sois simplement mon amie.
Amour toujours,
Fred.

– Les gens deviennent de vrais poètes au lycée, remarqua Carla. A moins qu'il ait copié ça quelque part…

Je l'ignorais. Mais, bien plus intéressant que le mot écrit par papa, il y avait, pressée entre les pages, une rose séchée entourée d'un ruban jauni.

Même si j'avais fait le serment de sauver le Club des baby-sitters, j'avais également d'autres choses en tête. Carla et moi, nous avions passé la semaine à parler de nos parents. Nous nous posions des millions de questions, mais nous ne pouvions qu'essayer de deviner les réponses.

– D'où vient la rose, à ton avis, Mary Anne ?

– Il la lui avait donnée pour aller au bal, à mon avis. Je parie qu'ils sont allés ensemble au bal de fin d'année. Je me demande comment ils étaient habillés.

– Hé ! En principe, les parents prennent toujours des photos de leurs enfants, juste avant qu'ils ne partent pour le bal, non ?

– Oui, effectivement. Le garçon, en smoking, passe prendre la fille (en robe de soirée) pour l'emmener au bal. Alors les parents de la fille les font poser devant la cheminée du salon pour la traditionnelle photo de bal, qu'ils enverront à la famille du garçon.

J'ai pouffé avant de continuer :

– Tu crois que nos parents en ont fait une ?

– Eh bien, elle doit être quelque part. On pourrait voir si ma mère avait une rose entourée d'un ruban de satin.

Mais nous n'avons pas réussi à mettre la main sur cette photo.

Nous nous demandions aussi ce que ces mystérieux messages sous les photos pouvaient bien signifier.

– « Nous avons encore un été », répétais-je pensivement.

– On dirait qu'ils savaient qu'ils devraient rompre à la fin de l'été.

– Mais pourquoi auraient-ils dû rompre ?

– Je ne sais pas.

– Et que voulait dire ta mère par « envers et contre tout » ?

– Quelqu'un n'était peut-être pas d'accord pour qu'ils sortent ensemble, mais ma mère et ton père étaient trop amoureux pour renoncer à se voir.

– Pourquoi les empêcher de se voir ?

– Je ne sais pas, Mary Anne. Mais je suis sûre que quelqu'un les désapprouvait.

– Mais nous ne saurons pas qui, ni pourquoi.

Le samedi, il s'est produit un autre événement qui a détourné mon attention des problèmes du club. La pire expérience de toute ma carrière de baby-sitter ! Plus tôt dans la semaine, Mme Prezzioso avait appelé pour demander une baby-sitter pour Jenny, le samedi tout l'après-midi. Bien que les Prezzioso soient des gens bizarres, j'aime bien Jenny. J'avais donc accepté d'y aller.

J'ai sonné chez les Prezzioso à treize heures trente précises. Un instant après, j'ai entendu des pas derrière la porte.

– Hé, Jenny ! ai-je soufflé. Demande d'abord qui est là.

– Oh, oui ! Qui est là ?

– C'est Mary Anne Cook, la baby-sitter.

– Est-ce que je te connais ?

J'ai soupiré.

– Oui, je suis Mary Anne. Tu me connais.

La porte s'est ouverte.

– Salut, Mary Anne !

Jenny portait une robe bleu ciel avec un col blanc, un collant blanc, des chaussures blanches et un ruban blanc dans les cheveux. La journée allait être rude !

Sa mère est apparue derrière elle.

– Bon, a-t-elle commencé en lissant un pli inexistant de sa robe de cocktail en soie noire, M. Prezzioso et moi partons à Chatham assister à un match de basket.

Elle portait une robe de cocktail pour aller à un match de basket ?

– L'équipe de l'université de mon mari joue contre ses principaux adversaires. Nous partons en voiture retrouver des amis, nous assisterons au match et nous irons dîner de bonne heure. Nous serons de retour à vingt heures au plus tard. Je suis un peu inquiète à l'idée d'aller si loin, a-t-elle ajouté. (Chatham est à une heure de Stonebrook.)

– Ne vous inquiétez pas, tout ira bien, l'ai-je rassurée.

– Je vous ai laissé des tas de numéros de téléphone : celui du pédiatre de Jenny, celui du gymnase où a lieu le match, celui des voisins d'à côté et tous les autres numéros d'urgence.

– Bien, merci.

J'ai alors remarqué que Jenny était anormalement calme. Je me demandais ce que ça cachait. Mais je n'ai pas eu le temps de m'apesantir sur la question car M. Prezzioso a descendu les escaliers. Il portait un jean et un polo rayé. J'étais sûre que sa femme et lui avaient dû se disputer à ce propos. C'était peut-être pour cela que Jenny était si calme.

Je l'ai observée. Elle était assise dans un fauteuil du salon, la tête en arrière. Elle semblait nous écouter.

Cette fois, Mme Prezzioso ne m'a pas demandé ce que je pensais de leur tenue. Franchement, je trouvais normal que son mari se soit habillé ainsi. Mais j'étais navrée qu'ils se soient disputés et que Jenny en soit bouleversée.

Enfin, après mille recommandations et instructions, les Prezzioso sont partis. Jenny ne leur a même pas fait un signe de la main pour leur dire au revoir.

– Que veux-tu faire aujourd'hui ? Nous avons tout l'après-midi pour jouer.

Jenny a fait la moue.

– Rien.

– Tu ne veux rien faire du tout ?

Elle a croisé les bras.

– Non.

– Allez, viens. Il ne fait pas si froid dehors. Tu veux savoir si Claire Pike veut jouer avec toi ?

– Non-non-non-non !

Pour une si jeune enfant, Jenny a vraiment du coffre !

– D'accord, d'accord, ai-je dit en pensant « Quelle enquiquineuse ».

Un peu plus tard, je lui ai fait remarquer que j'avais apporté le coffre à jouets.

– Je sais. J'ai vu.

Ce qu'elle ne savait pas, c'est que j'avais retiré tout ce qui pouvait être salissant. L'album à peindre, par exemple, était resté sur mon lit.

J'ai fait une dernière tentative.

– Tu veux qu'on lise une histoire ?

Jenny a haussé les épaules.

– Pourquoi pas.

Enfin ! Quel soulagement ! Je lui ai montré *Le Petit Chaperon rouge* et *La Belle au bois dormant.*

– Lequel ?

Nouveau haussement d'épaules. J'ai choisi *Le Petit Chaperon rouge.*

– Viens t'asseoir sur le canapé à côté de moi.

Sans un mot, Jenny s'est levée et est venue se blottir contre moi. Je me suis mise à lire. J'en étais à la partie la plus palpitante de l'histoire quand je me suis aperçue que Jenny ne bougeait plus. Elle s'était endormie.

« C'est drôle, ai-je pensé. Mme Prezzioso m'a dit que Jenny avait dormi tard ce matin et ne ferait certainement pas la sieste. »

Et pourtant, elle dormait profondément, et il n'était même pas deux heures. J'ai allongé Jenny sur le canapé. C'est là que j'ai senti comme elle était chaude. J'ai posé la main sur son front. Il était brûlant. Je l'ai secouée gentiment.

– Jenny ! Jenny !

– Mmmm.

Elle a marmonné mais ne s'est pas réveillée. Le cœur battant, je me suis précipitée dans la salle de bains fouiller dans l'armoire à pharmacie. Le thermomètre à la main, j'ai redescendu les escaliers en courant. Bien que Jenny dorme toujours, je lui ai mis le thermomètre sous sa langue.

41,5° ! Jamais je n'avais vu une fièvre pareille. J'ai tout de suite téléphoné au pédiatre de Jenny, mais je suis tombée sur un répondeur qui m'a dit que le docteur rappellerait quand il pourrait. Moi, je ne pouvais pas attendre longtemps. J'ai appelé les Pike, pas de réponse. J'ai appelé les voisins d'à côté, pas de réponse. J'ai même appelé mon père, bien qu'il m'ait dit qu'il allait faire des courses.

Que faire ? Je n'osais pas téléphoner aux autres membres du club, j'ai donc décidé d'appeler Carla. Tout de suite, elle m'a répondu :

– J'arrive !

En l'attendant, j'ai téléphoné au gymnase à Chatham en laissant un message pour les Prezzioso dès que possible. Je savais qu'ils n'étaient pas encore là-bas.

Quand Carla est arrivée, je lui ai montré Jenny endormie sur le sofa.

– Le pédiatre n'a pas encore rappelé ?

J'ai secoué la tête.

– On pourrait appeler une ambulance, mais elle n'a que de la fièvre, ce n'est pas comme une jambe cassée ou un truc de ce genre.

– Oui, a fait Carla. Si maman était là, elle nous aurait conduites aux urgences, mais elle a emmené mon frère au centre commercial. Tu n'as qu'à composer le 15. Ils te diront si ça vaut la peine de faire déplacer une ambulance.

C'était une bonne idée. Carla s'est assise près de Jenny pendant que je téléphonais. Un homme, à la voix calme et agréable, a décroché.

– Voilà, je garde une petite fille de trois ans. Elle s'est endormie et je me suis aperçue qu'elle avait de la fièvre,

41,5°. Et je n'arrive à joindre ni ses parents, ni mon père, ni les voisins et j'ai appelé le pédiatre mais je suis tombée sur son répondeur. Il n'a toujours pas rappelé et je suis vraiment inquiète.

– Très bien. Calmez-vous, m'a-t-il conseillé, les jeunes enfants peuvent avoir de fortes fièvres, qui sont juste le signe d'une infection banale. Parfois, ce n'est rien du tout. Quoi qu'il en soit, 41,5° c'est beaucoup et il faudrait la faire examiner immédiatement. La meilleure chose à faire c'est de vous rendre aux urgences, à l'hôpital.

– Mais je n'ai que douze ans. Je ne conduis pas.

– Et vous avez essayé de joindre les voisins ?

– Oui. Plusieurs d'entre eux même. Et mon père.

– Bon. Je vous envoie une ambulance, alors. Donnez-moi votre adresse.

Je la lui ai donnée. Puis il m'a expliqué comment préparer Jenny pour la transporter et comment lui mettre des compresses froides sur le front en attendant l'ambulance.

– OK, Carla, ai-je crié, en courant dans le salon. Une ambulance va arriver. La personne à qui j'ai parlé m'a dit ce qu'il fallait faire en attendant.

Je lui ai répété ce que m'avait dit l'homme au téléphone.

– Je fais la compresse, prépare ses affaires, a proposé Carla.

Je suis allée chercher le manteau et les gants de Jenny dans le placard, je les ai mis à côté d'elle sur le sofa, mais je ne les lui ai pas enfilés. Inutile de lui donner encore plus chaud.

Carla est revenue avec un torchon humide en guise de compresse. Je l'ai appliqué sur le front de Jenny.

– Oh, tu sais quoi ? Dans la cuisine, il y a le numéro du gymnase de Chatham. Appelle-les. Qu'on prévienne les

Prezzioso de venir immédiatement aux urgences de l'hôpital de Stonebrook. J'ai déjà laissé un message pour qu'ils rappellent ici, mais ils risquent de ne trouver personne.

Carla a téléphoné puis a guetté l'arrivée de l'ambulance par la fenêtre.

– Essaie de réveiller Jenny. L'ambulance arrive.

– OK... Viens, Jenny jolie.

Je l'ai secouée doucement et j'ai tenté de l'asseoir, mais elle est retombée comme une poupée de chiffon.

– La sieste est finie. Réveille-toi.

Jenny a entrouvert les yeux.

– Désolée, Jenny. Je sais que tu ne te sens pas bien, tu dois voir un docteur.

Ça l'a un peu réveillée.

– Le docteur ! a-t-elle répété

Elle m'a laissée lui mettre son manteau et ses gants, pendant que Carla faisait entrer les ambulanciers. Ils portaient une civière.

– C'est cette petite fille ? a demandé un des hommes.

– Oui, ai-je expliqué. Elle a beaucoup de fièvre, mais elle n'est pas blessée. Je ne crois pas que vous ayez besoin de la civière.

Ils semblaient de mon avis Carla a attrapé sa veste et la mienne, tandis que l'homme soulevait gentiment Jenny et l'emmenait dans l'ambulance.

– Ferme la porte d'entrée à clé, ai-je crié à Carla par-dessus mon épaule.

Les ambulanciers ont installé Jenny, toujours somnolente, dans l'ambulance et je suis montée avec elle. Carla est montée devant à côté du chauffeur.

Je n'avais jamais mis les pieds dans une ambulance, mais j'étais trop inquiète pour Jenny pour bien en profiter.

En chemin, les ambulanciers ont repris la température de Jenny (toujours la même), vérifié son pouls et sa tension, écouté son cœur. Ils ne cessaient de lui parler et de lui poser des questions.

– C'est juste pour la tenir éveillée, m'ont-ils expliqué.

Une fois à l'hôpital, un des ambulanciers a porté Jenny à l'intérieur. Nous l'avons suivi, Carla et moi. Une infirmière nous a fait entrer dans une petite pièce, puis elle s'est mise à poser des questions sur Jenny. J'ai répondu de mon mieux.

– Ses parents vont arriver. Ils pourront vous en dire plus, ai-je finalement dit.

Elle a hoché la tête et m'a assuré :

– Un médecin va l'examiner dès que possible.

Puis elle a quitté la pièce. Elle est revenue peu après avec une compresse et a disparu à nouveau.

Carla et moi, on se regardait.

– Alors quoi ?

– Il faut attendre, je suppose.

J'ai remis la compresse en place sur le front de Jenny.

– Comment tu te sens ? lui ai-je demandé.

Elle semblait un peu moins mal, mais elle était toujours aussi brûlante.

– J'ai chaud et j'ai mal à la gorge et à la tête.

– Le docteur sera bientôt là et il va te soigner.

– Regarde ce que j'ai apporté, a ajouté Carla.

– C'est qui, elle ? a demandé Jenny en la voyant.

– C'est mon amie, Carla Schafer.

– Bonjour… Alors, qu'est-ce que tu as apporté ?

– Çà.

Carla lui a montré *Le Petit Chaperon rouge.*

– Oh, chouette ! s'est écriée Jenny.

Je venais de commencer à lire, quand un médecin femme est entrée.

– C'est Jenny Prezzioso ?

– Oui. Je suis Mary Anne Cook, sa baby-sitter.

– Voyons un peu de quoi il s'agit.

Elle a examiné Jenny avec délicatesse.

– Ça m'a tout l'air d'une bonne angine, a-t-elle conclu au bout d'un moment. Je vais lui faire une prise de sang et des prélèvements, mais je ne pense pas que ce soit très grave.. Où sont ses parents ?

Je le lui ai expliqué, puis j'ai regardé l'heure.

– S'ils ont bien eu le message que je leur ai laissé, ils devraient arriver ici dans une demi-heure environ.

Le docteur a hoché la tête.

– Elle peut rester ici jusqu'à leur arrivée. Pendant que nous ferons les examens, une infirmière va essayer de faire baisser sa température. J'aimerais parler à ses parents avant qu'elle ne reparte.

L'infirmière est venue faire une prise de sang à Jenny, ce qui l'a fait pleurer. Les prélèvements dans sa gorge lui ont donné des haut-le-cœur. Mais lorsqu'elle lui a donné un bain, Jenny sembla tout heureuse. Sa température a baissé d'un degré et demi. Quand les Prezzioso sont arrivés, Jenny s'est mise à hurler. Elle commençait à se rétablir !

12

Mme Prezzioso était proche de l'hystérie. Elle s'est précipitée dans la salle où se trouvait sa fille, en sanglotant, puis l'a serrée contre elle en lui écrasant le visage contre sa robe de cocktail.

– Oh, mon bébé ! Mon ange, comment te sens-tu ?

Le docteur est revenue parler aux Prezzioso, et leur a assuré que Jenny allait déjà mieux.

– Je vais vous faire une ordonnance et vous donner un rendez-vous pour la revoir lundi. Et j'ai besoin que vous me remplissiez quelques papiers.

– Pourquoi ne te chargerais-tu pas de ça, chérie, a dit M. Prezzioso à sa femme, pendant que je ramènerai Mary Anne et Carla chez elles ? Je reviendrai te chercher ainsi que notre petit ange.

Carla et moi, nous avons donc laissé le petit ange avec sa mère et nous avons suivi M. Prezzioso jusqu'à sa voiture.

– En fait, il faudrait retourner chez vous, ai-je expliqué. J'ai laissé des affaires dans le salon et le vélo de Carla est là-bas.

En chemin, le père de Jenny n'arrêtait pas de nous dire, à Carla et à moi, comme nous avions fait du bon travail et comme il était fier de nous.

– J'espère que ça ne vous ennuie pas que j'aie appelé une amie, ai-je dit avec appréhension. J'avais vraiment besoin d'aide et je n'ai pu joindre ni les voisins ni mon père.

– Pas du tout, vous avez fait ce qu'il fallait. Laisser un message au gymnase était également une bonne idée. Comment avez-vous emmené Jenny à l'hôpital ?

Je lui ai raconté toute l'aventure, et il a eu l'air impressionné.

– Merci, Mary Anne. Et à vous aussi, Carla. Je veux que vous sachiez que je ne serai jamais inquiet tant que Jenny sera entre vos mains.

« Oh là là, ai-je pensé, c'est un vrai compliment. »

Quand Carla a eu repris son vélo et moi le coffre à jouets, M. Prezzioso nous a donné vingt dollars à chacune.

– Pour vous récompenser du travail bien fait, déclara-t-il.

– Merci ! Merci beaucoup !

– Oh, oui, a renchéri Carla. Vous n'aviez vraiment pas besoin de me donner d'argent.

– Vous l'avez bien mérité, a conclu M. Prezzioso en repartant pour l'hôpital.

– Tu veux venir chez moi un moment ? ai-je proposé à Carla.

Il faisait gris et il bruinait. Le temps idéal pour passer le reste de l'après-midi à s'amuser à la maison.

J'avais retrouvé deux autres albums photos et, par un incroyable effort de volonté, j'avais réussi à ne pas les feuilleter sans Carla.

– Bien sûr. Fais-moi juste penser à téléphoner à maman pour lui dire où je suis.

Carla a roulé lentement jusque chez moi tandis que je marchais à ses côtés. Mon père n'était pas encore rentré. Carla a appelé sa mère, qui n'était pas chez elle non plus, et lui a laissé un message sur le répondeur.

Puis, on s'est fait des sandwichs, qu'on a mangés dans la cuisine, tout en discutant de notre aventure.

– Tu ne trouves pas Mme Prezzioso bizarre ? ai-je dit. Tu as vu sa robe noire si chic ? C'est ce qu'elle met pour aller voir un match de basket !

– Et elle appelle Jenny son ange.

– Ouais. Son mari fait la même chose. Mais je l'aime bien.

– Il est généreux, a admis Carla. Vingt dollars, dis donc !

Nos sandwichs avalés, j'ai proposé à Carla de monter à l'étage.

– Je veux te montrer quelque chose.

Une fois dans ma chambre, j'ai sorti les deux vieux albums photos de sous mon lit.

– On n'a pas encore regardé ceux-là, ai-je expliqué à Carla. Je n'ai aucune idée de ce qu'on va y trouver, peut-être des photos du bal.

Assises côte à côte sur mon lit, nous avons ouvert le premier album.

– Ces photos sont anciennes, a fait Carla.

– C'est vrai.

Elles avaient jauni. Aucun des visages sur les photos ne m'était connu.

– Je ne reconnais personne, ai-je avoué.

– Tu sais ce qui serait drôle ? C'est que ces albums ne concernent pas ta famille, qu'ils appartiennent à quelqu'un d'autre, qu'ils soient arrivés là par erreur et que tu cherches à reconnaître des visages connus sans jamais les trouver.

Quelle drôle d'idée ! Je me suis mise à rire. Mais je me suis arrêtée net, car soudain, mon regard était tombé sur la fenêtre de la chambre de Kristy. Elle me fixait. Comme il faisait noir dehors, les lampes étaient allumées et je savais qu'elle nous voyait parfaitement, assises côte à côte sur mon lit, en train de rire.

Kristy paraissait furieuse (bon, elle était jalouse), mais elle semblait aussi... peinée ? Elle se sentait peut-être trahie. Je sais que c'est méchant, mais j'étais ravie. Je n'étais plus l'ancienne Mary Anne, celle qui dépendait de Kristy pour se faire des amies et qui disait amen à tout ce qu'elle disait ou faisait. J'étais capable de me débrouiller toute seule. D'avoir mes propres amies. Pour qu'elle le comprenne bien, j'ai passé le bras autour des épaules de Carla et j'ai tiré la langue à Kristy. Elle m'a rendu la pareille.

– Mary Anne, mais qu'est-ce… ? s'est étonnée Carla.

Puis elle a tourné la tête et a vu Kristy à sa fenêtre.

– Qui est-ce et que fais-tu ? m'a-t-elle demandé.

Kristy a baissé son store d'un coup sec.

– J'ai déjà vu cette fille quelque part. Au collège, n'est-ce pas ?

– Oh, c'est juste Kristy Parker, autant dire personne.

Carla a eu l'air sceptique.

– Comment se fait-il, alors, que vous vous tiriez la langue, hein ?

J'ai pris ma respiration, mais avant que j'aie pu dire un mot, Carla a poursuivi :

– Et pourquoi viens-tu juste de mettre ton bras autour de mes épaules ? Tu voulais que Kristy le voie ?

– Eh bien, en fait, Kristy et moi étions amies.

Il fallait bien lui dire la vérité, un jour ou l'autre.

– Et vous vous êtes disputées, c'est ça ?

Carla a posé l'album et s'est levée.

– Mary Anne, le premier jour où nous nous sommes rencontrées, tu m'as dit que tu étais seule parce que tes amies étaient toutes absentes. Kristy était-elle une de ces amies ?

– Oui...

– Ensuite tu m'as fait croire qu'elles étaient toujours absentes, a-t-elle continué, songeuse. Ça m'a semblé assez bizarre, mais j'avais tellement besoin de me faire des amis que j'ai décidé de ne pas poser trop de questions. Pourquoi m'as-tu dit qu'elles étaient absentes ?

– Nous venions de nous disputer et nous étions toutes fâchées..., ai-je avoué.

Carla a hoché la tête. Elle avait vraiment l'air écœuré.

– Alors, tu m'as menti.

– En quelque sorte, oui, ai-je reconnu.

– Depuis le premier jour, tu m'as menti.

Je ne savais pas quoi répondre.

– Tu sais, ne pas dire la vérité est aussi grave que de dire des mensonges. Tu n'as pas arrêté de me mentir, tu te rends compte ?

– Non ! Non ! C'est faux ! me suis-je soudain écriée.

– Comment puis-je croire une menteuse ? Je vais te dire ce que je pense. Tu t'es servie de moi quand tu cherchais une nouvelle amie… Non, laisse-moi parler, Mary Anne.

Elle a poursuivi sans me laisser me défendre.

– J'ai tout compris. Adieu.

Carla a dévalé bruyamment les escaliers.

J'ai couru à la fenêtre qui donnait sur la rue et j'ai vu ma dernière amie s'éloigner sur son vélo. Alors je me suis jetée sur mon lit, en larmes.

13

J'ai passé le reste de l'après-midi à me morfondre dans ma chambre. Mon père m'a téléphoné pour me dire qu'il ne serait pas de retour avant dix-huit heures et me demander de préparer le dîner.

Dès qu'il est rentré, nous sommes passés à table. Papa a essayé d'engager la conversation, mais je n'avais aucune envie de parler. Soudain, le téléphone a sonné.

– J'y vais, a dit papa. Je pense que c'est un client.

Il a décroché l'appareil.

– Allô... Pardon ?... Quels antibiotiques ? Oh, vraiment ?... Non. Non, elle ne m'en a pas... Eh bien, je suis très flatté de l'entendre. Je suis fier d'elle également... Je lui ferai part de ces bonnes nouvelles.

Papa a haussé les sourcils en me regardant.

– Qu'est-ce qui se passe ? ai-je demandé du bout des lèvres.

Il a secoué la tête, l'air de dire : « Tu le sauras dans une minute. »

– Oui. Mais je le ferai, a-t-il continué. Parfait… Merci beaucoup. Au revoir.

Mon père a raccroché, perplexe.

– Mary Anne, s'est-il passé… quelque chose de spécial aujourd'hui ?

J'étais si bouleversée par ma dispute avec Carla que je n'avais que ça en tête.

Mais comment papa aurait-il pu être au courant ? Ce n'était sûrement pas Mme Schafer au téléphone. Papa avait dit qu'il était fier de moi. Brusquement, je me suis souvenue de Jenny Prezzioso. Mais tout ça me semblait si loin !

– Oh, mon Dieu ! me suis-je écriée. Comment ai-je pu oublier de t'en parler ? Oui, je… qui était-ce au téléphone ?

– Mme Prezzioso. Elle appelait pour me dire combien elle était contente de ce que tu avais fait cet après-midi et aussi pour confirmer que Jenny avait bien une angine, mais qu'elle allait beaucoup mieux. J'étais un peu gêné de ne pas savoir de quoi elle me parlait. Je crois que je ne connais toujours pas toute l'histoire. Mme Prezzioso parlait très vite et n'arrêtait pas de faire allusion à un ange.

J'ai souri.

– C'est Jenny. Les Prezzioso l'appellent leur petit ange.

– Eh bien, raconte-moi tout cela, ça m'a l'air passionnant.

– Voilà, je gardais Jenny et je l'ai trouvée étonnamment calme et grognon. Tout d'abord, je ne me suis pas inquiétée, car elle est souvent de mauvaise humeur. Mais elle s'est endormie pendant que je lui lisais un livre. Je lui ai alors touché le front et je me suis aperçue qu'elle était brûlante. J'ai pris sa température. Papa, elle avait 41, 5° !

– 41, 5° !

– Oui. Je n'arrivais pas à y croire non plus. J'ai appelé son pédiatre, qui était absent, puis les voisins. Mais personne n'était là...

– Moi non plus.

– Ni toi ni la mère de Carla. Mais Carla est venue et m'a suggéré d'appeler le 15. Je leur ai expliqué ce qui se passait et ils ont envoyé une ambulance. Quand j'y repense, je suis surprise de tout ce que j'ai su faire. J'ai appelé le gymnase à Chatham pour prévenir les Prezzioso. J'ai suivi toutes les instructions que m'avait données la personne qui m'a répondu au 15 et j'ai pensé à fermer à clé chez les Prezzioso, quand nous sommes parties avec l'ambulance.

Papa m'a souri.

– Mme Prezzioso a dit qu'elle était fière de toi. Je le suis aussi.

– Vraiment ?

– Oui.

Il a soupiré.

– Tu grandis, là, sous mes yeux, a-t-il avoué comme si c'était une découverte pour lui.

– J'ai douze ans.

– Je sais. Mais ça ne veut pas dire grand-chose, ça dépend des personnes. C'est comme pour les vêtements. Telle personne trouvera superbe un certain polo qui sera hideux pour une autre. Pour l'âge, c'est pareil. Tout dépend des personnes.

– Tu veux dire que certains enfants de douze ans peuvent déjà sortir seuls quand d'autres ont encore besoin de baby-sitters ?

– Exactement.

– Oh... Et moi... (j'osais à peine poser la question.) ... je suis plus mûre que tu ne le pensais ?

– Oui. Oui, je crois, Mary Anne.

– Tu penses que je suis... (oh, pourvu qu'il dise oui)... assez grande pour faire du baby-sitting un peu plus tard ?

Papa n'a pas répondu tout de suite, mais il a fini par dire :

– Vingt-deux heures, ça me semble un peu tard pour les soirs de la semaine. Que dirais-tu de neuf heures et demie la semaine, et dix heures le vendredi et le samedi ?

– Oh, papa, c'est génial ! Merci !

J'ai voulu me lever pour l'embrasser, mais nous ne sommes pas très démonstratifs dans la famille, alors je me suis rassise. Puis j'ai eu une idée de génie.

– Papa, je veux te montrer quelque chose. Je reviens tout de suite.

J'ai couru dans ma chambre, défait mes tresses et je me suis coiffée soigneusement. Mes cheveux tombaient sur mes épaules, ils étaient ondulés à force d'avoir été tressés. Puis je suis retournée dans la cuisine et je me suis plantée devant mon père.

– Comment tu me trouves ?

Son visage sérieux s'est éclairé.

– Charmante, a-t-il été forcé de reconnaître.

– Est-ce que tu penses que je pourrais me coiffer comme ça ? Je veux dire, de temps en temps.

Papa a hoché la tête.

– Et peut-être, ai-je poursuivi en espérant ne pas en demander trop, pourrais-je enlever Pinocchio des murs de ma chambre et le remplacer par un poster de Paris ?

Je pourrais lui parler d'*Alice au pays des merveilles* un autre jour.

Papa était d'accord. Il a ouvert les bras. Je m'y suis précipitée et il m'a serrée contre lui.

– Merci, papa !

Avant d'aller au lit, ce soir-là, j'ai écrit deux lettres, l'une à Kristy, l'autre à Carla. Les deux pour m'excuser.

14

Lundi

Les membres du club sont fâchés depuis plus d'un mois. Je n'arrive pas à y croire. Claudia, Kristy, Mary Anne, j'espère que vous voudrez bien lire ce que j'écris. Je croyais que vous étiez mes amies, mais peut-être que je me trompe. C'est idiot de se disputer comme ça, je veux que vous le sachiez.

Je crains que le goûter d'anniversaire de Simon, demain, ne soit un vrai désastre. Si nous continuons comme ça, il faut s'attendre au pire.

P.-S. : si quelqu'un veut faire la paix, je suis prête.

Lucy avait à la fois tort et raison. Le goûter de Simon fut presque un désastre, pourtant, il fut bénéfique. Mais j'anticipe. Revenons au lundi, le jour où Lucy a écrit cette lettre.

En arrivant à l'école, je suis d'abord partie à la recherche de Carla. Je lui ai remis mon message et je suis restée près d'elle, pendant qu'elle le lisait. J'avais été très honnête dans ma lettre. Je lui expliquais que, plusieurs fois, je m'étais servie d'elle pour fâcher Kristy, mais que je l'aimais beaucoup et qu'elle était une de mes meilleures amies, avec ou sans Kristy. Carla l'a lue deux fois, lentement, puis elle m'a embrassée. Nous étions réconciliées. Peu après, j'ai remarqué qu'elle me fixait.

– Qu'est-ce qu'il y a ?

– Mary Anne, tes cheveux ! Où sont passées tes tresses ?

J'ai souri.

– Ça te plaît ?

– Beaucoup ! Tu es super jolie !

– Merci. J'ai l'intention de les coiffer souvent comme ça. Écoute, si j'ai pu faire la paix avec toi, je devrais pouvoir en faire autant avec Kristy.

Je lui ai montré l'autre lettre.

– C'est pour elle. Il faut que je la trouve.

Je l'ai cherchée partout, en vain.

Au moment où la sonnerie a retenti, j'ai glissé la lettre dans le casier de Kristy. Dans la journée, je l'ai aperçue plusieurs fois dans les couloirs, mais elle a fait comme si de rien n'était, exactement comme les semaines précédentes.

Avait-elle lu ma lettre ? Je m'étais peut-être trompée de casier... Ou alors elle était toujours fâchée.

Le goûter de Simon commençait à trois heures et demie cet après-midi-là. J'étais partagée entre joie et angoisse. Ça pouvait être très amusant. Mais, comme Lucy l'avait fait remarquer, ça pouvait également être un désastre.

Avec un cadeau pour Simon, j'ai sonné chez lui à trois heures et quart, pour aider sa mère.

– Coucou ! s'est écrié Simon surexcité. J'ai quatre ans ! Quatre ans, ça fait beaucoup !

– Bonjour, Mary Anne, m'a lancé Mme Newton de la cuisine. Je suis contente que tu arrives plus tôt, tu vas me donner un coup de main.

J'ai fait des paquets-surprises et préparé les boissons. Quand j'ai eu fini, la plupart des invités de Simon étaient arrivés. Le salon avait tout d'une cour de récréation. Les amis de Simon couraient partout en criant.

Mme Newton nous a prises à part, Kristy, Claudia, Lucy et moi.

– Essayez de les faire asseoir. On va ouvrir les cadeaux en premier, ça va aller vite.

Les membres du club ont hoché la tête, en évitant soigneusement de se regarder.

Kristy a pris quatre enfants et les a conduits vers le canapé en ordonnant :

– Asseyez-vous là.

Lucy en a pris quatre autres et les a fait asseoir par terre, près de la cheminée. Claudia a emmené plusieurs petites filles vers le piano.

Mais que faisaient-elles ?

– Regroupez-les tous au même endroit, ai-je conseillé.

Les trois autres m'ont jeté un regard noir.

– Oui, autour du canapé, ce sera bien, a acquiescé Mme Newton.

Kristy ne cachait pas son agacement. Simon a ouvert ses cadeaux et sa mère a proposé un jeu.

– Il m'en faut trois pour m'aider et une quatrième pour aller jeter un coup d'œil au bébé, nous a-t-elle expliqué.

Toutes les quatre, nous nous sommes ruées dans l'escalier.

– C'est moi qui y vais, a décrété Kristy.

– Non, moi, a répliqué Lucy.

– Pas vous, moi ! ai-je corrigé.

– Non, c'est moi ! s'est exclamée Claudia.

On se poussait toutes pour monter.

– Les filles ! s'est écriée Mme Newton en fronçant les sourcils.

Nous nous sommes retournées, penaudes.

– Lucy, voudrais-tu y aller, s'il te plaît ?

C'était au tour de Lucy de jubiler.

– C'est pas juste, a marmonné Kristy.

Mme Newton m'a demandé de bander les yeux des enfants, Kristy était chargée de les guider et Claudia de surveiller ceux qui attendaient leur tour pour jouer. Mme Newton a disparu dans la cuisine. Tout à coup, alors que je bandais les yeux de Claire Pike, j'ai senti quelque chose m'écraser un pied.

– Ouille !

– Oh, je suis vraiment désolée ! a fait une voix. C'est sur ton pied que j'ai marché ?

J'ai regardé Kristy, d'un air mauvais.

– Oui, c'était mon pied, Kristy Parker, ai-je répliqué avec froideur et je lui ai tiré la langue.

Le jeu s'est poursuivi sans autre incident. Tout s'est bien déroulé, jusqu'au moment du goûter. Mme Newton avait prévu que ça se passe dans la salle à manger. Il y avait des guirlandes au plafond et un nombre incroyable de ballons au milieu de la pièce. La nappe, les serviettes en papier et les verres en carton étaient décorés d'ours en peluche. Les enfants ont poussé des « Ooh » et des « Aah » en entrant. Mme Newton les a aidés à s'installer.

– Asseyez-vous aussi, les filles, ce sera plus facile pour servir les enfants.

Après un petit accrochage avec Claudia, je me suis assise près de Simon, à un bout de la table. Kristy était deux places plus loin, Lucy en face d'elle et Claudia en face de moi, à l'autre bout de la table.

– Mary Anne, pourrais-tu servir les boissons que tu as préparées, pendant que j'apporte le gâteau, m'a suggéré Mme Newton.

J'ai pris la lourde carafe de jus de fruits pour faire le tour de la table. Arrivée à Kristy, j'ai rempli son verre à ras bord.

– Hé, fais attention ! Ça me dégouline sur les genoux !

– Oh, je suis vraiment désolée !

– Tu peux l'être, en effet.

– Toi aussi, tu pourrais l'être de m'avoir écrasé le pied et de n'avoir pas répondu à ma lettre.

– Quelle lettre ?

– Tu le sais bien.

– Pas du tout.

Kristy s'est essuyée avec une serviette en papier. A ce moment, Claudia est accourue avec une autre serviette. Elle a épongé le jus de fruits autour de l'assiette de Kristy, puis a jeté la serviette mouillée au visage de Lucy.

– Hé !

Lucy s'était levée en un éclair. Elle a couru après Claudia

et lui a frotté la serviette sur le visage. La situation commençait à dégénérer.

– Maman ! a crié Simon.

On aurait dit qu'il allait pleurer. Mme Newton arrivait justement avec le gâteau d'anniversaire et les bougies allumées. Elle a demandé le silence avant de le poser sur la table.

– Les filles, mais que se passe-t-il ?

Elle a jeté un coup d'œil autour d'elle. Silence pesant. Les membres du club étaient barbouillés de jus de fruits. Je tenais la carafe au-dessus de la table où régnait un beau bazar et Lucy frottait encore la serviette sur le visage de Claudia. Une larme solitaire roulait sur la joue de Simon. Personne ne savait quoi dire.

– C'est juste un petit incident, ai-je dit au bout d'un moment. Je suis désolée, nous sommes toutes désolées.

J'ai jeté un regard lourd de sous-entendus aux autres.

– Kristy, pourquoi ne vas-tu pas te nettoyer à la cuisine ? a proposé Mme Newton.

Kristy est sortie de la pièce, confuse.

– Venez, ai-je ordonné à Claudia et à Lucy. Nous allons aider Kristy. Nous revenons tout de suite.

Dans la cuisine, j'ai aussitôt pris la parole :

– Je me fiche de ce que vous pensez. J'exige que le club se réunisse immédiatement après le goûter. Tâchez de venir.

Puis je suis retournée dans la salle à manger pour servir le gâteau d'anniversaire.

15

Le goûter s'est terminé dans une drôle d'ambiance. Nous avions tellement honte de l'avoir en partie gâché, que nous nous sommes efforcées d'être gentilles avec Simon et serviables avec sa mère.

Le départ des invités a suscité une telle agitation que Mme Newton en a oublié l'incident du goûter.

En sortant de chez elle, nous nous sommes retrouvées dans la rue, mal à l'aise.

– Où pouvons-nous nous réunir ? ai-je demandé. Dans ta chambre, Claudia ?

Elle a haussé les épaules.

– Si tu veux.

– Bon. Toutes chez les Koshi, ai-je décrété.

Kristy a haussé légèrement les sourcils, mais n'a rien ajouté. Mimi nous a ouvert la porte.

– C'est un plaisir de vous revoir.

Elle voulait dire de vous revoir ensemble.

– On fait juste une petite réunion, a expliqué Claudia à sa grand-mère. Ce ne sera pas long.

– Très bien, ma Claudia.

Une fois dans la chambre de Claudia, tout le monde m'a regardée.

J'étais un peu paniquée, mais je me suis souvenu de la façon dont je m'étais occupée de Jenny, quand elle était malade. Je me suis également rappelé que je m'étais fait une nouvelle amie et que j'avais réglé certains problèmes avec mon père. J'ai pris une profonde inspiration et je me suis lancée :

– Voilà des semaines que nous sommes fâchées. Il est temps d'arrêter. Nous avons presque gâché l'anniversaire de Simon. C'était affreux. Je suis sûre que vous pensez comme moi.

Elles ont hoché la tête, penaudes.

– Alors, ou on fait la paix ou tout est fini. Je parle du club, bien sûr. Je ne sais pas ce que vous en pensez, mais j'aimerais bien continuer. Je me suis assez battue pour pouvoir y entrer.

Lucy a pris la parole.

– Je ne veux pas que le club s'arrête, non plus. Vous êtes mes seules amies ici.

– Kristy ? ai-je fait.

– Je veux faire la paix, mais quelqu'un me doit des excuses. En fait, on se doit toutes des excuses.

– Qui t'en doit ? a demandé Claudia.

– Je ne sais plus ! Je ne sais plus ni avec qui ni pourquoi je suis fâchée.

Je me suis mise à rire.

– Moi non plus !

Nous avons toutes ri ensemble.

– Pour en finir une bonne fois, ai-je proposé, nous n'avons qu'à nous demander pardon les unes aux autres. Un, deux, trois, prêt...

– Pardon ! avons-nous crié en chœur.

– Qu'est-ce qui t'est arrivé, Mary Anne ? a demandé Kristy. Tu as changé depuis notre dispute.

J'ai rougi.

– Il s'est passé des tas de choses...

– Tu te coiffes différemment, a remarqué Lucy. C'est très joli.

– Merci.

– Ton père a enfin cédé. Surprenant ! a renchéri Kristy.

– Non sans mal. Au fait, j'ai le droit de sortir jusqu'à dix heures le week-end et neuf heures et demie la semaine.

Kristy en est restée bouche bée.

– Waouh...

On s'est mises à parler toutes à la fois. Tandis que Claudia montrait à Lucy un nouveau fard à paupières, Kristy s'est approchée de moi.

– Qu'est-ce que c'est que cette lettre dont tu m'as parlé au goûter ?

– J'ai glissé une lettre d'excuses dans ton casier ce matin. Je pensais qu'au moins tu m'en parlerais.

– Mais je ne l'ai pas lue... le cadenas de mon casier ne fonctionne plus et je n'ai pas pu l'ouvrir aujourd'hui.

– Oh... alors excuse-moi.

– Nous nous sommes assez excusées pour aujourd'hui !

Et elle m'a embrassée en signe de réconciliation.

En rentrant à la maison à six heures cinq, j'ai entendu sonner le téléphone au moment où j'ouvrais la porte. J'ai vite couru décrocher dans la cuisine.

– Allô ?

– Salut ! C'est Carla. Je suis contente que tu sois là.

– Quoi de neuf ?

– Tu ne vas pas le croire. Devine ce que j'ai trouvé dans un carton où était inscrit « Affaires de sport » ? Un album photos. Un vieux. Et devine ce qu'il y a dedans ?

– Quoi ? Quoi ?

– Une photo de bal.

– Avec ta mère et mon père ?

– Oui ! Et maman avec la rose accrochée à sa robe par un ruban blanc. Je lui ai demandé qui était le garçon et, d'une voix douce et rêveuse, elle m'a répondu : « Oh, c'était Fred Cook... Je me demande ce qu'il a pu devenir. » Alors j'ai répondu : « Il va bien. » « Comment peux-tu le savoir ? » m'a-t-elle demandé. Je lui ai expliqué : « C'est le père de Mary Anne. Il habite ici, à Stonebrook. » Et maman s'est presque évanouie !

– Waouh ! Attends... une seconde. Carla, papa est rentré. Je vais lui parler ! J'ai hâte de savoir ! Je te rappelle après le dîner. Salut !

Mais avec mon père, on n'aborde pas un tel sujet aussi facilement. J'ai attendu qu'on soit installés à table pour dîner. Je lui ai parlé de sa journée et de ses affaires, lui m'a demandé des nouvelles du collège et du club. Puis j'ai lancé négligemment :

– Papa ? Tu as connu une certaine Sharon Porter ?

Il a failli s'étrangler et a dû boire une gorgée d'eau avant de pouvoir répondre :

– Oui. Oui. Pourquoi me demandes-tu ça ?

– Je viens de découvrir que la mère de Carla est Sharon Porter et qu'elle a passé toute sa jeunesse à Stonebrook. Carla et moi, on pensait que ça serait drôle que vous vous soyez connus au lycée. Alors ? Vous étiez amis ?

Il est resté un instant silencieux.

– Oui, très bons amis. Mais on s'est séparés. Nous ne nous sommes pas revus depuis. Je ne m'entendais pas très bien avec ses parents.. Après l'université, Sharon est partie en Floride. J'ai perdu sa trace... Alors, elle s'est mariée ?

– Et elle a divorcé. Elle est revenue vivre ici avec Carla et son fils David. Mais, dis... Pourquoi tu ne t'entendais pas avec les Porter ?

– C'est une longue histoire. Disons qu'ils pensaient que je n'étais pas assez bien pour leur fille.

– Grand-père était... facteur, non ? ai-je demandé, en essayant de me souvenir.

Les parents de papa sont morts quand j'étais au CP.

– C'est ça. Et M. Porter était... est un grand banquier.

– Je me demande si tu serais assez bien pour la mère de Carla maintenant.

Papa a eu un petit sourire triste.

– Ne te fais pas trop d'idées, Mary Anne.

C'est tout ce qu'il a dit.

Après le dîner, je lui ai demandé la permission de téléphoner.

– Vas-y, a-t-il répondu, perdu dans ses pensées.

J'ai appelé chez les Schafer.

– Carla ! Je sais toute l'histoire ou presque. Papa a l'air bouleversé.

Je lui ai raconté ce que j'avais appris.

– Hum... Il faut qu'on fasse quelque chose, a-t-elle décidé.

– Je suis d'accord. Oh, là, là ! me suis-je exclamée. Quelle journée ! J'ai fait la paix avec Kristy et les autres. J'aimerais bien que tu fasses partie du club aussi. Tu as été super avec Jenny. Tu as fait du baby-sitting avant de venir ici ?

– Plein de fois, oui.

Ça m'a donné une idée.

– Écoute, Carla, je dois te laisser, mais on se voit demain, d'accord ?

J'ai raccroché. J'espérais que papa me laisserait donner un autre coup de fil. Il fallait que je discute d'une chose importante avec Kristy.

C'est à croire que mon père a perdu la tête. Il m'a dit oui, sans hésiter quand je lui ai posé la question :
– Papa, puis-je inviter les membres du club à la maison ?

Hier, vendredi, j'ai donc fait une petite fête. J'avais aussi invité Carla. J'avais parlé d'elle aux autres et elles mouraient d'envie de la rencontrer. Elles savaient que j'aurais aimé que Carla fasse partie du club. Je ne sais pas trop ce qu'elles en pensaient. La fête devait durer de dix-sept heures à vingt heures. Papa et moi avions commandé une pizza géante et il est rentré tôt du bureau pour préparer une salade. On avait prévu un hamburger végétarien pour Lucy en raison de son diabète.

A cinq heures moins le quart, on a sonné à la porte.

– Les voilà ! me suis-je exclamée. Elles ne sont pas en retard ! Heureusement tout est prêt.

Nous avions prévu une réunion dans ma chambre d'abord, pour que tout le monde fasse la connaissance de Carla. Ensuite on devait dîner dans la cuisine, avec papa, il avait insisté, puis retourner dans ma chambre.

– Ne t'en fais pas, ce sera très réussi, j'en suis sûr, m'a-t-il assuré. Va recevoir tes invitées !

Mais en allant ouvrir, j'ai buté sur le carton vide de la pizza, heurté la table, renversé un verre de soda et fait tomber les épluchures des carottes.

– Oh, non !

Ma jupe en jean était trempée.

– Du calme, Mary Anne, je vais ouvrir.

Papa a ajusté ses lunettes et s'est dirigé vers la porte, pendant que je prenais une serpillière pour nettoyer par terre. J'ai mis un moment à réaliser qu'il régnait un silence inattendu.

J'ai jeté un œil dans l'entrée et j'en ai eu le souffle coupé. Carla était en train d'enlever son manteau, tandis que sa mère et mon père, debout devant la porte, se regardaient fixement.

Carla m'a souri et, en levant le pouce, m'a fait le signe de la victoire. J'ai ouvert de grands yeux, puis j'ai souri aussi. Malgré mes doigts poisseux et les bouts de carotte qui constellaient ma jupe, je suis allée les rejoindre.

– Papa, voici Mme Schafer, la mère de Carla. Madame Schafer, voici mon père, M. Cook.

J'attendais une réaction.

– Je crois que vous vous connaissez.

Mon père s'est ressaisi.

– Oui. Oui, bien sûr. Sharon, c'est formidable de te revoir. Il y a si longtemps.

– Je suis contente aussi, Fred, a fait la mère de Carla.

Fred ! J'ai plaqué ma main sur ma bouche pour ne pas éclater de rire.

– Je t'en prie, entre, a proposé mon père.

- Je voudrais bien, mais je dois aller chercher David.

Ils avaient l'air tout gêné.

– Carla, tu viens m'aider dans la cuisine ? ai-je dit pour les laisser un peu tranquilles.

Une fois dans la cuisine, nous avons pu épier ce qui se passait dans l'entrée.

– Je suis content que tu sois de retour à Stonebrook, a repris mon père. On pourrait dîner ensemble un de ces soirs.

– Avec plaisir. Quand es-tu libre ?

– Quand ? a répété papa, troublé. Pourquoi pas demain soir ?

– Pas de problème.

– A demain, alors.

Carla et moi, on s'est regardées. Un rendez-vous ! Nos parents avaient rendez-vous !

Papa est revenu dans la cuisine, tout étourdi. Carla et moi l'étions aussi. Du coup, je ne pensais plus du tout à ma fête. Mais après avoir remis de l'ordre dans la cuisine, changé de jupe et accueilli les autres membres du club, j'avais retrouvé mon calme.

J'ai présenté Carla aux autres. Kristy et Carla se sont toisées avec méfiance.

– Mary Anne dit que tu as déjà fait plein de baby-sitting..., a commencé notre présidente, très pro.

– Oh, oui. En Californie, j'en faisais souvent, là où j'habitais, il y avait beaucoup d'enfants. J'ai commencé à en faire à neuf ans. J'ai dû garder tous les enfants de ma rue, à un moment ou à un autre.

– Tu as déjà rencontré des problèmes particuliers ?

Elle voulait mettre Carla à l'épreuve. C'était son rôle.

– Elle a été super quand Jenny Prezzioso a été malade, ai-je précisé.

J'avais déjà raconté notre aventure

Carla a enchaîné avec l'une des siennes.

– Une fois, il y a eu le feu dans la maison où je gardais des enfants. J'ai fait sortir les enfants et j'ai appelé les pompiers.

Mais Kristy insistait :

– As-tu déjà gardé un nouveau-né ?

Carla a réfléchi.

– Non, pas un nouveau-né. Le plus jeune que j'ai gardé avait sept mois.

– Jusqu'à quelle heure as-tu le droit de sortir ? (C'était la question préférée de Kristy.)

– Il faut que je voie avec ma mère. Vingt-deux heures peut-être ? Il y a un moment que je n'ai pas gardé d'enfants, car ici je ne connais pas grand monde.

– Pourquoi as-tu déménagé ? a demandé Lucy.

Carla a baissé les yeux.

– Divorce.

– Tes parents ont divorcé ? a fait Kristy. Je connais ça. Mes parents aussi. C'est dur.

– Déménager, ça me connaît, je viens de New York. Au début, je ne trouvais pas ça terrible ici, mais maintenant, ça va beaucoup mieux, a expliqué Lucy.

– Oui ! C'est grâce aux merveilleuses amies qu'elle a rencontrées ! a affirmé Claudia en montrant les membres du club.

– Nous avons des coups de fil à ne plus savoir qu'en faire. On aurait besoin d'aide, a ajouté Kristy en me souriant.

Elle s'est tournée vers Claudia et Lucy, qui ont hoché la tête.

Kristy m'a regardée.

– Mary Anne ? Tu veux lui annoncer toi-même ?

J'ai souri.

– Bien sûr. Carla Schafer, veux-tu faire partie du Club des baby-sitters ?

– Oui, avec plaisir ! s'est-elle exclamée en souriant. Merci beaucoup.

Sur ce, nous avons dévalé les escaliers pour aller manger la pizza.

– Papa ? On va dîner !

Mon père avait l'air dans les nuages. Carla et moi, nous avons échangé un regard complice. Nous savions très bien à quoi il pensait.

– Portons un toast ! ai-je proposé.

Chacune a levé sa pizza, Lucy son hamburger.

– A notre nouveau membre !

– Et merci de m'avoir acceptée au Club des baby-sitters, a répondu Carla.

LE CLUB DES BABY-SITTERS

La revanche de CARLA

– Silence, s'il vous plaît. Du calme !
Kristy Parker a tapé sur le bureau de Claudia Koshi du bout de son crayon.
– Nous devons commencer la réunion, et je parle sérieusement !

Kristy avait du mal à capter notre attention. Les filles étaient surexcitées. Nous accueillions deux nouveaux membres officiels cet après-midi-là, Mallory Pike et Jessica Ramsey, et, de plus, nous avions eu une demi-journée de congé à cause d'une réunion de profs.

Mary Anne, Claudia, Jessica, Mallory et moi (Carla Schafer) étions vautrées un peu partout dans la chambre de Claudia, en train de rire et de bavarder. Kristy nous regardait du haut de son fauteuil de présidente, et elle n'avait pas l'air très contente.

Avant d'aller plus loin, peut-être devrais-je vous expliquer qui sont les membres du club, et en quoi consiste le Club des baby-sitters. Commençons par le club : c'est Kristy qui en a eu l'idée. Elle et Mary Anne faisaient pas mal de baby-sitting dans leur quartier, et Kristy s'est aperçue que, chaque fois que des parents avaient besoin d'une baby-sitter, ils devaient passer des milliards de coups de téléphone pour trouver quelqu'un. « Ne serait-ce pas formidable s'il suffisait d'un seul coup de fil pour contacter plusieurs baby-sitters en même temps ? » a-t-elle pensé. Elle a donc réuni quelques amies pour constituer le club et, maintenant, nous nous retrouvons trois fois par semaine, le lundi, le mercredi et le vendredi après-midi de cinq heures et demie à six heures. Nos clients sont au courant (nous faisons de la pub), et ils nous appellent pendant les réunions. Nous sommes maintenant six au club et, en général, il y a toujours quelqu'un de libre pour aller garder des enfants. Génial pour les parents : c'est simple, pratique et en plus nous sommes des baby-sitters à qui l'on peut faire confiance. Et génial pour nous : nous avons beaucoup de travail, nous nous amusons bien et nous gagnons de l'argent.

Nous gérons notre club d'une manière très professionnelle. Nous sommes toujours à l'heure, nous veillons à être bien informées, nous savons où joindre les parents, à quelle heure coucher les enfants, et nous sommes tout simplement formidables avec les petits. Nous les adorons !

Nous avons un agenda dans lequel Mary Anne inscrit les

adresses et les rendez-vous (c'est la secrétaire du club), et moi, les sommes que nous gagnons (je suis la trésorière). Nous avons aussi une sorte de journal de bord que nous tenons à jour. Nous y faisons le compte rendu des baby-sittings et nous devons en prendre connaissance une fois par semaine. De cette façon, nous savons comment cela se passe avec les enfants que les autres filles ont gardés.

Kristy est la présidente, bien sûr, puisque c'est elle qui a créé le club. Elle est très ouverte et, bon, on peut dire qu'elle a la langue bien pendue. Comme elle l'avoue elle-même, ses paroles dépassent parfois un peu sa pensée. Quand elle a fondé le club, Kristy habitait en face de chez Claudia et à côté de chez Mary Anne.

Mary Anne et elle étaient amies depuis toujours. Puis, l'été dernier, la mère de Kristy, qui était divorcée, a épousé Jim Lelland, un type très riche. Jim a installé toute la famille dans sa maison. Kristy a trois frères : Samuel qui a dix-sept ans, Charlie qui en a quinze et David Michael qui a juste sept ans.

A présent, elle a aussi un demi-frère et une demi-sœur. Ce sont les enfants de Jim. Karen a six ans et Andrew, quatre. Kristy aime bien sa nouvelle famille, mais cela représente un énorme changement pour elle, et elle doit s'y habituer. Heureusement, Samuel la conduit aux réunions et la ramène (nous le payons avec l'argent des cotisations), donc ce déménagement n'empêche pas Kristy d'avoir ses activités habituelles.

Claudia est notre vice-présidente. C'est surtout parce qu'elle est la seule à avoir une ligne de téléphone personnelle : sa chambre est l'endroit idéal pour nos réunions.

Claudia est aussi différente de Kristy que possible. Elles ont toutes les deux treize ans (comme Mary Anne et moi), mais Claudia est cent fois plus sophistiquée. Kristy se fiche complètement des vêtements ; Claudia est dingue de mode, elle porte toujours des fringues super et a un look d'enfer. Elle est d'origine japonaise, et a de longs cheveux soyeux d'un noir de jais, des yeux sombres en amande et un teint clair et crémeux.

Elle adore l'art et les romans policiers, mais ce n'est pas une très bonne élève. Ce qui est ennuyeux car sa sœur aînée, Jane, est un génie. Claudia et Jane vivent avec leurs parents et Mimi, leur grand-mère, qui est la meilleure grand-mère dont on puisse rêver.

Notre secrétaire, je l'ai déjà dit, est Mary Anne. Elle et Kristy sont très différentes l'une de l'autre, presque le jour et la nuit, mais ce sont les meilleures amies du monde. Kristy est autoritaire, Mary Anne est calme et timide. Elle est également sensible (elle pleure facilement), et elle sait écouter les autres. Kristy pense que les garçons ont été créés pour lui nuire, Mary Anne est la seule d'entre nous qui ait un petit ami régulier : il s'appelle Logan Rinaldi et il est un de nos deux intérimaires. Nous pouvons l'appeler pour garder des enfants quand aucune d'entre nous n'est libre. L'autre intérimaire est une fille, Louisa Kilbourne, qui habite en face de chez Kristy.

Jusqu'à présent, Mary Anne ne s'intéressait pas aux vêtements, mais elle a changé et, maintenant, elle s'habille bien. La seule chose que les deux amies ont en commun, c'est leur physique. Toutes deux sont petites pour leur âge et ont des cheveux bruns et des yeux noisette. Mary Anne vit avec son père (sa mère est morte il y a longtemps) et son chat, Tigrou.

Et puis il y a moi. Je suis la nouvelle trésorière. Jusqu'à présent, c'était Lucy MacDouglas, qui faisait partie du club depuis le début. Mais elle a déménagé à New York, et c'est vraiment triste. Elle nous manque, surtout à Claudia. C'était sa meilleure amie. Toujours est-il qu'après le départ de Lucy, je suis devenue trésorière. Je ne suis pas au club depuis le début. Je ne suis arrivée à Stonebrook qu'en janvier dernier, il y a moins d'un an. Auparavant, je vivais en Californie avec mes parents et mon petit frère David. Mais papa et maman ont divorcé, et mon frère et moi sommes venus vivre ici avec maman. C'est ici qu'elle a grandi. J'aime bien Stonebrook, mais je reste une Californienne dans l'âme. J'aime la chaleur, pas le froid, les aliments naturels, pas les cochonneries. Je m'habille avec recherche, mais j'ai mon style à moi. Je suis très indépendante. Peut-être vous demandez-vous à quoi je ressemble. Eh bien, j'ai de longs, longs cheveux blond clair (jusqu'à la taille) et des yeux bleus. J'attrape des taches de rousseur si je reste trop longtemps au soleil. Et il y a autre chose que vous devez savoir. Notre maison de Stonebrook a plus de deux cents ans et elle possède un passage secret. C'est la vérité.

Bon. Les nouvelles venues au club sont Mallory et Jessica. Elles sont plus jeunes que nous – onze ans – et, pour cette raison, elles ne sont que baby-sitters juniors. Mallory est l'aînée de huit enfants, elle sait donc pas mal s'y prendre avec les petits. Elle a des cheveux roux et bouclés, porte des lunettes et bientôt un appareil dentaire.

Elle meurt d'envie de se faire percer les oreilles, mais sa mère ne veut pas. Elle et Jessica ont beaucoup de points communs, mais Jessica est noire. Elle porte également des lunettes (seulement pour lire) et pense que ses parents la traitent comme une gamine (elle non plus n'a pas encore le droit de se faire percer les oreilles). Comme moi, Jessica est nouvelle à Stonebrook. Elle, ses parents, sa sœur de huit ans et demi, Becca (diminutif de Rebecca), et son petit frère John Philip Ramsey, que tout le monde appelle P'tit Bout, ne sont ici que depuis quelques semaines.

Jessica est superdouée pour la danse (elle a des jambes d'une longueur incroyable, un corps mince et gracieux). Mallory et elle aiment les chevaux et la lecture.

Maintenant que vous savez tout sur le club, revenons à la réunion.

Après de nombreux coups de crayon et beaucoup d'interjections, Kristy a enfin réussi à attirer notre attention, et nous avons fait le silence.

Kristy s'est redressée dans son fauteuil.

– Comme vous le savez, aujourd'hui, nous allons intégrer deux nouveaux membres dans notre club.

Jessica et Mallory ont souri, mais moi, je pensais : « Intégrer ? » Où était-elle allée chercher ce mot, alors qu'il s'agissait tout simplement de les accueillir officiellement dans le club ? En plus, elle ne m'avait jamais « intégrée », moi. Elle s'était contentée de faire signe à Mary Anne qui m'avait demandé si je voulais devenir membre du club. Puis on avait fêté ça en mangeant une pizza, mais il n'y avait pas eu de cérémonie. Pourquoi ? Car Kristy était jalouse de moi, voilà. Tout ça parce que Mary Anne et moi étions devenues amies dès mon arrivée à Stonebrook. Kristy était habituée à être la seule amie de Mary Anne. Du coup, elle n'avait jamais pris la peine de faire une cérémonie pour moi, alors j'étais contrariée (juste un peu) qu'elle fasse tout ça aujourd'hui pour les nouvelles.

C'est alors que le téléphone a sonné.

– J'y vais ! fîmes-nous en chœur, Claudia, Kristy, Mary Anne et moi.

Comme Kristy était tout près du téléphone, c'est elle qui a décroché.

– Ici le Club des baby-sitters. Bonjour, docteur Johanssen... Oui, elle est là. Ne quittez pas.

Elle a passé le combiné à Claudia.

– Elle veut te parler.

Les autres se sont renfrognées. Ce n'est pas de cette façon que le club fonctionne. Celle qui répond au téléphone doit se renseigner sur le travail, raccrocher, proposer le baby-sitting à nous toutes et rappeler les gens pour leur dire qui viendra garder les enfants. Souvent, une seule d'entre nous est disponible, car nous sommes très occupées, nous n'avons donc pas à nous battre pour savoir qui se chargera du travail.

Et nos clients le savent. Alors pourquoi le docteur Johanssen demandait-elle à parler à Claudia ?

Nous n'avons pas tardé à l'apprendre.

Quand Claudia a raccroché, elle a dit à Mary Anne :

– Inscris-moi pour mardi, de quinze heures trente à dix-huit heures.

– Claudia, tu ne peux pas faire ça ! s'est exclamée Kristy.

– Pourquoi ? a voulu savoir Mallory.

– Pourquoi ? Parce que le Club des baby-sitters ne fonctionne pas comme ça, voilà tout, ai-je explosé.

Mallory a rougi. Elle a regardé Jessica, gênée.

– Désolée. Je l'ignorais.

– Oh, Mallory, tu n'y es pour rien, lui ai-je dit. Mais c'est pratiquement la règle la plus importante du club. Et Claudia vient de l'enfreindre.

Je me suis tournée vers Claudia en demandant :

– Peut-on savoir pourquoi ?

Elle a soupiré.

– Le docteur Johanssen dit que Charlotte a insisté pour que ce soit moi qui la garde. (Charlotte est la fille des Johanssen, elle a neuf ans.) Elle prétend que Lucy lui manque et qu'elle sait que je suis sa meilleure amie. Ce n'est pas ma faute. Je suppose que Charlotte se sent liée à moi.

Claudia a haussé les épaules, l'air embarrassé.

Cela ne s'était jamais produit. J'aurais voulu que Charlotte me réclame, moi. J'avais l'impression de ne pas être une bonne baby-sitter ou quelque chose de ce genre, bien que je sache que ce n'était pas vrai.

– Eh bien, a fait Kristy d'un ton froissé, si c'est ce que Charlotte désire. On va lui donner sa baby-sitter préférée.

Elle devait éprouver un peu la même chose que moi.

Claudia a baissé la tête, de plus en plus mal à l'aise.

– Mais c'est dommage car nous sommes toutes d'excellentes baby-sitters, a repris Kristy. C'est moi qui ai inventé les coffres à jouets que Charlotte aime tant. (Ce sont des boîtes que nous remplissons de jouets, de jeux et de livres, et que nous apportons parfois avec nous pour les baby-sittings.)

– C'est moi qui ai emmené Jenny Prezzioso à l'hôpital, la fois où elle a été malade, a renchéri Mary Anne.

– J'ai sauvé deux enfants d'un incendie, en Californie, ai-je fait remarquer.

– Oui, vous êtes toutes de bonnes baby-sitters, a affirmé Claudia. Vraiment. (Alors, pourquoi avais-je ce sentiment négatif ?) Lucy manque beaucoup à Charlotte, c'est tout. C'est une situation un peu spéciale.

Kristy a essayé de reprendre la cérémonie, mais le téléphone a sonné à nouveau. Nous avons pris trois autres rendez-vous, un pour moi, un pour Kristy, un pour Mallory et Jessica chez les Pike (ils demandent toujours deux baby-sitters, ils ont tellement d'enfants).

– Vous voyez ? a fait Claudia. Pourquoi vous tracasser ? Vous êtes des baby-sitters géniales et très demandées. Ne pensez plus à Charlotte.

C'est ce que nous avons fait. Du moins le temps de permettre à Kristy d'expédier sa cérémonie avant la fin de la réunion.

Elle s'est emparée du journal de bord et l'a tenu devant elle. Puis elle a demandé à Mallory de se placer à sa gauche et Jessica à sa droite.

– Maintenant, a-t-elle dit, mettez-vous face à moi, et posez votre main droite sur ce livre.

Jessica et Mallory ont obéi, sous nos yeux ébahis.

– Répétez après moi, poursuivait Kristy. Je jure d'être une baby-sitter compétente, sûre et digne de confiance, et d'être fidèle à jamais au Club des baby-sitters.

Jessica et Mallory ont répété ce serment (que, j'en étais sûre, Kristy venait juste d'improviser).

– Je vous déclare désormais membres juniors du Club des baby-sitters, a conclu Kristy.

Mary Anne a fondu en larmes.

– C'est tellement beau !

Claudia et moi, nous avions du mal à nous retenir de rire.

– Bien, il est dix-huit heures, a annoncé Kristy.

La réunion était terminée.

J'ai pensé par la suite qu'il aurait mieux valu qu'elle n'ait jamais lieu.

J'aime vraiment notre maison. C'est la seule chose ici qui soit mieux qu'en Californie, enfin selon moi. Celle de Californie était très agréable, mais elle n'avait rien de remarquable.

Elle datait de dix ans, était construite sur un seul niveau, dans le style rustique, et ressemblait à toutes les autres demeures du quartier. Je me disais souvent que, sans la porte peinte en jaune vif, j'aurais été incapable de la distinguer des autres. J'aurais facilement pu me tromper en rentrant de l'école et me retrouver chez quelqu'un d'autre.

Mais la maison de Stonebrook est merveilleuse et vraiment spéciale. Comme je l'ai dit, elle a plus de deux cents ans. C'est une ancienne ferme de style colonial avec un passage secret, qui faisait probablement partie du réseau souterrain par lequel les esclaves noirs fuyaient le Sud pendant la guerre de Sécession. Comme cette maison est très vieille, les portes sont basses, les escaliers étroits, les pièces petites et sombres. Maman et moi adorons.

David la déteste.

A vrai dire, David déteste à peu près tout à Stonebrook. Tout ne m'emballe pas non plus, mais j'ai appris à m'adapter. David non. Je pense qu'il a essayé au début. Mais cela n'a pas duré longtemps, et il est devenu impossible à vivre. Quand il ne boude pas, il hurle contre maman et moi, ou bien il est grossier. Il s'attire également toutes sortes d'ennuis à l'école. Son institutrice téléphone sans cesse à notre pauvre mère.

En fait, la soirée qui a suivi la petite cérémonie pour les nouvelles recrues a débuté comme beaucoup d'autres, par un coup de téléphone de l'institutrice de David.

Maman, David et moi finissions notre dîner. Du riz complet et des légumes. Je ne comprendrai jamais comment les gens d'ici peuvent manger autant de viande rouge et de riz blanc. Nous, nous sommes plutôt végétariens.

C'était un repas typique. David n'avait pas dit un mot, sauf pour faire remarquer insolemment à maman qu'elle avait une grosse tache d'encre sur son corsage. Il faut dire que notre mère est très distraite. Je dois toujours l'inspecter avant qu'elle parte travailler. Sinon, elle est capable de sortir avec des chaussures dépareillées ou un seul œil maquillé. Moi, ça m'est égal. Cela fait partie de sa personnalité, mais David est sans pitié.

Bref, je ne sais pas comment maman s'était fait cette tache, mais je n'étais pas étonnée qu'elle ait oublié de l'enlever. Ce qui me surprenait, c'était l'insolence de David.

J'avais également remarqué la tache, mais j'avais l'intention d'en parler plus tard, pendant que nous ferions la vaisselle.

David, lui, n'a pas attendu.

– Mamaan ! a-t-il hurlé à peine assis.

– Quoi ? a-t-elle demandé, sur un ton un peu brusque.

David lui tapait sur les nerfs.

– Regarde ton chemisier. C'est vraiment dégoûtant.

Je lui ai donné un coup de pied sous la table.

Maman a baissé les yeux.

– Oh, non ! Zut, quand cela a-t-il pu se produire ?

– Au bureau, tout le monde devait se moquer de toi, a marmonné mon frère.

– David, tu n'avais pas besoin d'en rajouter !

– Pardon, a-t-il répondu, sans paraître désolé le moins du monde.

Après ça le dîner s'est déroulé dans un silence pesant.

Comme nous commencions à débarrasser, le téléphone a sonné.

Maman a répondu.

– Oh, bonsoir, madame Besser.

David a grogné. C'était son institutrice. Si elle appelait, c'est qu'il avait encore des ennuis.

– Qu'as-tu fait cette fois ? lui ai-je demandé.

– Je me suis battu.

– Et ?

– Ben, c'est la faute de Jerry Haney. C'est lui qui a commencé.

– Mais qu'est-ce que tu lui as fait ?

– Un œil au beurre noir.

– Oh, bravo, David. Tu auras de la chance si tu n'es pas

expulsé. Je suis étonnée que Jerry ne soit pas encore aveugle. (Ce n'était pas la première fois que David lui faisait un œil au beurre noir.)

Quand maman est revenue, elle a jeté un regard sévère à mon frère, puis a désigné une des chaises de la cuisine.

– Assieds-toi.

David a obéi.

Je continuais à faire la vaisselle, en espérant qu'ainsi elle ne me demanderait pas de sortir. Je voulais assister au feu d'artifice.

Mon plan a réussi.

Mais il n'y a pas eu de feu d'artifice. A ma grande surprise, David a pris la parole avant ma mère. D'un ton calme et raisonnable, pour une fois. Il a inspiré profondément. Puis il s'est mordu la lèvre.

– M'man, je suis désolé de ce qui s'est passé aujourd'hui à l'école. Vraiment. Mais je n'ai pas pu m'en empêcher. C'est comme ça, je n'arrête pas de penser à la Californie et à papa. Et je suis vraiment triste de ne pas être là-bas avec lui. Je me sens tout le temps en colère à l'intérieur de moi. Alors, quand il se passe quelque chose, comme avec Jerry Haney et ses stupides remarques, toute ma colère passe sur lui. Tu vois ce que je veux dire ?

– Je crois que oui, a fait maman d'une voix calme.

– Tu penses que je devrais aller voir un psychiatre ou un truc comme ça ? a questionné David, soucieux.

– Eh bien, c'est ce que Mme Besser semble croire. C'est pour cela qu'elle m'a appelée.

Mon frère a hoché la tête.

– Et toi, maman, qu'est-ce que tu penses ?

– Je pense que j'aimerais savoir ce que toi, tu en penses.

David a écarquillé les yeux. Il était habitué à se faire gronder, non à ce qu'on lui demande son avis.

– Je pense... je pense que si je pouvais rentrer à la maison, je veux dire en Californie, toute cette colère en moi s'en irait.

– Comme si quelqu'un éteignait ce feu qui est en toi ? ai-je demandé.

– Oui, exactement ! a répondu David, reconnaissant. Dis, je pourrais essayer, m'man ? Rien que pour six mois. Si les choses ne vont pas mieux après ça, je reviendrai ici. Je te le promets. Mais les choses iront mieux, a-t-il assuré.

J'ai regardé maman, horrifiée. Elle ne laisserait certainement pas partir David.

– Maman...

– Pas maintenant, ma chérie.

Elle s'est tournée vers David.

– C'est la chose la plus difficile que j'aie jamais eue à dire, mais je crois que tu as raison. Je ne sais pas très bien ce qu'il faut faire, puisque c'est à moi, après tout, qu'on a confié ta garde. Cependant, je pense que tu as fait des efforts et que tu es en droit d'essayer d'aller vivre avec ton père. Je vais passer quelques coups de fil.

Je voyais bien que maman ne se sentait pas aussi sûre d'elle qu'elle le paraissait. Elle devait beaucoup souffrir intérieurement.

A ces mots, les yeux de David ont brillé d'excitation, mais il a gardé son calme. Il ne s'est pas mis à bondir et à faire des galipettes dans toute la maison. Il est resté tranquillement sur sa chaise pendant que maman téléphonait.

Je me suis assise à côté de lui. J'avais envie de l'étrangler. Je savais qu'il avait besoin de partir d'ici, mais ne voyait-il pas ce qu'il était en train de faire à notre famille ? C'était déjà assez pénible que papa et maman aient divorcé. Mais maman, David et moi nous nous arrangions quand même pour ressembler à une petite famille. J'adore ma mère, mais si David partait, maman et moi aurions du mal à donner l'illusion d'une famille.

Ma mère a parlé pendant plus d'une heure au téléphone. Elle a appelé son avocate. Elle a téléphoné à ses parents (mes grands-parents, qui vivent ici, à Stonebrook). Puis, et il était déjà assez tard, à mon père. Mais la Californie a trois heures de retard sur le Connecticut, aussi ma mère avait-elle attendu qu'il soit neuf heures et demie pour être sûre que mon père soit rentré du travail.

La plupart de ces conversations se déroulaient de la même façon. Maman expliquait la situation, et ce qu'elle en pensait. Puis elle se mettait à émettre des « Mmm mm », « Oui ? » et « Oh, je vois ».

Je ne pouvais pas vraiment savoir comment les choses se passaient et j'ai dû attendre la fin de son entretien avec papa pour le découvrir. Elle s'est alors tournée vers David et moi, qui étions restés à la même place depuis une heure.

– Eh bien, nous travaillons à résoudre le problème, David. L'avocate pense que c'est possible, puisque tout le monde est d'accord.

– Oui, super ! s'est-il exclamé. Merci, maman !

– Espèce d'idiot ! ai-je lancé méchamment. Tu n'es qu'un bébé pourri gâté.

– Carla ! a crié ma mère.

Mais je l'ai ignorée.

– Tu ne vois pas ce que tu es en train de faire ? Tu détruis ce qui reste de notre famille.

– Non, ce n'est pas vrai, a répondu tranquillement David. Je rends à papa quelque chose de sa famille. Comme ça, on sera à égalité. En plus, je n'ai pas le choix, sinon je risque de finir en prison.

Maman, David et moi, nous avons éclaté de rire. Cela m'a fait du bien, mais n'a pas chassé ma douleur. David avait beau être un sale gosse, c'était mon frère et il allait me manquer. Mon père me manquait déjà. Maintenant, ce serait David. Et David aurait papa pour lui tout seul. Le veinard.

David s'est levé pour aller dans sa chambre. J'ai regardé maman. Je savais que mes yeux étaient pleins de larmes. Les siens étaient pareils.

– Chérie, tu ne me croiras peut-être pas, mais nous allons manquer à David autant qu'il va nous manquer. Et autant que ton père nous manque.

J'ai secoué la tête.

– Je ne crois pas, ai-je hoqueté, et soudain toutes les larmes que je retenais se sont mises à ruisseler sur mes joues.

Maman m'a tendu les bras.

– Viens ici, ma puce.

Comme si j'avais à nouveau quatre ans, je me suis blottie sur ses genoux. Nous nous sommes enlacées en pleurant.

Après, je suis montée et je me suis assise sur le lit de ma mère, reniflant, hoquetant et soupirant. Quand j'ai jugé avoir retrouvé ma voix normale, j'ai appelé Mary Anne.

J'avais besoin de parler à quelqu'un. Quelqu'un de mon

âge qui me dirait : « Ça va aller. Tu verras. Appelle-moi quand tu veux. Tu peux tout me dire. »

C’est exactement ce que Mary Anne m’a dit, parce que c’est l’amie idéale et je pourrais ajouter que maman est – presque – la mère idéale.

3

Ding dong !

J'ai sonné chez Claudia Koshi un quart d'heure avant le début de la réunion. Mimi, sa grand-mère, est venue ouvrir.

– Bonjour, Mimi ! me suis-je écriée (nous adorons toutes Mimi).

– Bonjour, Carla. Comment vas-tu ? a articulé lentement Mimi en me faisant entrer. (Elle a eu une attaque l'été dernier, et a du mal à parler depuis. Elle parle très lentement et il lui arrive d'oublier des mots ou de les confondre.)

– Je vais bien. Et vous ?

– Bien… bien. Une tasse de thé avant la réunion ?

– Oh, non, merci.

C'était très gentil de sa part, mais je n'avais qu'une envie, aller dans la chambre de Claudia et m'affaler quelque part. J'espérais que la réunion serait calme. Cette histoire avec David me gâchait la vie.

– D'accord, à plus tard, m'a dit Mimi en me faisant un signe de la main, tandis que je grimpais les escaliers.

– Hé, tu es en avance ! a dit Claudia en m'accueillant

– Je sais. J'avais envie de me défouler un peu.

– Super.

Claudia était allongée par terre, et lisait la dernière édition du *Stonebrook News*. En réalité, elle n'aime pas tellement lire, mais comme nous toutes, elle raffole du journal local. Surtout la rubrique des faits divers, où l'on parle des cambriolages et autres mauvais coups qui se sont produits ici. C'est vraiment fascinant. Claudia m'a raconté que l'année dernière, aux alentours d'Halloween, quarante-deux accidents de citrouille avaient été signalés !

– Qu'est-ce qu'il y a aujourd'hui ? ai-je demandé en m'installant par terre à côté d'elle.

– Pas grand-fose, a-t-elle marmonné, la bouche pleine de réglisse.

Claudia est accro aux sucreries, et elle en cache partout dans sa chambre. Moi, je n'y toucherais pour rien au monde.

– Quoi, au juste ? ai-je insisté.

– Bon, voyons. Un homme de Dodds Lane a signalé un cambrioleur dans sa cour, mais quand la police est arrivée, ils n'ont trouvé personne. Et, à Birch Street, une femme a été attaquée par des papillons géants.

– Où ça ? Fais voir !

– Je viens de l'inventer, a répondu Claudia en riant. C'est plutôt calme cette semaine.

– Hé, qu'est-ce que c'est que ça ? ai-je fait en désignant la première page.

En gros titre, on pouvait lire : « Concours Mini-Miss Stonebrook. »

Nous avons lu l'article ensemble. Il s'agissait d'un concours destiné aux petites filles de cinq à huit ans, pour l'élection d'une Mini-Miss Stonebrook. La gagnante pourrait participer ensuite au concours du Connecticut, puis à celui de Mini-Miss Amérique et enfin à celui de Mini-Miss Monde. Claudia s'est mise à lire à haute voix :

– Les concurrentes seront jugées sur leur maintien, leur talent et leur présentation. Le titre de Mini-Miss Stonebrook ne récompensera pas seulement la beauté, mais aussi l'intelligence et le talent.

Elle a lâché le journal en faisant la grimace.

– Qu'y a-t-il ?

– Je trouve que les concours de beauté sont sexistes. Peu importe ce que dit l'article. Les gens qui assistent à ces concours pensent que les filles ne sont bonnes qu'à s'habiller pour avoir l'air jolies. C'est... c'est comme les trucs de disques ? Un stéréo quelque chose.

– Oh, un stéréotype.

Je me suis sentie rougir.

– Je comprends ce que tu veux dire, mais tu ne devineras jamais. Quand j'avais deux ans, ma mère m'a inscrite au concours du plus beau bébé à Los Angeles et j'ai gagné.

– Tu plaisantes ! Ce n'est pas du tout le genre de ta mère. Tu sais, ce style de mère qui vous pousse sur scène.

– C'est vrai, elle n'est pas comme ça. Mais je crois que quelqu'un l'avait mise au défi de m'inscrire. Alors elle l'a fait, et j'ai gagné. Après, elle était vraiment embêtée. Pas parce que j'avais gagné, mais parce qu'on voyait ma photo partout et que toutes ses amies étaient au courant, et qu'elles ne voulaient pas croire que c'était une plaisanterie.

Claudia a gloussé.

– Quoi qu'il en soit, ai-je repris, elle pourrait te raconter des tas d'histoires sur les mères et les enfants qui participent à ces concours. Certaines prennent ça très au sérieux, elles en ont pratiquement fait leur profession.

Kristy et Mary Anne sont arrivées à ce moment-là et nous leur avons lu l'article.

– Sexiste ! a commenté Kristy. Qui voudrait participer à un truc aussi bête ?

– Une petite fille, peut-être, a dit Mary Anne, en acceptant un morceau de réglisse de Claudia. J'imagine que ça peut paraître fascinant de monter sur scène dans sa plus belle robe.

– C'est vrai, a reconnu Kristy. J'imagine que ces concours sont sans doute sexistes... mais amusants.

Ce n'était pas l'avis de Mallory et de Jessica. Elles sont arrivées à cinq heures et demie pile et ont parcouru l'article.

– Oh non ! Ce n'est pas vrai ! s'est exclamée Mallory. Un concours de beauté ici à Stonebrook ! Quelle honte !

– Ouais, a renchéri Jessica, les concours de beauté, c'est tellement sexiste ! Vous avez déjà vu des garçons participer à Petit-Monsieur Amérique ou ce genre-là ?

– J'espère seulement, a repris Mallory, que mes sœurs n'en entendront pas parler. Claire et Margot voudraient sûrement s'inscrire.

– Quel mal y aurait-il ? ai-je demandé. Bon, les concours de beauté sont sexistes, mais... je ne sais pas...

– Mais ça pourrait être marrant, a terminé Kristy.

Je ne l'ai pas remerciée. Je lui en voulais encore pour la cérémonie en l'honneur de Mallory et de Jessica.

– En tout cas, a dit Jessica, je n'ai pas à me faire de souci pour ma sœur. Elle ne risque pas de s'inscrire. Elle a un trac monstre sur scène. L'année dernière, à la fête de l'école, sa classe a joué *Le Petit Chaperon rouge*. Becca tenait le rôle d'une fleur. Au beau milieu de la représentation, on a entendu un grand bruit. Becca s'était évanouie sur scène.

Tout le monde a ri.

– Bien, a fait Kristy, il est temps de commencer la réunion. Claudia ? Comment s'est passée ta mission spéciale auprès de Charlotte Johanssen ?

– Oh, très bien. Il n'y avait vraiment pas de quoi en faire une histoire.

Elle avait de nouveau l'air gêné. Pas étonnant. Nous lui lancions toutes des regards mauvais.

Et soudain, j'ai senti cette envie irrésistible de prouver à tout le monde, et surtout aux petites nouvelles, que j'étais une aussi bonne baby-sitter que Claudia, sinon la meilleure du club.

Les autres ont dû éprouver la même chose car, au moment où j'allais parler des enfants que j'avais sauvés de l'incendie, j'ai entendu Mary Anne qui disait :

– Il fallait vraiment que j'emmène Jenny Prezzioso à l'hôpital en ambulance. C'était terrifiant. Mais j'ai gardé mon sang-froid.

Si Mary Anne n'avait pas été une si grande amie, j'aurais ajouté : « Mais j'étais avec toi, tu te souviens ? »

Kristy a alors dit :

– Nous avons toutes entendu cette histoire assez souvent comme ça.

J'ai vu Mallory et Jessica échanger un regard inquiet. Waouh ! J'avais bien fait de ne pas reparler de l'incendie. Kristy a poursuivi :

– Hé, les filles, vous vous rappelez peut-être que c'est moi qui ai attrapé Alan Gray, que nous soupçonnions d'être le Visiteur Fantôme ?

– Excuse-moi, est intervenue Claudia, mais tu ne l'as pas fait toute seule. Moi aussi, j'étais là. C'est moi qui ai appelé la police. J'ai...

· D'accord, d'accord ! s'est écriée Mary Anne.

Quand Mary Anne élève la voix, nous l'écoutons, car elle ne le fait presque jamais. Heureusement pour nous, le téléphone a sonné. J'ai répondu.

C'était Mme Pike, la mère de Mallory.

– Oh, bonjour, Carla. Je suis contente que ce soit toi qui répondes. J'ai un travail spécial à te demander, et c'est à toi que je voulais le confier.

« Oups, me suis-je dit. Encore un boulot particulier ? »

– Quel genre de travail est-ce, madame Pike ?

Vous ne devinerez jamais ce que c'est, alors je vais vous le dire tout de suite. Vous vous souvenez quand Mallory avait affirmé que si ses sœurs entendaient parler du concours de beauté, elles voudraient s'y inscrire ? Eh bien, justement Claire et Margot (qui ont cinq et sept ans) étaient au courant, et voulaient effectivement y participer. Il n'y avait qu'un seul problème : Mme Pike n'aurait pas la possibilité de les aider à s'y préparer. Alors elle se demandait si je pourrais aider les fillettes. C'est à moi qu'elle s'était adressée car j'habite juste à côté. Elle ne voulait pas demander à Mallory, ce qui pourtant aurait été le plus pratique, car elle savait ce que sa fille pensait des concours de beauté. C'est vrai que Mallory ne cachait pas son opinion.

– Alors, a conclu Mme Pike, qu'en pensez-vous ? Ce serait un peu différent de vos tâches habituelles. Il faudrait aider les petites à choisir leur tenue, à répéter leur numéro, leur apprendre à saluer le jury, et ce genre de choses. J'irai chercher toutes les informations nécessaires au bureau d'organisation du concours.

Elle s'est interrompue avant de reprendre :

– Je n'apprécie pas particulièrement ce genre d'activités, mais elles meurent d'envie d'y participer et je ne vois pas de raison valable pour le leur interdire. J'espère simplement qu'elles ne seront pas trop déçues si elles perdent... Est-ce que cela vous intéresse, Carla ?

J'ai réfléchi un moment. Ce travail me tentait. Cela promettait d'être amusant, et j'avais besoin de distractions. Mais je ne voulais pas créer de nouveaux problèmes avec mes copines du club. D'un autre côté, c'était l'occasion de prouver que je réussissais avec les enfants. Imaginez un peu, si Claire ou Margot décrochait le titre et devenait Mini-Miss Stonebrook ! De plus, ça ne m'aurait pas déplu d'embêter un peu Kristy et de lui rendre la monnaie de sa pièce.

– D'accord ! ai-je dit à Mme Pike, enthousiaste.

J'ai raccroché et annoncé la nouvelle aux autres. Leurs réactions ont été très intéressantes. Jessica a levé les yeux au ciel. Claudia et Mary Anne ont pris un air pensif. Kristy paraissait contrariée. Très contrariée.

Et Mallory s'est pris la tête entre les mains en gémissant :

– Oh, non. Mes sœurs. Mes petites sœurs. Elles vont être contaminées. On va leur faire un lavage de cerveau. Si je deviens la sœur de la Mini-Miss Stonebrook, j'en mourrai !

Samedi

Cet après-midi, j'ai gardé Andrew, Karen et David Michael pendant que maman et Jim allaient à une vente aux enchères acheter une baignoire pour oiseaux. La plupart des gens y vont pour acheter des tableaux ou des tapis, mes parents, eux, c'est une baignoire à oiseaux! Bref, je m'éloigne du sujet. Donc, je gardais les enfants, et nous jouions au Grand Hôtel. Les garçons en ont vite eu assez et Karen a piqué une colère. Alors je lui ai parlé du concours de beauté et elle a voulu s'y inscrire. Elle y tenait vraiment. Donc elle va y participer et je vais l'aider à s'y préparer, comme Carla avec Claire et Margot. Bien entendu la décision n'a pas été prise aussi vite que cela mais Jim et son ex-femme ont fini par donner leur autorisation à Karen.

Nous, les baby-sitters, nous essayons de ne pas avoir de préférés parmi les enfants que nous gardons, mais ce n'est un secret pour personne que Kristy a un faible pour son frère David Michael et ses demi-frère et demi-sœur, Andrew et Karen. Elle ne voit pas ces derniers très souvent, car ils ne viennent chez Jim qu'un week-end sur deux et la moitié des vacances, mais elle les voit quand même pas mal et elle les aime vraiment. Qui ne les aimerait pas ? Karen est une fillette de six ans très drôle, audacieuse, franche et débordante d'imagination. Elle aime inventer des histoires insensées et des jeux.

Andrew, lui, est un petit garçon de quatre ans doux, timide et affectueux.

Et puis, il y a David Michael, qui a sept ans. Parfois, Karen et lui ne s'entendent pas très bien mais il est très gentil. Kristy a été une deuxième mère pour lui. Son vrai père est parti depuis si longtemps que David Michael se souvient à peine de lui, et sa mère a dû retravailler. Kristy s'est donc beaucoup occupée de David Michael toutes ces années.

Bref, peu de temps après la parution de l'article sur ce fameux concours des Mini-Miss, Kristy était en train de garder les trois petits. C'était un samedi après-midi, et comme elle le dit dans le journal de bord, sa mère et Jim étaient partis acheter une baignoire pour oiseaux. Pourquoi ? Je n'en sais rien.

Peu après le départ des parents, Karen a décrété :

– Nous allons jouer au Grand Hôtel. (C'est un jeu qu'elle a inventé. Il faut être quatre, ou plus, et faire comme si on était les clients d'un palace. On porte des tenues extravagantes, et chacun peut incarner plusieurs personnages.)

David Michael n'aime pas trop ce jeu.

– C'est un jeu de bébés, a-t-il déclaré.

– Je vais y jouer, moi, a dit Kristy.

– Ouais, mais toi, tu seras le concierge. C'est le rôle le moins idiot. Tu n'es pas obligée de te déguiser en comtesse, au moins.

– Ni en chien, a ajouté Andrew. (Comme il est le plus jeune, il hérite généralement des pires rôles.)

– Bon, c'est toi qui seras le concierge cette fois, a dit Kristy à David Michael, je ferai les clients.

– Je ne sais pas...

– Oh, allez, David Michael. Il pleut. A quoi vas-tu t'occuper si les autres y jouent ?

Il a froncé les sourcils. Il ne savait pas quoi répondre.

Le jeu a donc commencé.

David Michael faisait le concierge, il trônait dans la salle de séjour, qui était le hall de l'hôtel. C'est lui qui indiquait aux clients leur numéro de chambre.

Karen était la première arrivée. Elle était habillée en Mme Mystère, une espèce de sorcière qu'elle avait inventée, son personnage favori.

– Hé, hé, a-t-elle grincé. Quelle charmante réunion à donner la chair de poule ça va être ! Des centaines de sorcières. Peut-être un fantôme ou deux. Quelle chambre vais-je avoir, cette fois ?

Avant que David Michael ait pu répondre, elle a enchaîné :

– J'espère que c'est la suite hantée, je meurs d'envie de la retrouver.

– Ouais, a dit David Michael en faisant mine de consulter un registre. La suite Halloween. J'espère que vous serez satisfaite. A plus tard.

Karen lui a jeté un regard exaspéré.

– Ma clé, je vous prie ?

– Oh, c'est vrai.

David Michael lui a fourré dans la main la clé de la salle de bains du rez-de-chaussée.

Mme Mystère s'en est allée et Andrew a fait son entrée. Pour une fois, il avait un rôle intéressant. Il était déguisé en marin.

– Salut, matelot, a fait David Michael.

– Salut. J'ai besoin d'une chambre pour deux nuits. Mon bateau vient d'accoster ici. Je veux devenir, euh, ah…

– Marin d'eau douce, lui a soufflé Karen. (Pendant qu'elle habillait Andrew, elle l'avait informé de quelques petites choses que les marins doivent savoir.)

– Marin d'eau douce, a répété Andrew.

– Vraiment ? s'est étonné David Michael. Vous ne voulez plus revoir l'océan ? Être pris dans une tempête ? Vous battre contre les pirates ?

– Ouais, les pirates ! a répondu Andrew tout excité. Hé, vous voulez venir avec moi sur le bateau ?

– Ah, oui, alors !

– Mais… ! a crié Karen.

Le jeu n'était pas censé se dérouler ainsi. Mais il était trop tard.

– Nous serons des pirates nous aussi ! a poursuivi David Michael.

– Attends ! Tu es le portier ! a hurlé Karen, désespérée.

– Non. Je suis le vieux John le Méchant. Et voici mon compère, Andrew l'Affreux. Viens, Andrew.

Les garçons ont quitté la salle de séjour, Andrew perdant une partie de son déguisement en chemin.

Karen a regardé Kristy, les larmes aux yeux.

– Oh, Karen, a-t-elle dit en la prenant dans ses bras, tout va bien.

– Non, ça ne va pas, a répondu Karen en soupirant contre l'épaule de Kristy. Il y a trop de garçons ici.

Elle pensait manifestement aux frères aînés de Kristy, en même temps qu'à Andrew et David Michael. Et elle était sans doute aussi vexée qu'Andrew préfère jouer avec quelqu'un d'autre qu'elle.

– Écoute, nous, les filles, nous devons nous serrer les coudes, a affirmé Kristy.

Et cela lui a fait penser au concours des Mini-Miss.

– Dis-moi, sais-tu ce qu'est un concours de beauté ?

Karen a avalé sa salive, reniflé, s'est essuyé les yeux.

– Comme Miss Amérique ?

– Exactement.

– Avec des belles, belles dames pleines de paillettes qui défilent sur une estrade, s'assoient au piano et chantent des chansons ?

– Oui.

– J'ai vu le concours à la télé.

– Eh bien, il va y avoir un concours pour élire une Mini-Miss Stonebrook ici, dans notre ville. Pour y participer, il suffit d'être une fille âgée de cinq à huit ans.

Karen a ouvert de grands yeux et s'est arrêtée de pleurer. Elle s'est mise à frétiller comme un petit chien.

– Comme moi ! J'ai entre cinq et huit ans ! J'ai six ans ! Je pourrais participer au concours ? Je pourrais porter des paillettes et tout ça ?

– Tu veux y participer ? a demandé Kristy.

– Oui, oui, oui ! Qu'est-ce qu'il faut faire ?

– Eh bien, d'abord, il faut avoir un talent quelconque. Il faut pouvoir présenter un numéro.

– Je pourrais me mettre au piano et chanter ! Ou faire des claquettes, ou... ou faire tourner un bâton, ou faire parler une poupée.

– Mais, Karen, est intervenue Kristy, tu ne sais rien faire de tout cela. Tu n'as jamais pris de leçons.

– Je sais chanter ! a-t-elle protesté. Tout le monde peut faire ça. Et tu crois que je ne sais pas faire des claquettes ?

Karen est allée chercher ses souliers vernis noirs et a traversé la pièce en tapant des pieds et en chantant.

– Tu vois ? Je sais faire des claquettes.

Kristy lui a alors parlé du maintien et de la présentation devant le jury. Karen était de plus en plus emballée.

– Si je gagne, j'aurai une couronne, non ? Et peut-être un gros bouquet de roses ?

– Tu sais, il ne faut pas trop y compter. On ne peut pas savoir. Mais si jamais tu gagnes, tu devras participer au concours régional.

– Oh, il faut absolument que je gagne ! s'est exclamée Karen. Il le faut !

Je suppose qu'à cet instant, Kristy a éprouvé ce que j'ai ressenti quand Mme Pike m'a demandé de m'occuper de Claire et de Margot. C'était l'occasion rêvée de prouver à quel point elle était géniale avec les enfants.

Ainsi, quand Jim et sa mère sont rentrés à la maison avec leur baignoire pour oiseaux, Karen et elle leur ont parlé du concours de beauté.

– S'il vous plaît, je peux m'inscrire ? S'il vous plaît, s'il vous plaît ? a imploré Karen.

– Oh, ma chérie, a dit la mère de Kristy. Je n'aime pas trop cette idée de concours de beauté. Tu seras tellement déçue si tu ne gagnes pas.

– Je chanterai, et tout le monde m'écoutera, a affirmé Karen.

Jim a haussé les épaules.

– Si c'est ce qu'elle veut, je ne vois pas le mal. Mais il faut d'abord que je consulte sa mère. Et toi, Kristy, es-tu prête à prendre la responsabilité de préparer Karen pour ce concours ?

– Oh, bien sûr, a-t-elle répliqué.

Jim a donc appelé son ex-femme pour en discuter. Finalement, ils ont décidé que Karen pourrait participer au concours.

Karen et Kristy étaient ravies.

Quand j'ai appris la nouvelle, ça m'a rendue nerveuse. J'avais brusquement l'impression que le concours allait se jouer entre Claire, Margot et moi d'un côté, et Karen et Kristy de l'autre.

5

– Je vais débarrasser la table, a annoncé David.
Il se montrait étonnamment serviable depuis que maman avait dit qu'il pourrait peut-être retourner en Californie.

– Hé, c'est mon tour, ce soir, ai-je affirmé en me levant d'un bond.

– Non, non, je vais le faire.

David était déjà debout. J'ai jeté un coup d'œil à maman, qui n'avait pas mangé grand-chose, bien qu'elle semblât de bonne humeur. Elle nous avait parlé d'un cocktail qui avait eu lieu ce jour-là dans la société où elle travaille. L'une de ses collègues allait avoir un bébé dans quelques semaines.

– C'était amusant, mais à la fin, je ne pouvais plus

supporter d'entendre les gens s'exclamer: « Oh, n'est-ce pas adorable ? » à chaque fois qu'on déballait un cadeau. Même moi, je le disais, et je l'ai fait quand elle a ouvert mon propre cadeau !

David et moi avons éclaté de rire.

A présent, je regardais maman chipoter avec la nourriture.

– Tout le monde a fini ? a demandé David, planté près de maman.

Le reste avait été débarrassé.

Maman a posé sa fourchette.

- Oui, j'ai fini. Ces aubergines n'étaient pas très bonnes, n'est-ce pas ?

– Si, délicieuses, avons-nous répondu en chœur.

– Merci d'être polis, mes enfants, a dit maman en souriant.

– Alors je suis complètement libre, ce soir ? ai-je demandé, pleine d'espoir. Si vous n'avez pas besoin de moi dans la cuisine, je vais aller faire mes devoirs.

– Je n'ai pas besoin de toi dans la cuisine, a dit maman, mais j'aimerais que tu viennes dans le séjour. David aussi. J'ai à vous parler.

David et moi avons échangé un regard empli de curiosité et nous avons suivi maman dans la salle de séjour. Elle nous a fait signe de nous asseoir sur le canapé.

– Eh bien, a-t-elle commencé, en frottant nerveusement ses mains l'une contre l'autre, je ne sais pas comment dire cela, mais voici. David, tout est réglé. Tu peux retourner en Californie et vivre avec ton père pendant six mois.

Mon frère était tellement ébahi qu'il ne pouvait pas

répondre, mais j'ai vu l'enthousiasme se peindre sur son visage. Il lui était impossible de dissimuler sa joie.

Et moi ? J'étais effondrée.

– Maman, tu n'as pas fait ça !

– Fait quoi ?

– Les formalités.

– Chérie, tu savais que j'allais le faire. Ou essayer en tout cas.

– Quand est-ce que je pars ? a demandé David.

– Eh bien, pas tout de suite. Mais dès que tout sera en ordre. Il reste encore beaucoup de choses à organiser. Des papiers à signer. Je dois envoyer ton dossier médical et scolaire en Californie, ton père doit trouver une employée de maison et nous devons te réinscrire à ton ancienne école.

– Combien de temps cela va prendre ?

– Une ou deux semaines, je pense.

– Une ou deux semaines ? Super !

David était de plus en plus content et cela se voyait.

Je comprenais, mais moi, je ne ressentais plus rien. J'étais engourdie. Une fois, je m'étais enfoncé une écharde dans le doigt. Mon père m'avait dit qu'il allait essayer de la retirer. Avant d'opérer, il avait passé un glaçon sur mon doigt pour l'engourdir. C'était exactement ce que j'éprouvais maintenant. Comme si quelqu'un m'avait passé un énorme cube de glace partout. Sur le cerveau, aussi.

– Je ne peux pas croire que tu vas le laisser partir, ai-je dit à maman d'une voix amère.

– Je crois que je n'ai pas le choix, a-t-elle répondu.

– Oh, si. On a toujours le choix. Et c'est toi qui as fait ce choix.

– Peut-être. Mais je pense que c'est la meilleure solution.

– Si c'est la meilleure solution, pourquoi fait-elle aussi mal ?

David nous regardait à tour de rôle, maman et moi, pendant cet échange. On aurait dit qu'il assistait à une partie de ping-pong.

– Les bons choix ne sont pas forcément les plus faciles, a rétorqué maman.

– Ils devraient l'être, ai-je dit avec colère.

– Je suis désolée, ma chérie.

J'ai gardé le silence.

David s'est tourné vers moi. Il souriait. Mais je ne lui ai pas rendu son sourire. Malgré cela, il a bondi du canapé et a embrassé maman. Puis il s'est mis à gambader à travers la pièce.

– Super ! Super ! ne cessait-il de hurler. Merci, maman ! Tu te rends compte... plus de Mme Besser, plus de Jerry Haney, plus de bagarres ni d'ennuis, plus de mal du pays.

– Merci beaucoup ! ai-je lancé.

– Qu'est-ce que tu veux dire ?

– Et nous ? Tu ne vas pas nous regretter. Tu veux dire qu'en Californie, nous ne te manquerons pas, c'est ça ? C'est gentil, David. Vraiment. Tu es tellement attentionné.

Je me suis mordu la lèvre pour ne pas pleurer.

– Oh, allons, Carla. Tu n'es pas contente pour moi ?

– Non !

– Carla, essaie de comprendre..., a commencé maman, mais je lui ai coupé la parole.

– Je comprends parfaitement. David a hâte de partir d'ici. Il a hâte de nous laisser derrière lui...

– Ce n'est pas vrai. Mais ça ne marche pas, ici. Je ne me sens pas chez moi.

– Tu ne te sens pas chez toi près de ta mère et de ta sœur ? ai-je répété d'un ton incrédule.

– Chez moi, c'est aussi auprès de papa, a-t-il répondu.

Puis il a souri.

– Il faut que j'appelle les triplés (les frères Pike). Ils ne voudront pas me croire. Et après, maman, est-ce que je pourrai appeler Jason ?

Jason est l'un de ses copains, en Californie.

– Bien sûr.

Je me suis jetée sur les coussins du canapé pour bouder. Je me sentais coupable. Coupable, parce que je faisais un drame du départ de David, alors que ça ne m'aurait pas déplu de partir avec lui. Il n'était pas le seul à qui papa manquait. Il me manquait aussi. Et ma copine Sunny, et les enfants que je gardais en Californie… Il fallait regarder les choses en face. Moi aussi, j'avais envie de retourner là-bas. Mais je ne voulais pas quitter maman. Nous étions trop proches l'une de l'autre. En outre, j'aimais bien Stonebrook. Même en hiver, quand il gelait et neigeait. J'étais complètement perdue.

– Carla ? a fait maman d'une voix douce.

– Ouais ?

– Je sais que tu es bouleversée. Ce doit être dur pour toi Il n'y a pas que le départ de David, n'est-ce pas ?

J'ai hoché la tête.

– Moi aussi, je regrette la Californie… Oh, je veux rester ici, ai-je affirmé, mais papa me manque, Sunny aussi et mon collège. Maman, tu ne souffres pas de voir David si content à l'idée de nous quitter ?

– Je crois que c'est plutôt l'idée de retrouver la Californie qui l'excite tellement. Il est soulagé de quitter Stonebrook, cela n'a rien à voir avec nous.

– J'espère que non.

Maman s'est assise près de moi et m'a caressé les cheveux.

– Je te l'ai déjà dit, ma chérie. Nous manquerons à David, une fois qu'il sera en Californie. Et il voudra venir nous voir. Mais je ne pense pas qu'il veuille revenir vivre avec nous. L'expérience qu'il a faite ici n'a pas été bonne. Ce n'est pas notre faute, mais nous ne pouvons rien y changer.

– Je sais, ai-je fini par reconnaître. Mais c'est tellement triste. N'y a-t-il aucun moyen de le garder ici ?

– Oh, nous pourrions le garder ici. Mais ce serait garder un oiseau sauvage enfermé en cage. Il serait malheureux. Tu comprends ?

– Oui, ça me fait de la peine, mais je comprends.

Maman m'a embrassée sur le front.

– Nous serons bien, toi et moi. Tu es mon aînée, ma grande fille à moi.

– Parfois, j'ai plus l'impression d'être ta sœur que ta fille.

– C'est drôle, moi j'ai plus l'impression d'être ta sœur que ta mère.

Nous avons échangé un sourire triste.

– Je crois que je vais aller dans ma chambre.

Maman a acquiescé.

– Non, tout bien réfléchi, je vais aller dans la tienne. Si David a terminé de téléphoner, est-ce que je peux appeler Mary Anne ?

– Bien sûr.

J'espérais que Mary Anne garderait son calme quand je lui annoncerais l'affreuse nouvelle. Elle pleure si facilement que parfois on se retrouve à la consoler alors qu'au début on avait besoin de réconfort.

Mais Mary Anne a été formidable. Elle m'a assuré qu'elle savait comme je devais avoir de la peine. Elle a dit que cet arrangement lui paraissait monstrueux. Et que David était un égoïste. Sa voix n'a pas tremblé une fois.

Quand j'ai eu raccroché, je suis allée m'enfermer dans ma chambre. Je me suis laissée tomber sur mon lit en pleurant, mais j'ai vite séché mes larmes. Je pensais à Margot, à Claire et au concours de beauté. Je devais voir les fillettes le lendemain. Je me demandais ce qu'elles savaient faire. Chanter ? Claire connaissait bien une chanson stupide sur Batman, inventée par son frère Nicky, mais ça ne conviendrait pas. Margot était horriblement maladroite, donc pas question de danser ou de faire tournoyer un bâton. Elle savait faire le poirier, mais ce ne serait sans doute pas considéré comme un talent particulier. Peut-être pourrais-je lui apprendre une chanson au piano (les Pike ont un piano à queue). Et peut-être Claire connaissait-elle d'autres refrains ? Je l'espérais.

Je saurais à quoi m'en tenir dès le lendemain.

Je me rendis chez les Pike en sortant de cours. Pour vous rafraîchir la mémoire, leurs huit enfants sont dans l'ordre :
Mallory (onze ans) ; Adam, Jordan et Byron (les triplés de dix ans) ; Vanessa (neuf ans) ; Nicky (huit ans) ; Margot (sept ans) et Claire (six ans).

Il existe très peu de règles en vigueur chez les Pike, mais il y en a une qui veut que si plus de cinq enfants sont à la maison quand les parents sont sortis, il doit y avoir deux baby-sitters. Ce jour-là, M. Pike était à son bureau et Mme Pike à la bibliothèque. Comme les triplés étaient restés à l'école pour s'entraîner en vue d'un match et que je devais m'occuper de Margot et de Claire, Mallory était chargée de veiller sur les deux derniers, Vanessa et Nicky. Quand je suis arrivée, elle était déjà là ; elle s'était dépêchée de rentrer de l'école puisque sa mère devait sortir. Claire et Margot sont venues m'ouvrir, tout excitées.

– Salut ! s'est écriée Claire. Salut, Carla petite bêbête gluante ! (Claire est parfois un peu énervante, c'était le cas en ce moment.)

– Tu es venue nous aider ? a demandé Margot.

– On va se faire belles ! a poursuivi Claire.

– Hé, Margot ! Claire ! est intervenue Mallory. Pour l'amour du ciel, laissez d'abord Carla entrer. Elle ne peut pas vous aider si vous la laissez dehors.

– Entre, entre, entre ! a hurlé Margot.

Oh ! là ! là ! Comme aurait dit mon père, ces gamines étaient excitées comme des puces.

Je suis entrée, et Mallory est sortie de la cuisine, souriante.

– Bonjour, Carla.

– Bonjour. J'espère que ça ne te dérange pas que je, euh...

Je ne voulais pas vexer les petites, mais je voulais dire à Mallory que j'espérais qu'elle ne m'en voudrait pas d'aider ses sœurs à devenir la honte de sa vie.

– Écoute, a répondu Mallory, tu sais ce que je pense de... ce truc, mais c'est ton travail, et en plus elles sont tellement contentes...

Les petites en question paradaient à travers la salle de séjour, les mains sur les hanches, l'air de... De quoi, au juste ?

– Pourquoi ne les emmènes-tu pas dans leur chambre ? a suggéré Mallory. Vous y serez plus tranquilles, et maman a dit que tu devais inspecter leur garde-robe. Nous n'avons pas encore reçu le règlement officiel, donc nous ne connaissons pas les détails, mais nous savons que.. Voyons. Qu'a dit maman ? Oh, oui. Elles ont besoin d'une tenue pour le défilé, d'une autre pour exécuter leur numéro et d'une troisième, je ne sais plus pour quoi.

– Des maillots de bain ! a braillé Margot.

Mallory a souri.

– Non. Ce n'est pas Miss Amérique.

– Je veux porter mon maillot de bain !

Mallory a froncé les sourcils, l'air de dire : « Tu vois les problèmes qu'on va avoir à cause de ce concours ? »

J'ai soupiré.

– Venez, les filles. Allons là-haut voir tout ça.

Elles ont grimpé les marches quatre à quatre.

– Bonne chance ! m'a lancé Mallory.

Claire et Margot se sont ruées dans leur chambre. Avant que j'aie pu dire un mot, elles ont ouvert leur placard et commencé à ôter leurs vêtements. Margot a sorti son maillot de bain. Il était orné d'un énorme crocodile ouvrant une gueule hérissée de grandes dents triangulaires.

– C'est ça que je vais porter, a-t-elle annoncé.

– Pour quoi ?

– Pour le concours, a-t-elle répliqué, impatiente.

– Mais tu as entendu ce qu'a dit Mallory. Je ne pense pas que tu aies besoin d'un maillot de bain. Écoute, la première chose que nous allons choisir, c'est une belle robe pour le défilé. Ça va être amusant.

– Celle qu'on met pour aller à l'église ? a demandé Claire.

– Oui, ou pour une fête d'anniversaire.

– Mais je ne mets pas de robe à paillettes pour aller à la messe ou aux anniversaires, a rétorqué Claire. Les dames à la télé portent des paillettes ou des fourrures. J'en veux aussi.

– Mais Claire, tu n'en as pas besoin, ai-je protesté, désespérée. Et vous n'avez pas non plus besoin de maillot de bain, ai-je ajouté, en regardant Margot. Écoutez, laissons les vêtements de côté pour le moment. Nous les choisirons plus tard. Si vous vous rhabilliez ? Il vaudrait mieux réfléchir au numéro que vous ferez, parce qu'il va falloir répéter. Vous savez ce qu'est une répétition, les filles ?

– Une décision ? a fait Claire.

– Mais non, ça veut dire s'entraîner, idiote ! a expliqué Margot.

– Margot, allons !

Claire a tiré la langue à sa sœur.

– C'est toi, l'idiote, imbécile.

– Bon, ça suffit. Écoutez-moi. Quel numéro voulez-vous présenter ?

– Qu'est-ce qu'il faut faire ? a demandé Claire.

– Ce que vous voulez. La plupart des gens savent chanter, danser ou jouer d'un instrument, ou bien ils jonglent avec un bâton ou font des acrobaties. Comme dans une émission de variétés à la télé. Qu'est-ce que vous savez faire ?

Les fillettes ont pris un air pensif.

– Vous savez jouer du piano ? ai-je demandé.

– Je sais souffler dans un roseau ! s'est exclamée Claire.

– Moi je sais jouer un air sur le piano, s'est écriée Margot. C'est Jordan qui m'a appris.

– Et la danse ? les ai-je questionnées, sachant que, pour Margot, c'était sans espoir.

Claire a levé les bras en l'air. Elle s'est mise à tourbillonner puis, prise de vertige, a trébuché sur un ours en peluche et est tombée.

– Et le chant ? ai-je proposé, après avoir embrassé son genou meurtri.

– Moi, je sais chanter, a affirmé Margot, tandis que Claire se frottait le genou. Nous chantons souvent à l'école. Écoute.

Elle a entonné *Vive le vent !*

Il y avait un problème. Elle se souvenait bien des paroles, mais elle chantait complètement faux.

J'ai essayé de faire preuve de tact.

– Je crois qu'un chant de Noël n'est pas très indiqué pour un concours de beauté.

– Alors c'est moi qui chanterai, a déclaré Claire en sautant, apparemment guérie. C'est ma meilleure chanson, et c'est celle-là que je chanterai pour le concours.

Et elle a entonné la chanson de Popeye. Claire m'a fait un sourire à craquer. Je me suis laissée choir sur le lit.

– Voilà, c'est ça mon talent, a-t-elle insisté d'une voix résolue.

Impossible de la faire changer d'avis. Au moins, elle ne chantait pas faux. Et, de toute façon, elle ne pouvait rien faire d'autre.

– Tu es sûre que tu n'aimerais pas chanter autre chose ? Une chanson du *Magicien d'Oz*, par exemple ?

– Non Carla petite bêbête gluante. C'est ma meilleure chanson.

Bon, peut-être pourrait-on lui mettre un petit costume de marin après tout ?

– D'accord. Margot, revenons-en à ton numéro, ai-je dit.

Et soudain, l'inspiration m'est venue.

– Hé, tu pourrais réciter quelque chose ! Une jolie poésie, par exemple.

– Je connais *La Maison que Jack a bâtie*, tu sais avec le malt, le rat, etc.

Margot n'était pas très sûre d'elle. Mais elle a sorti le livre de la bibliothèque, décidée à l'apprendre par cœur.

– Formidable ! ai-je commenté.

Mais elle a froncé les sourcils.

– Ça ne suffit pas, seulement réciter. C'est... Hé, j'ai une idée ! Je sais faire une chose que personne d'autre ne sait faire. Ça, c'est un vrai talent ! Je reviens.

J'ai regardé Claire.

– Tu sais ce qu'elle va faire ?

– Le tour de la banane, sans doute.

Le tour de la banane ? Ma gorge s'est serrée.

Margot est revenue, une banane dans la main.

– Regarde un peu !

Elle s'est assise par terre, s'est appuyée sur ses mains, a pris la banane entre ses pieds, et l'a épluchée avec les orteils.

Moi qui la trouvais maladroite !

– Qu'en penches-tu ? m'a-t-elle demandé un instant plus tard, la bouche pleine de banane. Je parie que personne d'autre ne sait faire ça. Et je pourrais la manger en récitant mon poème.

J'ai fermé les yeux. Je sentais la migraine me gagner. C'est alors que Claire a décrété :

– Mon numéro est meilleur que le tien, Margot. C'est moi qui vais gagner le concours.

Bien entendu, celle-ci a répliqué :

– Non. C'est moi.

Allons bon. Il ne m'était pas venu à l'esprit que les deux sœurs allaient concourir l'une contre l'autre. Et si l'une des deux gagnait ? L'autre ne serait pas éliminée par des inconnues ou même par des amies, mais par sa propre sœur. Quelle horreur ! D'un autre côté, je savais maintenant qu'il y avait peu de chances que l'une ou l'autre gagne.

– Les filles, ai-je repris, passons à autre chose. Il va falloir apprendre à faire la révérence devant les membres du jury. Si vous vous entraîniez un peu ?

Les fillettes ont ouvert de grands yeux.

– C'est quoi, la révérence ? m'a questionnée Margot.

Je leur ai fait une démonstration. Les deux sœurs ont essayé de m'imiter. Margot est tombée sur le côté. Claire s'est inclinée si bas qu'elle a eu du mal à se redresser.

– Voyons un peu le maintien, ai-je proposé en leur posant un livre sur leur tête. Maintenant, tenez-vous droites et marchez avec grâce, comme si vous défiliez devant le jury.

Margot s'est exécutée, en battant des cils et en faisant la coquette.

Claire a fait de même, mais en balançant la tête d'avant en arrière, si bien que le livre est tombé.

– Je te l'avais bien dit, a fait une voix depuis le seuil.

C'était Mallory. Elle avait l'air écœurée, mais ses sœurs ne l'ont pas remarqué.

– Regarde nos numéros, Mallory petite bêbête gluante ! s'est écriée Claire.

Mallory a obéi. (Margot a dû se passer de banane, car je

ne voulais pas qu'elle se coupe l'appétit avant le dîner.) Les numéros terminés, Mallory s'est tournée vers moi. Nous avions du mal à nous retenir de rire. Cependant, tout en rentrant chez moi, je me demandais dans quelle situation je m'étais mise.

Les petites Pike n'étaient pas du tout faites pour un concours de beauté !

7

Jeudi

Devinez quoi ? Nous avons une nouvelle concurrente au titre de Mini-Miss Stonebrook: Myriam Perkins. Et les autres feraient bien d'être sur leurs gardes car elle est très douée : elle sait chanter, danser, faire des claquettes, jouer la comédie et même faire de la danse classique. Elle prend des cours de tout ! Oh, et elle est également douée pour la gymnastique. Elle sait faire la roue, tenir sur la tête et faire le salto arrière. Myriam n'était pas au courant pour le concours, mais quand j'ai vu tous ses talents, je me suis dit qu'elle devait s'y inscrire. Et elle va gagner, j'en suis sûre.

En lisant ce qu'avait écrit Mary Anne dans le journal de bord, j'ai flairé le danger. Ce concours prenait trop d'importance à nos yeux. Ou peut-être étais-je seulement déçue que les sœurs Pike ne sachent qu'éplucher des bananes et chanter la chanson de Popeye. En tout cas, Myriam apparaissait comme une candidate sérieuse.

Les Perkins sont les voisins de Mary Anne. Ils habitent où Kristy vivait avant le mariage de sa mère avec Jim Lelland. C'est une famille de cinq personnes : M. et Mme Perkins, Myriam, six ans, Gabbie, deux ans et demi et Laura, la dernière, qui n'est encore qu'un bébé. Quand Mary Anne est venue garder les enfants, l'après-midi était triste et pluvieux, mais Myriam et Gabbie ne semblaient pas s'en soucier. Mary Anne ne gardait que les deux aînées, pendant que leur maman emmenait Laura chez le pédiatre. Elles s'étaient déguisées et dansaient dans la salle de jeux.

– *Oh, my darling Clementine...*, chantonnait Myriam.

– Lalala...

– Arrête, Gabbie, laisse-moi finir.

Myriam essayait de se rappeler les paroles de la chanson qu'elle avait apprise l'année précédente. Gabbie la tirait par le bras.

– On chante *Douce nuit*, criait-elle.

– Non, Gabbie. Ce n'est pas Noël. Et j'essaie de me rappeler cette chanson.

– Dou-ouce nuit, a entonné Gabbie.

Elle clopinait dans une vieille paire d'escarpins à talons hauts.

– Tu sais, a expliqué Myriam à Mary Anne, si je me rappelais les paroles, je pourrais faire des claquettes en même temps. J'ai pris des leçons l'année dernière. Je me demande si mes souliers me vont encore.

Myriam s'est élancée hors de la salle de jeux. suivie de Gabbie.

– Je vais chercher mes chaussons. Je veux faire de la danse ! a-t-elle crié à Mary Anne.

Elles sont revenues quelques minutes après. Gabbie avait enfilé des chaussons roses ayant appartenu à Myriam, qui a fait une entrée fracassante.

– Elles me vont ! Mes claquettes me vont encore. Maintenant, Mary Anne, tu regardes. D'accord ?

– D'accord.

Je parie que Mary Anne se représentait mentalement Myriam en train de concourir.

La fillette a repoussé le tapis. Elle a souri et s'est mise à évoluer en faisant des claquettes et en chantant en cadence. Elle s'est interrompue soudain.

– Cela ne va pas. Je n'arrive pas à me souvenir de toutes les paroles de *Oh my darling Clementine.*

– Oh, on doit pouvoir les trouver dans un recueil. Mais tu peux peut-être chanter autre chose ?

Mary Anne savait qu'elle le pouvait parfaitement. Myriam et sa sœur étaient réputées pour leur répertoire.

– Je connais : *Demain*. Tu sais, dans la comédie musicale *Annie* ? Mais je ne peux pas danser dessus.

– Vas-y, je t'écoute, l'a encouragée Mary Anne.

Pendant ce temps, Gabbie exécutait un lent et gracieux ballet dans un coin de la pièce, perdue dans son univers.

– D'accord, allons-y.

Myriam s'est concentrée, elle s'est mise à chanter. Elle chantait juste, en rythme, et accompagnait son chant de jolis mouvements de mains. Elle avait une voix étonnante.

Mary Anne était impressionnée, à tel point qu'elle lui a parlé du concours des Mini-Miss.

– Et tu crois que je pourrais y participer ? s'est inquiétée Myriam.

– Bien sûr. Pourquoi pas ?

– Je ne sais pas...

– Tu as déjà vu un concours de ce genre à la télé ? Miss Amérique ou Miss Univers, par exemple ?

– Oui...

– Et tu n'aimerais pas participer à un concours pour les petites filles ? Tu aurais une jolie robe, tu chanterais ou danserais. Et si tu gagnais, tu porterais une couronne.

Myriam se taisait, mais son regard en disait long.

– Et moi, je pourrais y aller aussi ? a demandé Gabbie, en grimpant sur les genoux de Mary Anne.

– Oh, Gabbie, c'est impossible. Il faut avoir cinq ans au moins. Et tu n'en as que deux.

– J'ai presque trois ans, a protesté la fillette, pleine d'espoir.

– Je sais, mais il faut avoir cinq ans.

– Beurk, beurk, beurk, a fait Gabbie en se laissant glisser à terre.

Mais elle ne semblait pas trop contrariée.

– Tu sais, a alors dit Myriam, surexcitée, je pourrais faire des tas de choses dans ce concours. Je connais la danse classique et toutes les positions. Je sais danser la *Valse des fleurs*. Je fais de la gymnastique aussi. Et du théâtre. J'ai joué le bébé ours dans *Boucle d'Or et les trois ours*. Je devais dire : « Qui a mangé dans mon assiette ? » et « Qui a dormi dans mon lit ? », tout ça...

Mary Anne était aussi excitée que Myriam, à présent.

– Il faudra demander à ta maman. Et beaucoup travailler pour te préparer. Et il te faudra peut-être de nouveaux vêtements.

Mary Anne et Myriam ont été sur des charbons ardents jusqu'au retour de Mme Perkins. Dès son arrivée, elles se sont précipitées à sa rencontre.

– Quel accueil ! a fait Mme Perkins en souriant.

– Je m'ennuyais de Laura Beth, a dit Gabbie.

– Et Mary Anne a quelque chose à te demander, a ajouté Myriam.

– Oui ? a répondu Mme Perkins tout en dégageant Laura de sa petite veste.

Hésitante, Mary Anne lui a parlé du concours et s'est proposée afin d'aider Myriam à s'y préparer. Elle se disait qu'elle aurait dû lui en parler d'abord, avant que Myriam ne s'excite autant. Et si Mme Perkins refusait ?

En fait, elle n'a pas dit oui tout de suite.

– Je t'en prie, a imploré Myriam. Mary Anne m'aidera.

Mme Perkins a froncé les sourcils.

– Oui, tu peux t'y inscrire, ma chérie…

– Hourra ! hurla Myriam.

– … et je suis contente que Mary Anne travaille avec toi, mais je veux que tu te souviennes d'une chose. Je veux que tu réfléchisses à ce que je vais te dire.

– D'accord.

– Vous aussi, a ajouté Mme Perkins à l'attention de Mary Anne qui a hoché la tête. Dans tout concours, il y a des gagnants et des perdants. Tu peux gagner, Myriam, et ce serait merveilleux. Papa, Gabbie, moi et même Laura serions fiers de toi. Mais tu peux perdre aussi. Et il y aura beaucoup plus de perdants que de gagnants. Alors je veux que tu saches que nous serons fiers si tu perds. Fiers que tu aies eu le courage de participer au concours, et de travailler et de t'entraîner pour t'y préparer.

– Je sais, a dit Myriam en embrassant sa mère. Merci.

– Autre chose, a repris Mme Perkins. Tu dois savoir que pour certaines, ce concours ne sera ni du plaisir ni un jeu. J'espère que pour toi, ce sera amusant, mais pour d'autres, ce sera un véritable travail. Elles prendront cela très au sérieux. Tu devras peut-être affronter des fillettes qui auront déjà gagné des concours de beauté. Elles sauront comment ça se passe. Et elles ne seront peut-être pas très gentilles. Je veux que tu saches à quoi tu t'exposes, c'est tout. Entendu ?

– Entendu, a répondu Myriam, avec un grand sourire (il lui manquait quatre dents).

Elle avait écouté sa mère avec attention. Mais pas Mary Anne. En tout cas pas assez.

La suite nous a prouvé qu'elle avait eu tort. Et les autres baby-sitters aussi. Nous répétions sans cesse que gagner n'avait pas d'importance pour nous, sans en penser un mot. En fait, Mary Anne savait, elle le sentait, qu'elle serait celle à qui Mini-Miss Stonebrook devrait la victoire. Et elle prouverait ainsi qu'elle était la meilleure de toutes les baby-sitters.

8

Vendredi

J'ai eu Lucy au téléphone aujourd'hui. Je sais que ça n'a pas grand-chose à voir avec le baby-sitting, mais je voulais en parler parce qu'elle faisait partie du club. D'ailleurs, Charlotte l'a eue aussi.

Je devrais peut-être commencer par le commencement. Je gardais Charlotte aujourd'hui et Lucy lui manque autant qu'à moi. Alors je lui ai dit : « Viens dans ma chambre, nous allons parler. » Et devinez ce qui est arrivé. Elle a trouvé l'article de journal sur le concours des Mini-Miss et elle va s'inscrire. J'espère qu'elle en a réellement envie parce que, à vrai dire, l'idée est venue de moi. Bon, on verra bien...

Claudia avait gardé Charlotte plusieurs fois. Pas aussi souvent que Lucy, mais presque. Le vendredi après-midi, elle est arrivée juste après la sortie de l'école. Charlotte l'a accueillie en lui demandant :

– Tu as apporté le coffre à jouets ? Tu as apporté le coffre à jouets ?

Claudia ne l'avait pas, et s'est sentie fautive. Elle était sûre que Lucy, elle, l'aurait apporté.

– Je suis vraiment désolée, Charlotte. J'ai...

– Et on était en plein milieu de *Petite princesse*, en plus.

En fait, c'était peut-être la raison (une raison inconsciente, si vous voyez ce que je veux dire) pour laquelle Claudia avait « oublié » le coffre à jouets. Elle n'aime pas la lecture. A part les romans d'Agatha Christie. Mais Charlotte est une surdouée qui a sauté une classe et elle lit sans doute mieux que Claudia. Pourtant, elle adore qu'on lui lise des histoires. Imaginez Claudia obligée de lire à haute voix pendant des heures. Bon. Quoi qu'il en soit, elle n'avait pas le coffre à jouets et en était mortifiée, de même que Charlotte. Charlotte est fille unique, un peu timide et elle ne voit pas beaucoup ses parents. Ceux-ci l'adorent, mais sa mère est médecin et son père a un poste important, ils sont donc tous les deux très occupés.

Claudia a essayé de lui faire penser à autre chose.

– Tu joues souvent avec Becca en ce moment ? a-t-elle demandé. (Becca est la petite sœur de Jessica Ramsey. Les Ramsey ont emménagé dans l'ancienne maison de Lucy MacDouglas, voisine de celle de Charlotte.)

– Oui, a-t-elle répondu, en baissant les yeux.

– Mais ? a insisté Claudia.

– Eh bien, je n'y peux rien. Chaque fois que je vais chez elle, je pense à Lucy.

– Oh… Ça doit être dur. Je sais qu'elle te manque.

– Oui, a reconnu Charlotte. C'est vrai.

– Moi aussi, elle me manque. C'était ma meilleure amie.

– C'était ma meilleure amie à moi aussi.

– Tu sais ce qui me manque le plus ? a demandé Claudia.

– Quoi ?

– Sa façon d'être toujours là. Tu vois ce que je veux dire ?

– Je n'en suis pas sûre, a répondu Charlotte, honnête.

– Eh bien, je veux dire que je pouvais l'appeler à n'importe quel moment, pour n'importe quelle raison. Je pouvais lui raconter tous mes problèmes ou tout ce qui m'arrivait de bien. Je pouvais compter sur elle pour me distraire, me consoler ou n'importe quoi. Je suppose que c'est ça, une meilleure amie.

– Exactement ! s'est écriée Charlotte, sur un ton très adulte. On s'amusait ensemble, mais parfois, Lucy m'aidait à résoudre certains problèmes. Et, une ou deux fois, c'est moi qui l'ai aidée ! C'est vrai.

– Je te crois, a dit Claudia.

– Comme elle me manque !

– Oh oui.

Claudia et Charlotte commençaient à se sentir très déprimées. Elles étaient assises sur le sol de la salle de séjour. Charlotte tripotait le tapis et Claudia tirait sur un fil de son pantalon. Heureusement, Claudia a eu une idée pour leur remonter le moral.

– Hé ! Je sais ! Allons chez moi et téléphonons à Lucy !

– Ah oui ? a fait Charlotte tout excitée. On peut vraiment l'appeler ? Je pourrai lui parler ?

– Bien sûr ! Je l'appelle tout le temps. J'ai une note de téléphone pas possible, mais je gagne assez d'argent comme baby-sitter pour appeler New York. Allons-y !

– Oh ! Oh, Claudia, je t'adore.

Claudia a gribouillé un message à l'intention des Johanssen, leur indiquant où elles étaient, au cas où l'un d'eux rentrerait plus tôt que prévu. Puis, avec Charlotte, elles ont enfilé leur manteau et ont couru jusque chez Claudia. En arrivant, tout essoufflées, elles ont salué Mimi et sont montées dans la chambre de Claudia.

– Où est le téléphone ? a demandé la petite fille, en inspectant du regard la chambre de Claudia.

On ne peut pas dire que Claudia soit désordonnée, mais c'est une collectionneuse. Comme elle est passionnée par l'art, elle garde des tas de trucs qui peuvent lui servir, des feuilles, des bouts de papier ou de tissu, des bouchons, des éponges, des capsules, n'importe quoi. Il est parfois difficile de trouver quelque chose dans ce fouillis. Et en plus vous ne savez jamais sur quoi vous allez tomber.

Mais Claudia savait exactement où se trouvait son téléphone, et elle a appelé Lucy à New York. Elle connaissait son numéro par cœur, évidemment. Charlotte s'est perchée sur le bord du lit, en attendant que quelqu'un décroche.

– Oh, j'espère qu'elle est là, j'espère qu'elle est là, répétait-elle à voix basse.

– Allô, Lucy ? a fait Claudia. (Les yeux de Charlotte se sont illuminés.) Salut, c'est moi ! Je vais te parler, mais il y a quelqu'un qui aimerait d'abord te dire bonjour.

Elle a tendu le combiné à Charlotte.

– Allô ? a fait celle-ci, intimidée. Lucy ? C'est Charlotte.

Charlotte Johanssen... Oui ! Oh, tu me manques aussi ! Tu me manques tellement !

Claudia observait le visage de Charlotte pendant qu'elle parlait à sa Lucy bien-aimée. Elle ne l'avait jamais vue aussi heureuse. Charlotte a parlé de l'école, de ses amies, de Becca et des livres qu'elle avait lus.

– Bon, je crois que je ferais bien de te passer Claudia, maintenant, hein ?... Oui, c'est une bonne baby-sitter. Elle me garde souvent. (Elle a souri à Claudia.) D'accord... D'accord... Oui... Je t'aime aussi. Au revoir, Lucy.

Charlotte a passé le combiné à Claudia. Tandis que celle-ci parlait avec Lucy, elle a fureté dans la pièce. Après avoir examiné un carton à dessins empli de croquis et d'aquarelles, elle est tombé sur un numéro du *Stonebrook News*. Elle s'est mise à le lire en tournant lentement les pages.

Et savez-vous ce qu'elle a dit à Claudia quand elle a raccroché ?

– Regarde ça. Il va y avoir un concours de beauté à Stonebrook pour élire une Mini-Miss Stonebrook. (Charlotte avait trouvé un ancien numéro, celui qui parlait du fameux concours !)

Claudia a haussé les sourcils. Elle se sentait un peu exclue, car elle n'avait pas de candidate à préparer, comme Kristy, Mary Anne et moi.

– Ah oui ! s'est-elle empressée de répondre. C'est réservé aux filles de cinq à huit ans. Tu pourrais y participer, Charlotte.

– Moi ? Pour quoi faire ?

– Tu ne crois pas que ce serait amusant ?

– Pas vraiment. Je préfère lire.

– Si tu gagnais, tu porterais une couronne, tout le monde t'applaudirait et tu aurais ta photo dans le journal.

– Tu veux rire !

– Pas du tout. Et devine qui va y participer... Margot et Claire Pike, Myriam Perkins et Karen Lelland. Tu sais, la petite sœur de Kristy.

– Vraiment ?

– Mais si ! Tu n'aimerais pas faire comme elles ?

– Je ne sais pas. Qu'est-ce que je devrais faire ?

Claudia lui a expliqué tous les trucs sur le maintien, le talent, la présentation.

– Le plus important, c'est de présenter un numéro. Qu'est-ce que tu sais faire ?

– Rien, a répondu Charlotte, catégorique.

– Rien ? Tu ne prends pas de leçons de musique ou autre ?

– Non. Et je n'ai jamais fait de danse ni de gymnastique.

– Sais-tu chanter ? Tout le monde sait chanter.

– Pas moi. Surtout devant une foule de gens. Tout ce que je sais faire, c'est lire... Hé ! Peut-être que je pourrais lire. Tu sais, en mettant bien le ton. Je pourrais réciter un extrait du *Magicien d'Oz* quand le cyclone arrive. C'est vraiment effrayant. Ou alors je pourrais apprendre par cœur un passage d'un livre. Par exemple, dans *Charlie et la chocolaterie*, celui où Violette Beauregard se transforme en myrtille géante. C'est vraiment rigolo.

– Ce n'est pas une mauvaise idée. Ce serait différent des autres numéros. Cela pourrait plaire aux juges. Tu veux que je demande à ta maman l'autorisation de t'inscrire au concours ?

– Je ne sais pas... Le problème, c'est que je ne suis pas jolie.

– Ce n'est pas ce qui est le plus important. Il faut d'abord avoir un bon maintien, du talent, et être intelligente.

– Mais il faut être jolie, je le sais bien.

Claudia n'a pas répondu tout de suite. En fait, Charlotte est très jolie, mais Claudia savait qu'il est inutile d'essayer de convaincre une fille qu'elle est belle quand elle est persuadée du contraire. Elle s'est donc bornée à dire :

– Ce n'est pas seulement un concours de beauté, je t'assure.

Charlotte a fini par se laisser convaincre. Et quand elles en ont parlé au docteur Johanssen, celle-ci a donné sa permission, en même temps que les recommandations habituelles. Claudia devait se charger de préparer Charlotte, et cette dernière ne devrait pas être trop déçue si elle ne gagnait pas.

Il y avait donc une concurrente de plus au titre de Mini-Miss Stonebrook.

9

Si Jessica, Mary Anne et moi entendons une fois de plus La Maison que Jack a bâtie, nous allons piquer une crise de nerfs. Nous gardions mes frères et sœurs cet après-midi et Claire et Margot ont passé des heures à répéter. Maintenant, tout le monde connaît l'histoire par cœur.

Ouais, ça finit comme ça : « Voici le fermier semant son blé, qui possédait le coq... qui réveilla le curé... qui maria l'homme... » et ça continue avec la fille, la vache, le chien, le chat, le rat, le malt, etc.

Arrête, Jessi, je n'en peux plus!

Bon, changeons de sujet. Voilà le rapport, les filles : je suis arrivée chez Mallory à treize heures trente au moment où ses parents partaient. Mallory et moi devions garder ses frères et sœurs jusqu'à dix-huit heures environ...

Je ne m'étais pas rendu compte à quel point Claire et Margot se passionnaient pour le concours. J'avais dit à Mme Pike que je travaillerais avec elles de temps en temps, l'après-midi, après l'école. Mais apparemment, elles répétaient aussi sans moi. Comme vous pouvez le voir dans le rapport de Mallory et Jessica, elles ont passé tout le samedi après-midi à travailler leur numéro. Je suppose que ça a fini par agacer Jessica et les Pike. D'un autre côté, personne n'a fait de cadeau aux fillettes. D'après Jessica et Mallory, voici comment les choses se sont déroulées.

Quand Jessica est arrivée, les Pike venaient de finir leur déjeuner. Cependant, Margot, debout au milieu de la salle de séjour, tenait dans une main une banane à demi mangée et dans l'autre *La Maison que Jack a bâtie.* Et le salon embaumait la banane.

– Voichi la maisson que Jack a bâtie, mıam, miam, gloup, miam, miam, gloup... Oups !

Un morceau de banane était tombé par terre.

– Ha, ha, ha ! Hi, hi !

Margot avait pour public tous les membres de la maisonnée : Jessica, Mallory, les triplés, Vanessa, Nicky et Claire. Bien entendu, les enfants ont ri quand la banane s'est cassée.

– Mallory, tu ne crois pas qu'elle ferait mieux de répéter dans la cuisine ? a proposé Jessica. La banane est terriblement difficile à nettoyer. Je le sais parce que P'tit Bout en a écrasé un gros morceau sur le tapis du salon la semaine dernière. J'ai cru que maman allait s'évanouir.

– Bonne idée, a répondu Mallory. Margot, tu devrais aller répéter dans la cuis... Ne mange pas ça ! Mais ne mets pas ça dans ta bouche ! s'est-elle écriée en voyant Margot porter à ses lèvres le morceau de banane qui était tombé. C'était par terre !

– Beurk ! beurk ! s'est exclamée Claire.

– Beurk ! beurk ! l'a imitée Adam.

– Oh, je dois vraiment aller dans la cuisine ? a pleurniché Margot.

– Jusqu'à ce que tu aies fini ta banane. Et après, plus de bananes. Tu ne vas pas répéter tout l'après-midi en mangeant. Tu te rendrais malade. Concentre-toi sur ta comptine.

– Bouh, a fait Margot, boudeuse, mais elle s'est néanmoins dirigée vers la cuisine.

Tout le monde l'a suivie pour assister au spectacle.

Elle s'est plantée devant le réfrigérateur et a fourré dans sa bouche un morceau de banane qu'elle a mâché avec ardeur.

Comme elle s'apprêtait à réciter, Adam l'a devancée :

– C'est la souris que le chat a tuée. C'est la mouche qui s'est posée sur la souris que le chat a tuée. C'est l'araignée qui a mangé la mouche qui s'est posée sur la souris que le chat a mangée...

– Adam ! a protesté Margot. Mallory, Jessica, ce n'est pas dans la comptine ! Faites-le taire !

– Adam ! a grondé Mallory d'un ton menaçant.

– Mallory ? a-t-il répliqué.

Mallory a dissimulé un sourire. Elle trouvait la plaisanterie amusante, et elle jugeait ce concours ridicule. Mais, en tant que baby-sitter, elle devait maintenir la paix. Elle a fait les gros yeux à Adam, qui a fini par se taire.

– Chest la maisson que Jack a (gloup), bâtie, a recommencé Margot.

– C'est la mouche qui s'est posée sur la souris que le chat a tuée, a poursuivi son frère.

– Adam ! ont hurlé en chœur Claire et Margot.

– Si vous alliez répéter dans votre chambre ? a suggéré Jessica aux deux candidates au titre de reine de beauté.

– Non ! ont-elles glapi. Vous n'avez qu'à faire taire Adam.

– Adam..., a repris Jessica.

– C'est bon, c'est bon. Venez, les gars, a-t-il fait en quittant la cuisine, suivi de Jordan, Byron, Nicky et Vanessa.

Mallory et Jessica sont sorties à leur tour. Claire et Margot sont restées seules dans la cuisine.

– Chouette, a dit Margot avec satisfaction. Maintenant, on va pouvoir vraiment répéter.

– Oui, a approuvé Claire. Seulement, c'est mon tour.

– Non, c'est à moi ! Je n'ai pas fini.

– A moi ! Je n'ai même pas commencé !

– A moi !

– A moi !

– Arrêtez ! a ordonné Mallory depuis le salon. Ou vous répétez chacune votre tour, ou vous le faites dans des pièces différentes.

Margot et Claire ont échangé un regard. Margot avait fini sa banane.

– Bon, a grogné Claire, mécontente.

En quittant la pièce, Margot a lancé par-dessus son épaule :

– Je vais gagner, tu sais. Parce que je suis la meilleure.

– C'est pas vrai ! a hurlé Claire, qui s'est mise à chanter à pleins poumons : C'est moi Popeye le matelot. J'mange des épinards pour être costaud.

– Claire, un peu moins fort, a demandé Jessica, en passant la tête par la porte.

Mais elle poursuivait :

– C'est moi Popeye le mateloooot !

Dans la salle de jeux, Margot hurlait :

– Voici le fermier semant son blé. Qui possédait le coq au chant tout guilleret, qui…

– STOP !

Un profond silence s'est fait dans la maison.

Jessica, qui n'avait jamais élevé la voix devant les Pike en avait assez.

– Si vous ne pouvez pas répéter tranquillement, alors sortez, a-t-elle dit fermement.

– Encore mieux, arrêtez de répéter, a ajouté Mallory.

Elles se tenaient toutes les deux sur le seuil de la cuisine. Mallory regardait Claire. Jessica avait l'œil sur Margot dans la salle de jeux, en bas des marches.

– Nous ne ferons plus de bruit, a promis Margot d'un air contrit.

– Ouais, a acquiescé Claire.

Pendant une demi-heure, les fillettes ont répété calmement. Et séparément. Puis Margot a monté les marches sur la pointe des pieds et est entrée dans la cuisine son livre sous le bras.

– Claire ? On va travailler ensemble, d'accord ? Il y a des choses que je peux te montrer. Par exemple, serrer les mains et tout ça.

– Je sais serrer les mains, a-t-elle affirmé.

Mais elle semblait contente que sa sœur veuille l'aider.

– Tu connais la poignée de main spéciale pour juges ? a demandé Margot.

– Spéciale pour juges ? Ah non ! Je croyais que Carla avait dit qu'on devait faire la révérence.

– Oui, mais on devra sans doute leur serrer la main aussi, et il vaudrait mieux que tu apprennes. Regarde, tu tends la main gauche.

– Mais je croyais...

– La main droite pour les gens ordinaires, la gauche pour les juges, l'a coupée Margot d'un ton important.

– Margot ! Arrête, enfin ! s'est écriée Mallory. Tu dis n'importe quoi !

– C'est vrai ? s'est indignée Claire.

– Ouais, j'ai inventé, a avoué sa sœur.

– Alors t'as qu'à redescendre et répéter toute seule. Oh, mais d'abord, tu peux me donner un verre de lait, s'il te plaît ? Puisque tu as été si méchante avec moi.

– D'accord.

Margot a rempli un verre de lait et l'a tendu à sa sœur.

– Hé, où est mon livre ? s'est-elle soudain écriée, en le cherchant partout.

Claire fixait sur elle de grands yeux innocents. Elle a battu des cils.

– Je sais pas.

– Si, tu sais. Tu l'as caché !

– Non !

– Si !

Jessica a dû intervenir pour les séparer. Puis elle les a

conduites dans le séjour, où Mallory et les autres jouaient au Monopoly avec animation.

Mallory a essayé de suggérer aux filles une activité pas trop bruyante.

– Je n'aime pas trop vous dire ça, mais pourquoi ne pas essayer d'améliorer votre maintien ? Exercez-vous à marcher comme... comme des... Oh, je n'arrive pas à le dire.

– Moi si, a affirmé Adam. Exercez-vous à marcher comme des gorilles.

– Adam ! ont hurlé Claire et Margot.

– A marcher comme des filles, tout simplement, a corrigé Jessica.

– On pourrait essayer avec des livres, a proposé Claire à Margot.

– Prenez des encyclopédies, a lancé Nicky.

En l'ignorant royalement, les filles ont pris chacune un livre de poche et se sont mises à arpenter la pièce avec le livre sur la tête.

– Oh, c'est dramatique, a gémi Mallory à l'adresse de Jessica. Regarde-les. Elles vont croire que tout ce qui compte dans la vie c'est la beauté et le maintien. Elles grandiront en pensant qu'elles ne peuvent être que des jolies poupées, et non des médecins ou des avocates ou des écrivains.

– Je suis bien contente que Becca ait trop le trac pour participer, a avoué Jessica.

A ce moment, Adam s'est levé pour suivre ses sœurs en se dandinant et en braillant :

– Et voici... Miss A-meeer-i-ca !

Sans dire un mot, Claire et Margot ont jeté leurs livres et sont sorties de la pièce. Claire est allée dans la cuisine, Margot dans la salle de jeux.

Quelques instants plus tard, les Pike et Jessica ont entendu « C'est moi Popeye le matelot... » se mêlant au fermier semant son blé.

– J'ai mal à la tête, a soupiré Mallory.

– Moi aussi, ont dit à l'unisson Jessica, Adam, Jordan, Byron, Vanessa et Nicky.

Et ils ont emporté leur jeu de Monopoly au premier étage pour y passer tranquilles la fin de l'après-midi.

10

« Voici la maison que Jack bâtit. Voici le malt qui se trouve dans la maison que Jack bâtit. Voici le rat... »

« Stop ! Stop ! Stop ! »

Cette stupide conversation se déroulait dans ma tête. Je n'arrivais pas à chasser cette maudite comptine de mes pensées. Elle m'obsédait, cette histoire de fermier qui sème le blé que mange le coq...

La chanson de Claire ne me quittait pas non plus.

« C'est moi Popeye le matelot, j'mange des épinards pour être costaud... »

Beurk, beurk, beurk !

– Carla, tu peux écouter, s'il te plaît ?

J'ai sursauté. Dieu merci, je n'étais pas en classe, mais à

une réunion du Club des baby-sitters. Malgré cela, Kristy avait l'air aussi irrité qu'un professeur qui vient de surprendre un élève en train de rêvasser.

– Désolée. C'est la comptine que Margot apprend pour le concours des Mini-Miss. Elle va me rendre folle.

– Tu l'as dit, a renchéri Mallory, l'air furieuse.

Et Jessica a aussitôt ajouté :

– Voici le fermier semant son blé. Qui possédait le coq au chant tout guilleret... Qui réveilla le curé tout tailladé...

Mallory et moi, nous avons complété en chœur :

– Qui maria l'homme tout dépenaillé. Qui embrassa la fille tout esseulée...

Le téléphone a sonné, et Kristy a décroché, en disant :

– Stupéfiant.

Elle nous a lancé un regard qui pouvait signifier qu'elle nous trouvait complètement cinglées, ou bien qu'elle était très impressionnée. C'était difficile à dire.

Elle a organisé une garde pour Mallory chez les Newton. Puis elle a dit :

– Bien. Je crois que chacune de nous a une candidate à soutenir maintenant. A part vous, les filles, a-t-elle ajouté à l'intention de Mallory et de Jessica.

Les deux baby-sitters juniors étaient assises côte à côte par terre, appuyées contre le lit de Claudia en train de confectionner des colliers avec des emballages de chewing-gum. Mary Anne et moi étions vautrées sur le lit, ainsi que Claudia. Kristy, naturellement, était assise bien droite dans son fauteuil directorial. Elle me faisait penser à un petit adjudant.

– Oui, a acquiescé Mallory. Et on préférerait mourir que de faire une chose pareille... Oh, je suis désolée ! Vraiment. Je ne voulais pas vous vexer. Mais je voulais juste dire... je...

Nous avons éclaté de rire. J'étais ravie que Mallory se sente suffisamment à l'aise parmi nous pour dire cela. Et je n'ai pu m'empêcher de répondre :

– Cela ne vaut pas la peine de mourir pour ça quand même, non ?

Mallory s'est mise à rire elle aussi.

– Alors, ai-je repris, comment ça se passe ? Claire et Margot sont prêtes pour leur numéro, à défaut d'autre chose.

Il y a eu un silence embarrassé.

J'ai fait une nouvelle tentative.

– Claudia, quel numéro Charlotte va-t-elle présenter ?

Claudia fixait ses mains. Elle a baissé les yeux jusqu'à Mallory et Jessica, toujours assises par terre.

– Autrefois, je fabriquais des chaînes en chewing-gum, a-t-elle remarqué. J'avais la parure complète : un collier, trois bracelets, même des boucles d'oreilles.

C'était ça sa réponse ?

Je me suis tournée vers Kristy.

– Que va faire Karen ?

Nouveau silence.

– Et Myriam ? ai-je demandé à Mary Anne. (Elle était absorbée dans la contemplation de la pointe de son stylo.)

– Mais qu'est-ce que vous avez, à la fin ? ai-je explosé.

– Le numéro de Charlotte est top secret, a répliqué Claudia, hautaine.

– Celui de Karen aussi, a affirmé Kristy.

– Et celui de Myriam aussi, a ajouté Mary Anne.

– Je croyais que Myriam devait chanter en faisant des claquettes.

– Peut-être que oui, peut-être que non. Elle est tellement douée... Elle pourrait jouer la comédie, faire des acrobaties ou de la danse classique aussi.

– Tu veux dire que vous n'avez pas encore décidé ? a demandé Kristy, pleine d'espoir.

– Oh, si, nous avons décidé. Mais je ne veux rien dévoiler.

J'étais hors de moi.

– Ce n'est pas juste ! Vous savez toutes ce que Claire et Margot vont faire.

Les autres ont haussé les épaules comme pour dire : « Tant pis pour toi. » Le téléphone a ensuite sonné à trois reprises, et nous avons pris des rendez-vous pour Jessica, Claudia et moi.

Quand Mary Anne a eu tout noté dans l'agenda, j'ai osé une autre question.

– Karen, Myriam et Charlotte ont-elles reçu les informations concernant le concours ?

Une grosse enveloppe était arrivée dans le courrier des Pike quelques jours plus tôt. Elle contenait tous les papiers nécessaires à l'inscription : des formulaires à remplir et plusieurs pages décrivant le déroulement du concours et les différentes épreuves.

– Oui, m'ont confirmé les autres.

Et Kristy a précisé :

– J'ai déjà renvoyé les papiers de Karen.

Elle semblait contente d'elle-même et très fière.

Mais Claudia, Mary Anne et moi avons répondu d'une même voix :

– Moi aussi !

– Oh, a fait Kristy, vexée.

– Les questions ont l'air difficiles, a remarqué Mary Anne.

– Quelles questions ? s'est étonnée Claudia.

– Celles auxquelles les petites devront répondre à la fin du concours. Vous savez, la dernière épreuve.

– Oh, oui, dis-je. Toutes ces questions du genre : « Quel est votre plus grand espoir ? Si votre maison était en feu et que vous ne pouviez sauver que trois choses, que choisiriez-vous ? »

– Très intéressant, a commenté Mallory, en levant les yeux de son collier de papier de chewing-gum.

– Oui, a opiné Jessica. Enfin quelque chose qui fait appel à l'intelligence.

– C'est vrai, a répliqué sèchement Mary Anne. J'y prépare Myriam très sérieusement.

– Tu la prépares ? ai-je répété. Que veux-tu dire ? Nous ignorons quelles seront les questions. C'est le seul domaine où les petites devront se débrouiller seules.

– Pas d'accord, est intervenue Kristy. Il faut faire en sorte qu'elles parlent de paix, de bonne volonté et d'humanité. Ce genre de trucs. Tu ne veux quand même pas que Claire réponde qu'elle sauverait son argent, ses jouets et sa poupée d'une maison en feu. Il faut l'entraîner à répondre différemment. Il vaut mieux qu'elle dise qu'elle sauverait les membres de sa famille, son chien ou son chat…

Kristy s'est interrompue brusquement comme si elle se rendait compte qu'elle était en train de divulguer des secrets d'État.

– C'est pas vrai ! s'est exclamée Mallory en se frappant

le front. Même ça, il faut qu'elles le gâchent, a-t-elle dit à Jessica.

Puis elle s'est tournée vers nous.

– Vous ne préférez pas que les petites se servent de leur tête ? Qu'elles fassent preuve d'inventivité ? J'aimerais bien que l'une d'elles déclare qu'elle sauverait l'album de photos, pour avoir au moins des souvenirs.

– Ou un porte-bonheur, pour faire le vœu que tout lui soit rendu, a renchéri Jessica.

Je les entendais à peine. J'étais perdue dans mes pensées. Je n'avais même pas dit à Claire et à Margot qu'elles devraient répondre à des questions. J'avais mentalement choisi les tenues qu'elles porteraient pour cette épreuve, mais c'était tout. Maintenant, je comprenais qu'elles devraient aussi « répéter » leurs réponses.

La réunion a été interrompue par un appel de ma mère qui n'avait rien à voir avec le baby-sitting. Elle m'appelait pas mal, ces derniers temps.

– Qu'y a-t-il ? a demandé Mary Anne une fois que j'ai eu raccroché.

Elle était la seule de mes amies à savoir ce qui se passait chez moi, et elle semblait soucieuse.

– Maman est, euh... je ne sais pas. Ce n'était pas très important. Elle aurait pu attendre que je rentre. Je crois qu'elle voulait simplement entendre ma voix.

– Pourquoi ? s'est étonnée Kristy.

J'ai regardé Mary Anne, puis toutes mes amies.

– Autant vous le dire, ai-je soupiré, et, à ma voix, elles ont dû sentir que c'était sérieux, car elles se sont tues. Jessica et Mallory ont posé leurs colliers.

– David retourne en Californie. Pas pour un petit voyage. Pour de bon.

– Pour toujours, a fait Mallory en secouant la tête, et j'ai compris qu'elle devait probablement être au courant.

David en avait parlé aux triplés.

– Eh bien, il retourne là-bas pour six mois. En principe, pour faire un essai, mais j'ai l'impression que ce sera définitif.

– Pourquoi ? m'a questionnée Jessica, qui ne savait pas grand-chose sur ma famille. Chez qui va-t-il ?

Elle paraissait inquiète, comme si elle pensait que nous allions abandonner David.

– Chez mon père. Et c'est David qui l'a décidé. C'est lui qui veut partir. Mais notre famille ne va plus ressembler à grand-chose.

Jessica a hoché la tête, avec compassion.

– Comment ton père a-t-il obtenu la garde ? a voulu savoir Kristy.

Je leur ai raconté toute l'histoire, depuis le coup de fil décisif de Mme Besser jusqu'à maintenant. En ce moment, les affaires de David s'empilaient peu à peu dans des malles. Maman pleurait dans sa chambre la nuit. Et je faisais de même dans la mienne. Nous avions tous l'impression, même David, de revivre le déchirement du divorce. Et, à cause de cela, maman s'accrochait à moi comme pour me dire : « Ne pars pas toi aussi. »

Il n'y avait aucun risque. C'était la seule chose dont elle n'avait pas à s'inquiéter. La réunion a pris fin, et nous sommes toutes rentrées chez nous.

Nous étions vendredi, ma dernière chance de travailler avec les petites Pike. Le lendemain, c'était samedi, le jour du concours !

Mais avant cela, ce soir même, maman et moi allions accompagner David à l'avion qui le ramènerait en Californie. Et nous ne savions pas quand nous le reverrions. J'essayais de ne pas y penser. Je me consacrais totalement aux préparatifs de dernière minute en vue du concours.

– Bon, aujourd'hui, ai-je annoncé à Claire et à Margot dès mon arrivée, répétition générale. Vous savez ce que ça veut dire ?

Les fillettes ont secoué la tête.

– Nous allons faire comme si vous vous présentiez au concours. Nous allons répéter toutes les épreuves. Vous allez faire semblant de vous présenter aux juges, de défiler et d'exécuter votre numéro. Vous vous changerez même, afin de porter les tenues adaptées à chaque épreuve. Cela s'appelle une répétition générale. Compris ?

– Compris.

– Parfait. Pour commencer, ai-je repris, en me référant aux renseignements envoyés par les organisateurs, vous allez défiler sur l'estrade devant le jury. C'est la première fois que le public verra les candidates. Claire, tu porteras ta robe bleue, et Margot, ta robe à fleurs.

– S'il te plaît, je pourrai mettre mon maillot de bain ? a imploré Margot.

- Absolument pas.

– Pourquoi ?

– Parce que personne ne portera de maillot de bain. Les juges veulent vous voir dans votre tenue de gala.

– D'accord, d'accord.

– Alors, demain, il faudra veiller à emporter toutes vos tenues au complet. Ne pas oublier les socquettes, les chaussures, les jupons, tout ce dont vous aurez besoin.

J'espérais pouvoir assumer tout ça. Ce concours de beauté commençait à m'apparaître comme un énorme travail. Par moments, je regrettais de m'en être chargée. Mais Mme Pike pourrait sans doute m'aider. Elle aiderait aux préparatifs, puis nous conduirait au lycée, où le concours devait avoir lieu.

Les fillettes ont enfilé leur robe avant que je les conduise dans la salle de séjour.

– La première chose que vous aurez à faire, c'est de défiler sur la scène de l'auditorium. Tous les juges, sauf le président, seront assis au premier rang. Le président sera sur scène. Donc, vous vous avancez vers le président. N'oubliez pas de regarder le public et de sourire tout en marchant. Avant d'arriver devant le président, dites d'une voix forte, mais pas criarde : « Je m'appelle Claire Pike et j'ai cinq ans. » Toi, Margot tu diras, bien sûr : « Je m'appelle Margot Pike et j'ai sept ans. » Vous ferez la révérence, puis vous lui serrerez la main. N'oubliez pas de tendre votre main droite. Celle où il y a la montre.

Claire ne sait pas lire l'heure, mais elle porte toujours une montre au poignet droit.

– Alors, ai-je poursuivi, vous lui serrez la main et sans arrêter de sourire, surtout. Quand c'est terminé, vous continuez d'avancer jusqu'au fond de la scène. Bon, essayons. Je serai le président, et là-bas, c'est le public. (J'indiquais la salle à manger.)

Au beau milieu de la répétition, j'ai entendu le téléphone sonner. Quelques instants plus tard, Mallory a crié :

– Carla, c'est Mary Anne !

– Attendez-moi, vous deux, ai-je dit à Claire et à Margot. Je reviens tout de suite.

J'ai couru dans la cuisine où j'ai pris le combiné des mains de Mallory.

– Allô ? Salut, Mary Anne. Qu'est-ce qui se passe ?

– Eh bien, je me demandais... je suppose, euh...

– Tu te demandais quoi ? me suis-je impatientée.

– Heu... Comment ça se passe, avec les petites ?

– Très bien. Tu es avec Myriam ?

– Oui.

J'avais le curieux sentiment que Mary Anne paniquait

parce qu'elle se demandait si le numéro de Myriam était au point.

– Écoute, ai-je dit, nous sommes en pleine répétition générale, alors je te laisse.

– Une générale ? Oh, quelle bonne idée ! Merci, Carla. Salut !

« Zut, ai-je pensé. Je me suis trahie. » Ce concours commençait à devenir vraiment trop compétitif. Ce n'était plus amusant. Je suis retournée auprès de Claire et de Margot. Je savais que, lors d'une générale, on est censé aller jusqu'au bout du spectacle sans s'arrêter, mais j'ai décidé que nous recommencerions chaque partie plusieurs fois (sauf peut-être les numéros). Les fillettes avaient oublié de sourire en avançant vers moi, et Claire perdait toujours l'équilibre en faisant la révérence.

– Bien, on reprend depuis le début, ai-je décrété, très professionnelle. Claire, à toi.

Elle a traversé le séjour en se pavanant.

– Souris !

Elle a affiché un grand sourire bêta.

– Pas comme ça. Un sourire normal.

Ramenant son sourire à des proportions normales, elle a dit :

– Je m'appelle Claire Pike, j'ai six ans, et je veux absolument gagner. J'ai sept frères et sœurs, une maman...

– Ho, là ! Ho, là ! Tu dois seulement donner ton nom et ton âge, lui ai-je rappelé.

Pourquoi, mais pourquoi avais-je dit à Mme Pike que je préparerais ses filles au concours de beauté ? Les filles ont fini par se lasser de faire la révérence et j'ai décidé :

– Passons à la suite. C'est maintenant que vous présentez votre numéro.

– Oh, chouette, a fait Margot. C'est la partie que je préfère.

Les deux sœurs sont montées dans leur chambre se changer. Je devais reconnaître qu'elles avaient de très belles tenues. Mme Pike et moi avions emmené les fillettes en ville pour acheter un adorable costume marin, avec lequel Claire chanterait la chanson de Popeye ; et, pour Margot, une salopette sur laquelle nous avions accroché des outils en jouet : un marteau, un tournevis et un pinceau pour qu'elle puisse mimer Jack construisant sa maison. Margot aurait voulu un costume de singe pour peler sa banane, mais je lui avais fait remarquer que ce genre de costume avait des grosses pattes, et qu'elle aurait besoin d'être pieds nus pour éplucher le fruit.

– Bon ! Vous attendez en coulisses que le présentateur vous ait annoncées. A ce moment-là, vous avancez jusqu'au milieu de la scène...

– En souriant ? m'a coupée Claire.

– Tout le temps. Je pense qu'il y aura une grande croix pour indiquer le centre de la scène. Donc, vous vous placez dessus et vous faites votre numéro. Quand vous aurez fini, le public applaudira. (Je l'espérais !) Puis vous saluerez et sortirez par l'autre côté. Ne repartez pas dans la direction d'où vous êtes venues car vous vous heurteriez à la candidate qui entrera en scène. Margot, si nous commencions par toi, cette fois ? Oh, puisque c'est la générale, prends une vraie banane.

– Et la moquette ? a-t-elle demandé tout en courant dans la cuisine prendre le fruit.

– Tant pis, prenons le risque. Bon. Je suis la présentatrice. (Je me suis éclairci la voix.) La candidate suivante est l'adorable et talentueuse Margot Pike, sept ans ! ai-je annoncé.

Margot, sa banane à la main, a marché jusqu'au centre de la pièce, arborant un sourire professionnel. Elle s'est assise, a placé la banane entre ses pieds nus, et l'a épluchée en un temps record, puis elle s'est redressée, en souriant, et a mordu dedans en déclamant :

– Voichi la maisson que Jack a bâtie...

J'avais envie de me boucher les oreilles, mais j'ai tenu bon. Alors que Margot récitait les derniers vers de la comptine, je me suis rendu compte que nous avions des spectateurs.

Claudia et Charlotte !

– Aahh ! ai-je hurlé. Claire, Margot... cachez-vous !

Mais Margot ne voulait rien entendre. Elle avait presque terminé.

– Qui trayait la vache à la corne ondulée. Qui fit valser le chien. Qui tourmenta le chat. Qui..., récitait-elle à toute vitesse.

Je l'ai empoignée par le bras, j'ai tiré Claire au bas du canapé où elle attendait son tour et je les ai entraînées toutes les deux dans la salle à manger, hors de vue.

– Restez là ! ai-je ordonné.

Je suis revenue en courant dans le séjour.

– Que faites-vous ici ? ai-je demandé à Claudia d'un ton glacial. Comment êtes-vous entrées ?

– Vanessa a dit que nous pouvions entrer. Elle joue dans le jardin.

– Bon, qu'est-ce que vous voulez ?

– Nous voulions simplement voir comment ça allait, a répondu Claudia doucement.

– Ça alors, tu refuses de me dire quel numéro Charlotte va présenter, mais tu viens ici pour nous espionner.

– Nous n'espionnons pas ! s'est indignée Charlotte.

– En plus, tout le monde sait ce que Margot et Claire vont faire, a fait remarquer Claudia. Tu nous l'as dit toi-même.

– Mais vous ne saviez rien sur leurs costumes.

Je me suis interrompue, songeuse. Puis j'ai repris.

– Charlotte, je parie que tu as un costume génial.

– Oh, il est magnifique. Je l'ai fait avec Claudia. C'est un...

Claudia lui a plaqué la main sur la bouche.

– Mmmph, mmph, mmph..., a-t-elle terminé.

– Tu es rusée, a remarqué Claudia.

– Toi aussi.

Elle a ôté sa main de la bouche de Charlotte.

– Vous n'allez pas vous disputer ? s'est inquiétée Charlotte.

– Non, bien sûr, ai-je répondu, en me détendant un peu. Désolée de m'être énervée.

– Et moi, désolée de vous avoir dérangées, a ajouté Claudia. On pourrait croire que nous sommes venues espionner, en effet. Mais nous allons partir, maintenant.

Claudia semblait aussi fatiguée et déconcertée que je l'étais.

– D'accord. A demain. Bonne chance, Charlotte.

– Merci. Bonne chance, Claire et Margot ! a-t-elle lancé en direction de la salle à manger.

– Merci ! ont hurlé les filles en retour.

Dès que Claudia et Charlotte ont été parties, j'ai appelé Claire et Margot et nous nous sommes remises au travail.

Margot a repris son texte depuis le début, j'ai cru que j'allais mourir, mais je savais qu'elle tenait à répéter. Puis ce fut le tour de Claire. Elle a chanté sa chanson puis exécuté une danse que je lui avais apprise. Je l'avais inventée moi-même, mais ça ressemblait plus ou moins à une danse de matelot. Quand elle a eu terminé, elle a chanté à nouveau sa chanson, en faisant des gestes. Elle a fait mine d'avaler des épinards, puis de se battre contre des adversaires invisibles, le tout accompagné d'horribles grimaces. Peut-être aurait-elle un prix dans la catégorie comique.

J'ai aidé les fillettes à se changer une fois de plus, pour la parade finale. Elles revêtiraient pour la circonstance leurs tenues les plus élégantes, et je dois dire qu'elles étaient superbes. Elles portaient toutes deux des robes en velours, d'anciennes robes faites à la main ayant appartenu à Mallory et Vanessa, je crois, mais en très bon état. Celle de Margot était verte, celle de Claire rouge. Chacune était ornée d'un col en dentelle.

Les filles se sont entraînées encore un moment à marcher et à sourire.

Puis j'ai déclaré :

– Parfait. La dernière épreuve consiste en une série de questions. On vous en posera à chacune. Vous gardez les mêmes robes. Maintenant, essayez de penser à des choses jolies, gentilles, utiles, et je vais vous poser des questions. D'accord ?

– D'accord.

Les fillettes étaient assises côte à côte sur le canapé du salon. Elles paraissaient fatiguées, mais déterminées. J'espérais qu'elles le resteraient durant le concours. La journée serait longue.

– Margot, quel est ton plus grand souhait ?

– La paix dans le monde, a-t-elle répondu du tac au tac.

– Oui, mais fais une jolie phrase.

– Mon plus grand souhait, a-t-elle repris avec une mine béate et angélique, c'est qu'il y ait la paix dans le monde. Ce serait très... gentil.

J'espérais que les juges ne lui demanderaient pas ce qu'elle voulait dire exactement, car elle n'avait certainement aucune idée de ce que pouvait être la paix mondiale.

– Parfait. A présent, Claire, si la maison était en feu et que tu ne puisses sauver que trois choses, lesquelles choisirais-tu ?

– Je sauverais les membres de ma famille, la paix mondiale et l'extincteur, a-t-elle répondu d'une voix suave.

J'ai soupiré. Claire et moi, nous avions encore pas mal travail devant nous. Mais ça m'était égal. Cela m'empêchait de penser à ce qui allait se passer ce soir-là.

Claire et moi, nous avons répété sans relâche, pour mettre au point les réponses à toutes ces questions. Elle était en bonne voie. Et quand je lui ai demandé :

– Que ferais-tu pour changer le monde, le rendre plus agréable ?

Elle m'a répondu :

– J'aiderais tous les gens à devenir amis et je leur offrirais des frites gratuitement au MacDo.

Pas mal.

De toute manière, il était cinq heures et demie, l'heure de rentrer chez moi. J'ai dit au revoir aux Pike et je me suis dirigée vers la maison avec autant d'enthousiasme que si je marchais vers le peloton d'exécution.

– David ? ai-je appelé en entrant.

– Salut, Carla ! Je suis en haut !

Mon frère était aux anges et j'étais effondrée.

Je suis montée dans sa chambre et j'ai regardé autour de moi. David était assis sur son lit et souriait (il sourit sans arrêt ces derniers jours). Sa chambre avait le même aspect que lorsque nous avions emménagé et que rien n'avait encore été déballé. La plupart de ses affaires avaient été mises dans des malles ou des cantines et expédiées en Californie. Tout ce qui restait, c'était une valise remplie de vêtements et un sac à dos qu'il garderait près de lui dans l'avion. Il contenait quelques livres, des jouets, son baladeur, des cassettes, et des bricoles.

David, toujours assis, contemplait un tas de papiers colorés.

– Qu'est-ce que c'est ?

– Des cartes d'adieu. Mme Besser a organisé une fête pour mon départ, et chaque élève de ma classe a dessiné une carte. Ils ont fait ça en cachette. C'était une surprise.

– C'est vraiment gentil de la part de Mme Besser.

– Je crois qu'elle est contente d'être débarrassée de moi.

J'ai lu quelques cartes. Elles portaient toutes des inscriptions du genre :

AU REVOIR, DAVID

BONNE CHANCE, DAVID.

TU VAS NOUS MANQUER, DAVID..

– Où est la carte de Jerry Haney ? ai-je demandé.

David a fouillé dans la pile et m'en a tendu une.

Sur la première page, on lisait simplement :
AU REVOIR, DAVID. Mais à l'intérieur, au milieu d'un dessin compliqué, et en lettres si petites que Mme Besser n'avait pas dû les remarquer, on déchiffrait cette inscription :
ET BON DÉBARRAS.

– J'emporte toutes les cartes avec moi, sauf celle de Jerry, a déclaré David.

Il l'a déchirée en petits morceaux qu'il a jetés dans sa corbeille à papiers.

– Bonsoir ! Je suis là ! a fait la voix de ma mère.

– Bonsoir, maman, nous sommes là ! avons-nous répondu machinalement.

– Descendez. Il faut qu'on dîne de bonne heure.

– D'accord !

– Carla, tu peux porter mon sac à dos ? m'a demandé David tout en y fourrant les cartes. Mes affaires sont prêtes. Autant les descendre maintenant.

Il n'a même pas jeté un dernier regard à sa chambre avant de sortir. Peut-être les garçons ne se soucient-ils pas de ce genre de choses… Ou peut-être David détestait-il tellement sa vie ici qu'il ne voulait pas s'en souvenir.

Pour notre dernier repas ensemble, nous avons mangé des restes.

– Désolée, a dit maman, mais c'est la solution la plus rapide. Il faut que nous partions dans trois quarts d'heure.

– Je n'arrive pas à croire que tu vas me laisser prendre l'avion tout seul, a fait David d'un ton joyeux en engloutissant une bouchée de riz complet réchauffé.

– Moi non plus, a répondu ma mère. Mais c'était le plus simple. Tu partiras aux alentours de vingt et une heures...

– Je sais, je sais. Et j'arriverai vers vingt-trois heures.

– C'est ça. Tu pourras dormir un peu dans l'avion, et tu passeras une bonne nuit chez ton père.

– A moins que papa et moi décidions de faire quelque chose d'amusant, au lieu de rentrer directement à la maison.

Maman et moi avons échangé un regard.

– David, a-t-elle dit d'un air grave, ne t'attends pas à ce que la vie avec papa ressemble tous les jours aux vacances que tu as passées avec lui.

– Je sais, a-t-il répondu, mais il paraissait toujours aussi enthousiaste.

N'avait-il donc pas le plus léger regret de nous quitter, maman et moi ? Ne se disait-il pas, quelque part au fond de lui : mince, ma sœur et ma mère vont me manquer ? J'avais l'impression que la réponse à ces deux questions était non. Et cela me faisait très, très mal.

Ce soir-là, nous n'avons pas pris la peine de faire la vaisselle. Nous avons débarrassé la table et tout laissé dans l'évier. Maman avait peur d'arriver en retard à l'aéroport.

– On ne sait jamais, avec la circulation.

Nous sommes partis un peu avant sept heures.

David s'est assis devant, près de maman. Je pensais qu'elle aurait des choses de dernière minute à lui dire, comme : « Obéis à papa » ou : « N'oublie pas de mettre le verrou si tu vas aux toilettes dans l'avion » ou encore : « Appelle-nous quand tu veux. En PCV, au besoin. »

Mais le trajet s'est passé en silence, sauf quand une

voiture nous a fait une queue de poisson et que maman a klaxonné en marmonnant quelque chose que je n'ai pas compris.

Nous sommes arrivés à l'aéroport une heure avant le départ. Dans le parking, comme nous nous trouvions sous la lueur blafarde d'un réverbère, j'ai vu que les yeux de maman étaient emplis de larmes. J'ai regardé David, qui était occupé à sortir sa valise et son sac à dos du coffre. Il sifflotait.

J'ai pris la main de maman pour lui chuchoter :

– Ça va aller…

Bang ! David avait refermé le coffre de la voiture d'un coup sec.

– OK, allons-y ! Je peux acheter des bonbons, maman ? S'il te plaît ? (David ruine son alimentation naturelle en se bourrant de chocolat.) Et est-ce que Carla et moi pouvons nous faire prendre en photo dans une cabine ? On aurait quatre photos. J'en apporterais deux à papa et tu pourrais garder les deux autres.

– Ça, c'est une bonne idée, a dit maman.

Elle a souri. Il était difficile de rester de marbre devant tant de gaieté. Une fois dans l'aéroport, nous avons d'abord fait enregistrer la valise de David.

– J'espère qu'elle arrivera à destination, dis-je. Et pas à Albuquerque, comme la dernière fois que nous sommes allés voir papa.

– Oh, a fait David d'un ton léger, elle finira bien par arriver. Et mes malles doivent déjà être là-bas. Pas vrai, maman ?

– Oui.

– Vous vous rendez compte, a repris David tandis que nous nous dirigions vers une boutique, je vais retrouver mon ancienne chambre. Ma chambre, celle d'ici, n'a jamais été la mienne.

– Bien sûr que si, ai-je répliqué sèchement. A qui tu voulais qu'elle soit ?

Maman a posé sa main sur mon épaule, me demandant en silence de me calmer.

– A personne. Mais ça n'a jamais été vraiment ma chambre, pas comme celle de Californie. Je ne peux pas expliquer.

– Voyons un peu cette boutique, a lancé maman, changeant de sujet un peu maladroitement. As-tu besoin de quelque chose pour le voyage, mon chéri ?

David a réfléchi.

– Je ne crois pas. J'ai deux livres et mon baladeur et, de toute façon, je suis censé dormir, a-t-il ajouté, avec un regard espiègle à l'intention de maman. Mais je pourrais acheter des Mars dans un distributeur ?

David raffole des distributeurs et de tous les appareils automatiques.

– Bien sûr. Nous avons du temps devant nous.

Nous avons trouvé une allée, non loin de la salle de départ, pleine de distributeurs automatiques.

– Ouais ! s'est exclamé David. Tu as de la monnaie, maman ?

Elle en avait.

David s'est acheté un Mars et l'a fourré dans son sac. Puis nous nous sommes serrés l'un contre l'autre dans une cabine, essayant de sourire tandis que la machine nous prenait en photo. Les photos étaient très réussies, et nous avons laissé maman choisir celles qu'elle préférait. Après la séance de photos, il nous restait encore du temps à tuer, alors David a fait plastifier tout ce que maman avait dans son porte-cartes.

Quand il a eu fini, elle a déclaré :

– Nous ferions mieux d'aller dans la salle de départ. Tu vas embarquer plus tôt, David, puisque tu voyages seul. Une hôtesse va t'accompagner jusqu'à l'avion, et il faut que nous la trouvions.

Devant la porte d'embarquement, c'était l'émeute. Une foule de gens prenaient ce vol de nuit pour Los Angeles. David et moi nous nous sommes assis pendant que maman parlait à un homme derrière le comptoir. J'ai regardé mon frère. Il fourrageait dans son sac à dos. « Mon petit frère », ai-je pensé, bien qu'il ne fût plus si petit que ça.

Nous nous étions peut-être bagarrés, et il avait peut-être été impossible à vivre ces derniers temps, mais c'était quand même mon frère et il allait me manquer. Comment pouvions-nous le laisser partir ? David et moi ne nous étions-nous pas blottis l'un contre l'autre, dans ma chambre en Californie pendant ces terribles disputes entre mon père et ma mère ? Ne l'avais-je pas protégé contre les plus grands, contre ses cauchemars et des monstres imaginaires ? N'est-ce pas lui qui m'avait appris à grimper à la corde alors que mon prof de gym y avait renoncé ? Comment pouvais-je finir de grandir loin de lui ?

– Ne t'en va pas, ai-je murmuré.

– Quoi ?

– Rien.

La plupart des familles restent unies. Beaucoup se divisent, les parents se séparent. Mais dans le cas de la nôtre, même les enfants ne restaient pas ensemble. Je souffrais. Et je savais que maman devait éprouver un sentiment d'échec.

Elle s'est assise près de nous et, quelques minutes plus tard, une hôtesse s'est approchée. Elle a souri à maman avant de se tourner vers mon frère.

– David Schafer ?

Il s'est levé d'un bond, prêt à partir.

– Je vais t'accompagner à bord, a dit l'hôtesse, et si tu as besoin de quoi que ce soit pendant le vol, tu n'auras qu'à me le demander. D'accord ?

– D'accord !

Nous nous sommes embrassés en pleurant. Enfin, maman et moi, nous pleurions. David gardait les yeux secs.

L'hôtesse nous regardait, l'air surpris. Elle ne savait pas que David n'avait pas de billet de retour. La plupart des enfants qui quittent leur famille ont l'intention de revenir.

– Au revoir ! Au revoir, David, avons-nous crié toutes deux tandis qu'il s'éloignait avec l'hôtesse.

Quand il a été hors de vue, je me suis effondrée sur un siège. J'ai pleuré en plein milieu de la salle remplie de monde, et maman aussi. Maman a essayé pour la énième fois de me convaincre que nous allions manquer à David. J'avais du mal à la croire.

Puis, une fois calmées, nous avons quitté l'aéroport en nous tenant par le bras.

13

Le jour du concours de beauté !
J'étais morte de fatigue, n'ayant pas beaucoup dormi la nuit précédente. Cependant, j'étais contente d'avoir une journée chargée devant moi.

Elle serait longue, excitante, exactement ce qu'il me fallait pour m'empêcher de penser à David. Le concours devait commencer à une heure. Il se tiendrait dans l'auditorium du lycée de Stonebrook. Mais les concurrentes devaient s'y présenter dès onze heures trente. J'avais dit à Mme Pike que je viendrais vers dix heures. A dix heures moins le quart, alors que je m'apprêtais à partir, j'ai dit :

– Maman, on pourrait appeler David et papa ? Pour être sûres qu'il est bien arrivé ?

– Oh, ma chérie, il n'est que sept heures moins le quart en Californie, ils nous tueraient. Et puis, si David n'était pas arrivé, ton père aurait téléphoné depuis longtemps !

Maman était assise dans la cuisine en train de boire du café. Elle avait une mine affreuse. Elle n'avait sûrement pas dû dormir de la nuit. Je n'étais même pas sûre qu'elle se soit couchée, bien qu'elle soit en chemise de nuit et en robe de chambre, et que sa coiffure soit déplorable.

– Je sais... Tu as raison. Hé, maman, pourquoi tu ne viendrais pas au concours ? Je sais que tu n'es pas d'accord avec ce genre de chose, mais celui-ci risque d'être amusant, et tu connais la plupart des petites qui y participent.

– Mm, peut-être...

– Tu pourrais t'asseoir à côté de M. Cook. Il y sera, parce que Mary Anne a aidé Myriam Perkins à s'entraîner. (Maman et le père de Mary Anne sont de vieux amis.)

– Je vais y réfléchir, a-t-elle répondu avec un vrai sourire. Et maintenant, file.

J'ai filé.

Quand j'ai sonné chez les Pike, c'est Mallory qui m'a ouvert, en disant d'un ton assassin :

– J'espère que tu arriveras à calmer Claire et Margot. Elles vont nous rendre dingues.

Du rez-de-chaussée, j'entendais déjà :

– ... Qui embrassa la fille esseulée, qui trayait la vache à la corne ondulée, qui fit valser le chien...

Se mêlant à :

– ... C'est moi Popeye le matelot, j'mange des épinards pour être costaud...

– Et tu vas voir leur chambre, a ajouté Mallory alors que

je commençais à monter. Oh, au fait, maman a dit qu'elle viendrait dans une minute pour t'aider.

– Entendu.

A la porte de la chambre des filles, je me suis figée. Je jure que j'ai cru qu'il y avait eu un tremblement de terre. Il y avait des rubans, des chaussures, des socquettes, des barrettes et des élastiques partout. Les petites essayaient de répéter au milieu de tout ce bazar. Heureusement, d'ici la fin de l'après-midi, tout serait terminé. C'est ce qu'il fallait se dire.

Que se passe-t-il ? me suis-je écriée.

Claire et Margot ont couru vers moi.

– Oh, tu es là ! a lancé Claire.

– Maman nous a dit de rassembler toutes nos affaires, a voulu expliquer Margot, mais on était énervées. Et on ne voulait rien oublier, et...

Il nous a fallu près d'une heure, mais Mme Pike et moi, nous avons réussi à tout retrouver. D'abord nous avons demandé aux filles d'enfiler des jeans et des T-shirts. Ensuite, nous avons préparé chaque tenue séparément et nous les avons rangées dans des sacs différents, sauf les robes, que nous avons mises sur des cintres pour éviter de les froisser.

– De quoi d'autre avons-nous besoin ? a demandé Mme Pike, en regardant autour d'elle.

– D'un fer à friser !

Nous nous sommes encore souvenues de quelques autres objets, que nous avons fourrés dans un nouveau sac, puis nous nous sommes mises en route. Mme Pike nous conduisait en voiture. Pendant le trajet, je n'arrêtais pas de répéter :

– Pensez à sourire, tout le temps. Rappelez-vous de donner de belles réponses aux questions. Ne paniquez pas si vous avez un trou de mémoire pendant votre numéro. Recommencez depuis le début ou bien inventez. C'est ce que font les pros.

Mme Pike nous a déposées devant le lycée, et a fait à son tour des recommandations à ses filles. Comme le reste de la famille, elle ne reverrait pas Claire et Margot avant le début du concours.

– Nous nous placerons aussi près de la scène que possible ! a-t-elle promis avant de démarrer.

Les fillettes et moi, nous sommes entrées dans le bâtiment, chargées de toutes nos affaires. Quelqu'un nous a indiqué où se trouvait l'auditorium, et nous avons franchi une porte surmontée de l'inscription : « Entrée des artistes ».

Le chaos. Le chaos total.

Dans les coulisses se pressaient une mer de petites filles attendant qu'on leur dise ce qu'elles devaient faire. Certaines répétaient, d'autres vérifiaient leur garde-robe, d'autres encore se faisaient friser, tresser ou brosser les cheveux.

Claire et Margot ont été saisies de panique.

– Regardez cette fille ! s'est exclamée Margot. Elle porte du vernis à ongles ! Carlaaa...

– Et celle-là est maquillée ! a ajouté Claire, sans prendre la peine de chuchoter.

– Hé, voilà Myriam, a dit Margot en la montrant du doigt.

– Elle fait des claquettes. Elle sait en faire ! Oh, elle est vraiment super... Oh, non ! Oh, non, Carla ! Oh, non !

– Quoi ? Quoi ? me suis-je écriée.

– As-tu pensé à ma banane ?

– Oui. Elle est dans le sac, avec ta tenue. A présent, il faut absolument vous calmer, toutes les deux et..

Tout à coup, j'ai senti qu'on me tapait sur l'épaule.

– Oui ? ai-je fait en me retournant.

Derrière moi se tenait une femme imposante avec des cheveux d'un gris métallique empilés en choucroute sur la tête. Elle avait un bloc-notes à la main.

– Bonjour, a-t-elle dit d'une voix chaleureuse. Je suis Patricia Bunting, l'organisatrice du concours.

– Bonjour, je suis Carla. Et voici Claire et Margot Pike.

– Merveilleux, a répondu Mlle Bunting, en me tendant une liste. Voici l'ordre dans lequel les candidates apparaîtront pour chaque épreuve. On commence par les plus jeunes et on finit par les plus âgées, donc l'ordre restera le même du début à la fin. Assurez-vous que Claire et Margot sachent bien derrière qui elles se trouvent. Dès que tout le monde sera là, je m'adresserai aux concurrentes. Je leur expliquerai le déroulement du concours, et je leur montrerai la scène. Les mères et les grandes sœurs attendront là-bas.

Elle indiquait un endroit où on avait installé des chaises pliantes. Claire et Margot m'ont regardée en souriant. Mlle Bunting me prenait pour leur sœur ! Tandis que l'organisatrice s'éloignait, j'ai fait asseoir les fillettes afin de pouvoir étudier avec elles l'ordre d'entrée en scène.

– Voyons, Claire, tu es parmi les premières. Tu entreras toujours en scène derrière Myriam. Margot, tu es à peu près au milieu. Et tu passeras toujours après Sabrina Bouvier.

– Après qui ? s'est inquiétée Margot.

– Chhhut, ai-je soufflé. Une fille qui s'appelle Sabrina Bouvier.

Claire a regardé vers les coulisses. Ses yeux se sont posés sur Myriam, Charlotte, Karen et plusieurs autres, puis se sont arrêtés enfin sur la candidate maquillée (et pas qu'un peu, dirais-je).

– C'est elle ! a affirmé Claire d'une voix farouche. Je parie que c'est elle. Qui d'autre pourrait porter un nom pareil ?

Je n'avais pas de réponse à ça. J'étais occupée à évaluer les chances de Claire et de Margot. Il y avait Myriam, qui faisait des claquettes sous le regard de Mary Anne. Celle-ci paraissait épuisée mais ravie. Pas de doute, Myriam était douée. Elle possédait un réel talent, son numéro n'avait rien d'amateur ou d'improvisé. Et puis, il y avait Karen, jolie comme un cœur. Kristy lui brossait fébrilement les cheveux. Il y avait aussi Charlotte, qui semblait morte de frayeur. Claudia et elle étaient plantées dans un coin, l'air emprunté, comme si elles se demandaient ce qu'elles faisaient là. J'ai croisé le regard de Claudia et nous avons échangé un signe de la main.

Les fillettes ont aperçu Charlotte et ont couru vers elle. Je les ai suivies.

– Salut, Claudia. Alors, ça va ?

– J'ai le trac. Je serai contente quand ça sera fini. C'était plus difficile que je ne le pensais. Et toi ?

– J'ai un peu peur, ai-je avoué.

– J'ai très peur, disait Margot à Charlotte

– Moi, je crois que je n'aurais pas dû venir, répondait Charlotte.

Une voix inconnue s'est élevée près de nous.

– Je peux vous expliquer comment vous débarrasser à jamais du trac que l'on éprouve avant un concours de beauté, a-t-elle proclamé comme si elle faisait une pub à la télé.

La voix appartenait à la fillette maquillée.

– Vraiment ? ont fait Claire, Margot et Charlotte à l'unisson.

– Mais oui. Ce sera un plaisir pour moi.

J'ai jeté un regard à Claudia. Qui était cette gamine ? Elle avait à peu près l'âge de Margot, mais l'allure et le comportement d'une fille de vingt-cinq ans.

– Comment tu le sais ? a demandé Margot. Au fait, je m'appelle Margot.

– Et moi, Sabrina, a répondu la fillette.

Et Claire me lança un regard qui signifiait : « Tu vois, j'avais raison. »

Sabrina s'est inclinée avec grâce.

– Enchantée, a-t-elle dit de sa drôle de voix artificielle. C'est mon sixième concours de beauté. C'est pour ça que je sais tout sur le trac.

Elle était en train de montrer aux fillettes comment se relaxer par des exercices de respiration quand une dame qui portait des tonnes de bijoux et encore plus de parfum s'est approchée de nous. Son parfum la précédait.

– Viens, Sabrina. Je veux essayer de te présenter aux juges.

Sabrina a adressé aux autres un sourire suave.

– C'est ma mère Il faut que j'y aille. Il y a tellement de choses à faire avant un concours. Je vous souhaite bonne chance, de tout cœur.

Charlotte et les petites Pike l'ont suivie du regard tandis que sa mère l'entraînait.

– Tu sais ce que c'est ? m'a chuchoté Claudia. Une bête à concours, voilà. Une pauvre gosse que sa mère inscrit à tous les concours qui se présentent. Elle passe sa vie à faire des sourires.

– Elle n'est pas tellement jolie, ai-je remarqué.

– Et peut-être pas très douée, a enchaîné Claudia. Mais elle connaît toutes les ficelles, ou sa mère les connaît, et elle sait ce qui plaît aux juges.

Je m'apprêtais à dire que Sabrina passait peut-être sa vie à faire de grands sourires, mais que ça devait être affreusement ennuyeux, quand Mlle Bunting a tapé dans ses mains. Il était temps pour elle de s'adresser aux concurrentes. Les fillettes, tout excitées, se sont rassemblées autour d'elle, et nous nous sommes dirigées vers les chaises pliantes.

J'étais assise avec Claudia, Mary Anne et Kristy, mais nous n'avions pas envie de parler. Nous commencions à être terriblement anxieuses. J'avais des crampes à l'estomac.

J'observais les petites pendant que Mlle Bunting leur parlait d'un air solennel.

La plupart des mères bavardaient ou inspectaient les vêtements de leur fille, mais Mme Bouvier avait les yeux rivés sur la pauvre Sabrina et la fixait avec une vive attention.

Mlle Bunting a enfin conduit les fillettes sur la scène. Dès qu'elles ont été hors de vue, nous nous sommes un peu détendues.

– Myriam a l'air au point, ai-je dit à Mary Anne au bout de quelques minutes.

– Merci. Elle a répété sans relâche. Mais ce matin, elle a failli avoir une crise. Elle a perdu une autre dent. Ça l'a un peu secouée. J'espère que ça ne nuira pas à sa concen…

Les fillettes revenaient en compagnie de Mlle Bunting, qui a élevé la voix :

– Le concours commencera dans une demi-heure exactement, a-t-elle annoncé. Il est temps de vous préparer à la première épreuve, la présentation au jury et au public.

Claire et Margot se sont ruées vers moi.

– Vite ! Vite ! Il faut s'habiller ! criait Margot. Il faut s'habiller !

– C'est moi Popeye le matelot ! chantonnait Claire.

J'ai sorti leurs affaires, pour qu'elles commencent à se changer.

Dans quelques heures, l'une des fillettes en train de s'habiller dans les coulisses serait élue Mini-Miss Stonebrook.

Comme vous pouvez sans doute l'imaginer, le moment le plus intéressant du concours des Mini-Miss Stonebrook fut celui où les fillettes présentèrent leur numéro,

et je vais vous le raconter en détail; mais je ne vous laisserai pas dans l'ignorance en ce qui concerne le reste.

Représentez-vous la scène: vous êtes en coulisses avec une troupe de mères (ou de baby-sitters) anxieuses, et une troupe de petites filles sur leur trente et un, et encore plus anxieuses. Un lourd rideau vous sépare d'un auditorium rempli de gens, pour la plupart la famille et les amis des petites filles sur leur trente et un. Le rideau vous sépare également de la scène, sur laquelle se trouve un présentateur en train de dire :

– Bienvenue au premier concours annuel pour le titre de Mini-Miss Stonebrook, sponsorisé par l'aimable fabricant de produits capillaires Dewdrop, des produits pour les jeunes d'aujourd'hui.

– Ah bon, on met ça, nous ? m'a murmuré Kristy.

Le présentateur a ensuite expliqué au public le déroulement des épreuves et la façon dont les juges noteraient les candidates. Puis il a présenté le jury (le propriétaire du grand magasin Bellair, la directrice de l'école de danse de Stonebrook et un médecin). Ensuite, la présidente du jury, une certaine Mme Peabody, l'a rejoint sur la scène. A ce que j'ai compris, elle dirigeait autrefois un cours de maintien. Enfin, le présentateur a conclu par ces mots :

– J'aimerais souhaiter bonne chance à chaque petite miss qui se trouve en ce moment en coulisses.

– Oh, il fait des rimes, a commenté Kristy.

D'une certaine manière, maintenant que le concours avait bel et bien commencé, et qu'il s'avérait aussi stupide que Mallory et Jessica l'avaient prédit, je n'éprouvais plus la même angoisse, le même sentiment d'émulation. Je voyais bien qu'il en était de même pour Kristy. J'en étais heureuse.

– Ces fillettes ont travaillé dur, a poursuivi le présentateur, et nous souhaiterions pouvoir toutes les couronner. Malheureusement, une seule petite miss participera au concours régional de beauté de Stamford. Elle recevra un chèque de cent dollars et, bien sûr, sera notre grande gagnante. Mais nous choisirons aussi une première et une seconde dauphine. La deuxième dauphine recevra un chèque de cinquante dollars, et la première un bon d'achat pour le magasin de jouets Toy City.

– Oooh ! ont soufflé toutes les concurrentes, et tous les jeunes spectateurs.

Je devais avouer qu'un bon d'achat pour Toy City paraissait une très belle récompense. Même moi, je l'aurais apprécié. J'aurais pu acheter des trucs formidables pour nos coffres à jouets.

– Et maintenant, a enchaîné le présentateur, voici le moment de faire connaissance avec nos charmantes candidates.

Il s'est interrompu, tandis que quelqu'un, quelque part, introduisait une cassette dans la stéréo, et qu'une fanfare éclatait dans l'auditorium, avant qu'on ne baisse le son précipitamment.

– Allons-y, les filles, a murmuré Mlle Bunting.

Les concurrentes se sont alignées selon l'ordre prévu et Mlle Bunting les a fait entrer en scène une à une, leur laissant tout juste le temps de dire leur nom et leur âge, puis de faire une révérence et de serrer la main de Mme Peabody, avant de faire place à la suivante.

Il y avait trois petites filles avant Claire. Comme j'entendais Myriam se présenter au public, j'ai vu Mlle Bunting pousser Claire sur la scène. Je ne la distinguais pas très bien, mais je l'entendais clairement, et voici ce qu'elle a dit :

– Je m'appelle Claire Pike et j'ai six ans… Oh, salut, maman ! Salut, papa ! Salut, Mallory ! Sa…

Le présentateur a poussé Claire vers Mme Peabody, mais Claire a oublié de la saluer et a quitté la scène. J'ai gémi. Mary Anne, qui se tenait près de moi, m'a pris la main. Je l'ai regardée avec gratitude.

Margot s'en est mieux sortie que Claire. Elle n'a rien oublié, mais elle était loin d'être aussi brillante que Sabrina Bouvier, qui était passée juste avant elle. Sabrina semblait être née sur scène. Elle a adressé un sourire éblouissant au public et aux juges, fait une gracieuse révérence et serré avec aisance la main de Mme Peabody.

« Bon, me suis-je dit, une fois que toutes les petites filles s'étaient présentées. Sabrina est gracieuse et sophistiquée. Et après ? » Peut-être n'avait-elle aucun talent. Ou peut-être était-elle vraiment stupide, et ne saurait-elle répondre à aucune question. Mais je n'ai guère eu le temps d'y réfléchir. L'épreuve suivante allait commencer et je devais aider Claire et Margot à enfiler leurs costumes.

Les coulisses ressemblaient à un asile de fous. Tout autour de nous retentissaient des cris : « Mes socquettes ! Où sont mes socquettes ! » ou « Au secours ! Arrange ma coiffure ! » Ici et là s'élevaient des chansons. Pas très loin, j'entendais Charlotte marmonner quelque chose au sujet de myrtilles géantes et d'une fille appelée Violette.

J'ai réussi à faire entrer Claire dans son costume juste à l'instant où la première candidate entonnait l'hymne national, vêtue d'un justaucorps tricolore orné de paillettes. Elle avait une voix stridente, évoquant un crissement d'ongles sur un tableau noir (Claudia et moi nous nous sommes regardées en gloussant). Puis, je me suis occupée de Margot et lui ai tendu sa banane.

La deuxième concurrente a terminé la chanson qu'elle avait elle-même écrite, intitulée : *J'aime mon chien*, et Myriam a fait son entrée. Elle portait un collant rose, un tutu rose, et des souliers à claquettes, et brandissait un parapluie rose. Elle a regardé calmement le public. Puis sa voix s'est élevée, sonore et claire, et ses pieds se sont mis à frapper en rythme, tap tap tap ! J'étais très impressionnée. Elle aurait pu passer à la télé. A la fin de son numéro, le public a applaudi à tout rompre. Certains même sifflaient et criaient bravo. Myriam les a gratifiés d'un grand sourire édenté avant de se retirer. Elle avait fait un tabac.

– Et maintenant, la Mini-Miss Claire Pike ! a annoncé le présentateur.

– Vas-y, Claire, a dit Mlle Bunting.

– Je veux pas, a-t-elle pleurniché, tout en y allant quand même.

Pendant un instant, elle est demeurée plantée sur scène dans son costume marin. Je me suis dit qu'elle était sans doute paralysée par le trac, mais elle a fini par murmurer :

– C'est moi Popeye le matelot.

– Plus fort ! l'ai-je encouragée.

Claire a haussé la voix. Elle a achevé sa chanson et a esquissé son pas de danse. Elle ne paraissait pas très inspirée. Mais ensuite, elle a repris sa chanson, en l'accompagnant de gestes cette fois. Quand elle a fait sa première grimace, le public s'est esclaffé. Plus Claire en rajoutait, plus le public riait. Une comédienne était née ! Kristy a levé un pouce dans ma direction et j'ai souri. Après Claire, c'était le tour d'une fillette qui jouait du piano (si l'on peut dire), et d'une autre qui essayait de jongler avec un bâton, mais n'arrêtait pas de le laisser tomber. Puis vint Karen Lelland, ravissante dans la robe qu'elle avait portée au mariage de son père. Quel numéro allait-elle présenter ? Chanter une chanson d'amour, peut-être ? Non.

Elle a ouvert la bouche et entonné :

– Les roues de l'autobus, roulent et roulent encore...

Elle a chanté quinze couplets, dont la plupart étaient sans doute de son invention, peut-être même improvisés au fur et à mesure. Des paroles du genre : « Et les gens dans le bus ont très très chaud... » ou « Et le chien dans son panier dit : laissez-moi descendre ! »

Les juges commençaient à regarder leur montre.

Kristy et moi, nous nous sommes dévisagées, en haussant les épaules. Nous ne savions que penser.

Deux autres fillettes ont exécuté leur numéro, dont une ballerine assez douée. Puis Sabrina Bouvier est entrée en scène. Elle portait une longue robe de soirée noire et des gants blancs montant jusqu'aux coudes. Ses cheveux étaient relevés en masse sur sa tête, comme ceux de Mlle Bunting. Elle a chanté une chanson que je ne connaissais pas et qui parlait de rivière et de clair de lune.

Atroce.

Mais elle souriait beaucoup, et les juges paraissaient l'apprécier.

Enfin est arrivé le tour de Margot. Elle est entrée en scène d'un pas traînant, sa banane à la main, s'est assise, et a épluché le fruit avec ses pieds. J'ai entendu des ricanements dans le public. C'étaient les triplés.

Margot, en vraie professionnelle, les a ignorés. Elle a attaqué *La Maison que Jack a bâtie.* Comme cette comptine devient de plus en plus longue et qu'il faut sans cesse reprendre tous les vers depuis le début, son numéro a duré pas mal de temps. En toute honnêteté, je ne suis pas sûre que tout le monde ait compris ce qu'elle faisait avec la banane, mais on a rendu hommage à sa bonne mémoire. Elle n'a pas oublié un vers, pas un mot, et a quitté la scène sous les applaudissements.

(Kristy a levé à nouveau le pouce en l'air.)

Tout ce que vous devez savoir sur la suite, c'est qu'il y a eu quatre autres candidates, y compris Charlotte, et qu'aucune d'elles n'a été très bonne, et surtout pas Charlotte, qui avait complètement oublié le passage de *Charlie et la chocolaterie* qu'elle avait essayé d'apprendre par cœur. Elle s'est enfuie de la scène en pleurant et a refusé d'y retourner. Elle pleurait tellement fort que Claudia a dû aller chercher ses parents dans l'auditorium pour qu'ils la ramènent à la maison.

Claudia était effondrée, mais elle a décidé de rester pour voir la suite.

– Pas de chance, lui ai-je glissé.

– Ouais... Bon, il ne me reste plus qu'à soutenir Claire, Margot, Karen et Myriam. Sans avoir de chouchous.

Vint ensuite le défilé proprement dit, et j'ai honte de dire qu'à ce moment-là, les concurrentes se mirent à se bousculer et à s'observer avec animosité. C'était chacune pour soi. J'ai entendu Margot souhaiter à Claire de se casser une jambe (et elle le souhaitait vraiment), et Claire de répondre :

– J'espère que tu dégringoleras de l'estrade.

Mais personne n'est tombé, heureusement.

Les candidates, vêtues de leur troisième tenue, ont défilé, rangées par âge croissant. Je commençais à me sentir dans la peau d'une vraie mère-manager.

– Souris, leur ai-je rappelé à chacune avant qu'elles n'entrent en scène.

Obéissantes, elles arboraient des sourires éclatants.

On est ensuite passé aux questions. Mon cœur s'est mis à battre plus vite. J'étais incertaine de l'accueil que le public réserverait aux numéros, mais au moins, je savais ce que les petites allaient faire. Là, c'était une autre histoire. Claire parlerait-elle d'extincteurs et de poupées ? Demanderait-on à Margot d'expliquer ce qu'elle entendait par « paix dans le monde » ?

– Cela me fait plus peur que tout le reste, ai-je confié à Mary Anne, qui a hoché la tête, fronçant les sourcils d'un air préoccupé.

La plus jeune des Mini-Miss a été appelée sur scène, et Mme Peabody l'a considérée avec sérieux.

– Qu'aimes-tu le plus à Stonebrook ? lui a-t-elle demandé, tout d'abord.

Waouh ! Qu'est-ce que c'était que ça ? Une question piège ? La petite fille a plissé le front avant de répondre :

– Le marchand de glaces.

Le public a ri gentiment.

J'ai su que la petite fille avait raté sa réponse.

La suivante n'a guère fait mieux.

C'était maintenant au tour de Myriam. Elle s'est avancée d'un air assuré.

– Si tu pouvais changer une chose dans ce monde, laquelle serait-ce ? l'a interrogée Mme Peabody.

– Ce serait les guerres, a répondu gravement Myriam. Je les arrêterais. Je dirais aux gens qui font ces guerres : « Maintenant, ça suffit. Vous réglez ce problème entre vous, comme des grandes personnes. Les enfants veulent la paix. » Voilà ce que je changerais.

Le public a applaudi solennellement.

– Beau travail, Mary Anne, ai-je murmuré. Myriam a été sensationnelle. Le public l'adore. Je crois qu'elle a de bonnes chances de gagner !

– Tu crois ? a fait mon amie, pleine d'espoir.

– Absolument. C'est la plus talentueuse de toutes les candidates présentes, tu as entendu l'ovation que le public lui a faite, et elle se débrouille aussi magnifiquement pour le reste.

– Hé, Carla. C'est le tour de Claire.

J'ai pivoté sur moi-même.

Mlle Bunting venait de pousser la fillette sur la scène. Elle s'est approchée de Mme Peabody.

– Claire, a demandé celle-ci, que souhaites-tu par-dessus tout ?

Je retenais mon souffle.

– Le père Noël, a murmuré Claire, terrifiée. Je souhaite qu'il existe vraiment.

Les spectateurs ont ri. J'ai gémi.

– Dommage, a commenté Mary Anne. Elle a eu peur. Comme Charlotte. Il ne faut pas lui en vouloir.

Karen Lelland a dû répondre à la question concernant l'incendie.

– Elle l'a préparée, a murmuré Kristy.

Mais elle s'est appuyée contre moi en observant anxieusement Karen.

On entendait presque les rouages tourner dans le cerveau de la petite fille. Elle voulait donner la « bonne » réponse, celle que Kristy lui avait apprise, mais elle ne supportait pas de ne pas répondre avec sincérité.

Elle a répondu :

– Je sauverais Moosie, mon chat en peluche, et Tickly, ma couverture, et autant de jouets que je pourrais en emporter. Oh, est-ce que je pourrais sauver une quatrième chose ? Si oui, ce serait mon frère Andrew. Ou peut-être mon stylo à trois couleurs.

Raté. Karen pouvait dire adieu à la couronne.

J'ai regretté que Sabrina Bouvier passe avant Margot, car elle a fourni la réponse sur la « paix dans le monde ».

Et quand on a demandé à Margot ce qu'elle aimerait voir se produire en l'an 2020, elle est restée muette. Elle ne voulait pas avoir l'air de copier, et elle ne trouvait pas d'autre réponse valable. Après trente secondes d'un silence de mort, Mme Peabody l'a congédiée gentiment. Le public a applaudi par pure politesse.

Je me suis pris la tête entre les mains. Ni Claire ni Margot ne décrocheraient le titre.

– Hé, a fait Claudia. Ne prends pas ça au tragique. Au moins, tes candidates ont tenu jusqu'au bout.

– Mais je voulais que l'une d'elles gagne quelque chose. Je voulais prouver que je me débrouille bien avec les enfants.

– C'est vrai ? s'est étonnée Kristy. Moi aussi. J'imagine que c'était notre but à toutes. Mais nous aurons peut-être appris quelque chose. Même la meilleure des baby-sitters ne peut pas transformer un enfant.

– Oui, a approuvé Mary Anne. Et j'aime mieux m'occuper de gamins comme les nôtres que d'une Sabrina Bouvier.

Nous avons approuvé de tout cœur. Puis nous nous

sommes tues. Les concurrentes étaient à nouveau en scène. On allait proclamer les lauréates.

– C'est Myriam qui va gagner ! a soufflé Kristy. Je le sais !

Comme Mary Anne paraissait prête à défaillir, nous l'avons entourée pour la soutenir. Nous n'éprouvions plus aucune jalousie – les unes envers les autres, en tout cas. Nous voulions simplement que la gagnante soit l'une de nos protégées, quelle qu'elle soit. J'aurais été aussi heureuse que ce soit Myriam que Margot ou Claire.

– La deuxième dauphine, s'est écrié le présentateur, est Mlle Lisa Shermer, notre ballerine !

Le public a applaudi quand Lisa est sortie du rang pour traverser la scène et aller se placer près de Mme Peabody.

– La première dauphine est... Mlle Myriam Perkins !

J'ai alors entendu deux cris simultanés. Un hurlement de joie émanant de Myriam qui, j'en étais sûre, pensait à Toy City, et un gémissement de détresse poussé par Mary Anne.

– Pourquoi n'est-elle pas la grande gagnante ?

Mais tout le monde s'est tu car le présentateur reprenait :

– Et maintenant, mes amis, voici le moment que vous attendez tous. (Quelqu'un a apporté une petite couronne et une gerbe de roses à Mme Peabody.) Je suis heureux de vous annoncer que notre Mini-Miss Stonebrook est... Mlle Sabrina Bouvier !

La musique a retenti, et Sabrina a été couronnée sous un tonnerre d'applaudissements, tandis que les flashs se déchaînaient.

Mme Bouvier pleurait. C'était vraiment écœurant. Mes amies et moi, nous étions révoltées.

– Sabrina ! Comment ont-ils pu ? s'est écriée Kristy.

– C'est Myriam qui aurait dû gagner.

– Je vous l'avais dit, a fait Claudia d'un air entendu.

– Sabrina est une bête à concours. C'est comme ça que ça fonctionne.

Notre conversation s'est terminée abruptement, car les candidates regagnaient les coulisses d'un pas traînant. Comme vous pouvez l'imaginer, la plupart étaient très déçues. En fait, Margot et Karen étaient en larmes. Elles pleuraient tellement qu'elles ne pouvaient plus parler. Quand Margot s'est essuyé les yeux et le nez dans sa robe en velours, je ne l'ai même pas grondée. Je me suis agenouillée et je l'ai serrée contre moi, la laissant pleurer tout son soûl.

Tout près de là, Kristy en faisait autant avec Karen.

Au bout d'un long moment, Margot a avalé sa salive, reniflé et dit :

– J'ai fait de mon mieux, Carla, je t'assure.

– Je le sais.

– Et nous sommes fiers de toi, a ajouté une voix.

Nous avons levé les yeux. Devant nous se tenaient M. et Mme Pike et Mallory.

– Pourquoi êtes-vous fiers de moi ? a demandé Margot.

Mallory m'a lancé un regard noir, l'air de dire : « Tu vois comment finissent ces concours de beauté ? »

J'ai haussé les épaules. Claire et Margot avaient voulu participer au concours. C'était leur idée. Ce n'était pas le cas de Charlotte, qui avait beaucoup hésité.

– Nous sommes fiers de toi, ma chérie, a dit M. Pike en se penchant pour saisir le menton de Margot, parce que tu as été très, très courageuse de monter sur scène devant tant de gens. Il t'a fallu un grand courage. Et tu as beaucoup travaillé. Tout comme Claire. Nous sommes fiers de vous pour cela aussi.

Je me suis détournée. Je n'avais pas imaginé que Margot prendrait sa défaite tellement à cœur, mais j'aurais dû le deviner.

Je l'ai laissée avec ses parents pour chercher Claire des yeux. Elle parlait à Myriam, M. et Mme Perkins. Elle ne semblait pas du tout bouleversée. Je suppose que chaque enfant réagit d'une manière différente face aux mêmes situations.

Karen pleurait toujours sur l'épaule de Kristy.

J'ai rejoint Claire et Myriam juste à temps pour entendre Mary Anne répéter :

– C'est Myriam qui aurait dû gagner.

– Mais je n'aurais pas gagné de jouets, alors ! s'est exclamée Myriam, l'air de ne rien y comprendre.

Ce concours était parfaitement injuste. Mary Anne avait tout à fait raison : Myriam aurait dû gagner, si ce concours avait été vraiment basé sur le talent et la personnalité. Mais il ne l'était pas. J'étais heureuse que Myriam, grâce à sa chouette récompense, ne soit pas trop déçue de ne pas avoir décroché le titre. Mais j'étais triste qu'elle doive se contenter (même avec plaisir) de la deuxième place.

Mallory s'est alors approchée, suivie de Jessica, qui était dans le public.

– Ne dites rien, je sais. Nous aurions mieux fait de vous écouter, le jour où cet article est paru.

– Eh bien..., a commencé Mallory.

– Je voudrais seulement dire une chose, est intervenue Jessica. Je vous promets que ce n'est pas du style « je vous l'avais bien dit », mais, maintenant, vous vous rendez mieux compte que ces concours de beauté sont idiots. Regardez qui a gagné… et qui aurait dû gagner.

– Je sais, je sais, je sais, ai-je répondu, irritée.

Je pensais la même chose.

– Je ne sais pas ce que ce concours a récompensé, mais sûrement pas le talent ou la personnalité.

– Les apparences et la superficialité, a décrété Mallory.

Claire m'a alors pris la main.

– Carla ? Je pourrai participer de nouveau au concours, l'an prochain ?

J'ai failli m'évanouir. Il était temps de vite rejoindre les autres Pike et de rentrer.

Il a fallu un certain temps à tout le monde, surtout à Charlotte, pour se remettre du concours. Après tout, elle était la seule à s'être enfuie en pleurant, et à être rentrée chez elle avant la fin.

De notre côté, nous, les filles du club, nous en avons discuté des jours et des jours. Nous avons passé le dimanche après-midi dans la chambre de Claudia, réunies toutes les six. Nous avons toutes répété que Mallory et Jessica avaient eu raison, et que ce concours était injuste, puis Claudia (qui avait les yeux un peu rouges) a déclaré :

– J'ai fait quelque chose de terrible.

– Quoi ? avons-nous demandé d'une même voix.

– J'ai forcé Charlotte à s'inscrire au concours. Je lui ai

déjà présenté quatre fois mes excuses, ainsi qu'à ses parents, et ils ont été très gentils, mais je me sens quand même affreusement coupable.

– Mais non, tu ne l'as pas vraiment forcée à y participer, a fait remarquer Mary Anne. Tu ne l'as pas poussée de force sur scène.

– Non, a reconnu Claudia, mais j'ai quand même dû la convaincre de s'inscrire.

– Tu sais, j'ai fait la même chose avec Myriam, a avoué Mary Anne.

– Et moi avec Karen, a reconnu Kristy. Elles ont voulu participer à ce concours, mais c'est nous qui avons abordé le sujet, en espérant qu'elles réagiraient ainsi… et que nous pourrions alors prouver que nous étions de bonnes baby-sitters. Quelle idiotie ! Nous savons très bien que nous sommes de bonnes baby-sitters, sinon ce club ne marcherait pas !

Nous avons éclaté de rire. Mais nous ne pouvions oublier le concours. Pas aussi facilement. D'abord, il y a eu un article dans le journal, avec la photo de Sabrina, Myriam et Lisa. Puis, Myriam est allée effectuer ses achats à Toy City, et ils ont encore fait un article à ce sujet. Ensuite, la ville a organisé une fête en l'honneur de Sabrina (personne n'y a assisté parmi les gens que je connaissais, mais on a publié un nouvel article à ce sujet). J'étais chez moi un soir, en train de lire l'article en question, quand le téléphone a sonné.

– Je réponds ! ai-je crié à maman.

J'attendais un appel de Mary Anne à son retour du cinéma.

– Allô ?

La voix à l'autre bout du fil n'était pas celle de Mary Anne, mais celle de David !

– Salut, p'tit frère !

Papa et lui avaient déjà appelé deux fois et parlé à maman, mais à chaque fois je n'étais pas à la maison.

– Comment vas-tu ?

– Bien, très bien. Et toi ?

– Ça va. Dis-moi comment ça se passe. Comment va papa ? Et la Californie ?

– Papa va très bien, mais la Californie pas trop. Il y a eu une tempête terrible.

– Waouh ! Dommage, mais parle-moi de toi. Comment vas-tu vraiment ?

– Vraiment bien. J'aime l'école. Je ne me suis pas battu une seule fois.

– Tu aimes bien la dame que papa a engagée ?

– Elle est bien. Un peu sévère, parfois, mais c'est une bonne cuisinière. Devine quoi ? Mes anciens copains sont dans ma classe. Et ils sont tous dans l'équipe de football, alors je vais peut-être m'y inscrire.

– Et comment ça se passe entre papa et toi ? Vous vous entendez bien ?

– La vie de célibataires ? a plaisanté David. C'est super. Nous sommes allés à un match de foot. Et papa m'aide à faire mes maths. (Deux choses que ni moi ni maman n'avions jamais faites.) Surtout, j'ai l'impression d'être chez moi. C'est comme si Stonebrook n'avait jamais existé. Comme si ç'avait été seulement un mauvais rêve.

– Merci beaucoup !

– Oh, tu sais ce que je veux dire.

– Heureusement pour toi.

– Hé, Carla ? Papa veut te dire bonjour. Et après je voudrais parler à maman, d'accord ?

– D'accord... Bonjour, papa !

– Bonjour, mon petit soleil. (Mon père m'appelait ainsi quand j'étais petite. Si jamais mes amies avaient entendu ça... bon, je préfère ne pas penser à ce qu'elles auraient dit.) Comment va ma grande fille ?

– Bien. Tu me manques. A maman aussi. (Je n'en étais pas sûre, mais cette affirmation ne pouvait faire de mal à personne.)

J'ai bavardé encore quelques minutes avec papa, puis il a discuté avec maman, qui a ensuite parlé à David, et finalement, David a demandé à m'avoir à nouveau.

– Carla ? Je veux simplement te dire une chose. Hum... tu me manques.

– Toi aussi, tu me manques, ai-je répondu d'une voix étranglée.

– Salut, Carla.

– Salut, David.

Nous avons raccroché.

– Si nous faisions du pop-corn, ma chérie ? a proposé maman, en voyant mes yeux pleins de larmes.

– Bonne idée !

Une fois le pop-corn prêt, nous nous sommes assises sur le canapé du salon, le saladier entre nous.

– Tu sais quoi, maman ? C'était le David d'avant, au téléphone. Celui que je connaissais avant que nous ne quittions la Californie. Il semble bien plus heureux là-bas.

– Il est plus heureux, a-t-elle reconnu. Le laisser partir a peut-être été la décision la plus difficile que nous ayons eu à prendre, mais c'était la bonne.

– Je sais, ai-je soupiré.

– Je ne veux pas faire de sermon, a repris maman.

– Mais ? ai-je répliqué, ce qui l'a fait rire.

– Mais, a-t-elle poursuivi, la plupart des bonnes choses de la vie sont difficiles à obtenir. Si elles ne l'étaient pas, nous ne les apprécierions pas autant.

– Ouais, ai-je approuvé en hochant lentement la tête.

Le téléphone a sonné à nouveau.

– Oh, c'est Mary Anne ! Attends, je reviens tout de suite, maman. Je n'en ai pas pour longtemps.

Je me suis ruée dans la cuisine pour décrocher le téléphone :

– Allô, Mary Anne ! Oh, pardon… Claire ?

C'était Claire Pike. Elle ne m'avait encore jamais téléphoné.

– Devine quoi ! s'est-elle écriée. Il va y avoir un concours des plus beaux enfants au supermarché Bellair. Les gagnants présenteront des vêtements dans un grand défilé de mode. Maman dit que je pourrais y participer… si tu veux bien m'aider. Tu veux bien ? Tu veux, dis, Carla ?

« Oh non ! » ai-je pensé.

– Carla ?

– Je suis là.

– Le gagnant recevra un appareil photo aussi. Et un lot de pâte à modeler.

J'ai réfléchi et fini par dire :

– D'accord, Claire. Dis-moi ce qu'il faut faire.

En route pour une nouvelle aventure !

LE CLUB DES BABY-SITTERS

La meilleure amie de LUCY

Pour Gemma et Halie

La neige s'était remise à tomber.
Les spécialistes avaient beau dire que la planète se réchauffait, l'hiver était glacial. Avec d'abondantes chutes de neige.

Cela me convenait parfaitement : j'adore la neige. Et puis, quand il fait froid dehors, on est tellement bien au chaud chez soi. Je le ressens encore plus depuis que ma mère et moi, on habite une vraie maison, avec une cheminée qui marche. La semaine dernière, pendant qu'il neigeait (pour la énième fois depuis le début du mois de janvier), on s'est fait du pop-corn toutes les deux après le dîner et on l'a dégusté devant le feu. Pas de télévision, pas de radio, pas de musique. Rien que ma mère et moi, le pop-corn et le feu de bois. Vous trouvez cela tristounet ?

Eh bien, détrompez-vous. Nous avons passé une soirée tranquille, merveilleuse. Il se trouve que mes parents ont divorcé il y a quelques mois. Ma mère et moi avons emménagé ici à Stonebrook, dans le Connecticut. Bon, d'accord, on n'habite pas exactement au milieu des champs. Stonebrook est une petite ville. Mais à côté de New York, où j'ai grandi, et où je vais souvent voir mon père, c'est la campagne.

Je m'appelle Lucy MacDouglas. J'ai treize ans, je suis fille unique. Et maintenant – c'est officiel – je suis fille de divorcés. Comme je l'ai déjà dit, j'ai grandi dans la ville qu'on appelle la Grosse Pomme : New York. C'est ma ville natale, et je l'adore. Sous tous ses aspects. Ou presque. Évidemment, je n'aime pas les rats. Ni les cafards. Ni les agressions, ni les armes, ni la violence. Mais j'aime les musées, les monuments, les magasins, les théâtres et les restaurants. Sans oublier les gratte-ciel. Et les endroits secrets : petits squares, vieux immeubles en pierre, jardins que l'on découvre au détour d'une rue et qui ne sont mentionnés dans aucun guide. (Ça se voit que *I ♥ New York* ?)

Bref. Je suis née dans cette grande métropole, et j'y ai vécu avec mes parents jusqu'à ce que mon père soit muté dans le Connecticut, où on est venus s'installer. C'était au début de ma cinquième. A présent, je suis en quatrième au collège de Stonebrook. Mais je n'ai pas vécu uniquement dans le Connecticut l'an dernier. Non, ce serait trop simple. Voilà ce qui s'est passé : ça ne faisait même pas un an qu'on était à Stonebrook (c'est le temps qu'il m'a fallu pour m'adapter à la vie dans une ville de province et me faire quelques bonnes copines, dont une nouvelle meilleure amie) quand l'entreprise de mon père a décidé de le faire revenir à New York. Alors on a redéménagé. J'ai retrouvé ma vie d'avant. Un nouvel appartement, mais la même école privée, le même quartier de New York, et mon autre meilleure amie, celle de New York : Laine Cummings.

Puis c'est arrivé. Ce que je redoutais depuis quelques années, depuis qu'il y avait eu des séparations chez les parents de mes amies. Mes propres parents ont commencé à se disputer. Et ils ont fini par l'annoncer officiellement : ils divorçaient eux aussi. Pour corser le tout, mon père a décidé de rester à New York (en prenant un appartement plus petit), tandis que ma mère a voulu retourner à Stonebrook. Quant à moi, j'ai dû choisir l'endroit où je voulais vivre. Autrement dit, choisir entre mes deux parents. Après avoir beaucoup réfléchi (et pleuré et culpabilisé), j'ai décidé de retourner dans le Connecticut. Mais mes parents m'ont promis tous les deux que je pourrais aller à New York voir mon père aussi souvent que je le voudrais. Me voilà donc à Stonebrook, dans une petite maison que je partage avec ma mère.

Pourquoi ai-je choisi le Connecticut plutôt que la Grosse Pomme ? C'est surtout parce que j'ai plein d'amies ici. Lors de mon premier séjour à Stonebrook, j'ai rejoint le Club des baby-sitters (je vous expliquerai plus tard). Il compte sept membres en tout : moi et six autres filles qui vont au collège de Stonebrook. Je suis amie avec toutes les six. Et l'une d'elles, Claudia Koshi, est cette nouvelle meilleure amie à laquelle j'ai fait allusion.

C'est vrai que mon père, New York et Laine Cummings me manquent, mais la Grosse Pomme, ce n'est pas loin d'ici en train.

Cet après-midi où il neigeait était un mercredi. Mes amies et moi, on avait une réunion du Club des baby sitters ; comme elle ne commençait que deux heures plus tard, j'ai décidé de faire mes devoirs. Pendant la semaine, je garde souvent des enfants l'après-midi, mais ce jour-là, j'étais libre. J'ai sorti mon livre de maths. J'adore les maths (c'est sérieux : j'aime vraiment ça). Avant même que j'aie pu l'ouvrir, le téléphone a sonné. J'ai foncé dans la chambre de ma mère et j'ai décroché le combiné.

– Allô ?

– Salut, Anastasia ! C'est moi !

– Laine ! Salut... Pourquoi tu m'appelles Anastasia ?

– Je ne sais pas. Sans doute parce que ça fait moins gamine que Lucy.

– Si tu le dis.

Moi, je n'aime pas trop qu'on m'appelle par mon deuxième prénom, mais si ça lui faisait plaisir...

J'ai essayé de me représenter Laine. Elle devait être pelotonnée dans le fauteuil à côté de son téléphone. (Notez bien que j'ai dit *son* téléphone. Elle a sa propre ligne. Comme Claudia, mon autre meilleure amie.)

– Comment vas-tu ? m'a demandé Laine.

– Bien. Et toi ?

– La super forme ! Je n'arrête pas de penser aux prochaines vacances. C'est bientôt, tu sais. Une semaine enrobée de deux week-ends. Neuf grandes journées de liberté, du samedi 7 au dimanche 15 février. Je ne tiens plus en place.

J'ai souri. Les vacances sont toujours un grand moment pour Laine. Et comme mes parents étaient amis avec les siens, on est déjà parties ensemble. Enfin, sa famille et la mienne.

– Et tu fais quoi pendant ces neuf grandes journées ? ai-je demandé.

Laine a soupiré.

– J'hésite entre plusieurs possibilités.

– Pauvre chou.

Ça l'a fait rire.

– Voyons voir. Je pense rester ici, tout simplement. Il y a plein de soirées en perspective. Et King sera là. On pourra aller à ces fêtes ensemble. Il s'entend très bien avec mes amis. La différence d'âge n'a pas l'air de le déranger, tu sais.

Je ne savais pas. Laine et moi sommes amies, mais ce n'est pas comme si on se voyait tous les jours, comme du temps où l'on fréquentait toutes les deux la même école.

– Hum... qu'est-ce que tu veux dire par différence d'âge ?

– Eh bien, King a quinze ans. Je ne te l'ai pas dit ?

La dernière fois qu'on s'était téléphoné, c'était la veille du nouvel an. Si Laine m'avait parlé d'un type de quinze ans qui s'appelait King, je m'en serais sûrement souvenue. On n'oublie pas des choses pareilles.

– Non, je ne pense pas que tu m'aies parlé de lui.

– Ah bon. Il va au lycée Rudy-Matthews, juste en face. (Laine voulait dire juste en face de son collège à elle.) Je l'ai connu à une fête. Il a les cheveux longs, en queue de cheval : je trouve ça trop craquant. Bref, ça fait quinze jours qu'on sort ensemble. On a hâte d'être en vacances. Il a plein de copains qui ont prévu des soirées, donc je vais sans doute côtoyer pas mal de gens du lycée.

Ça alors ! Un petit ami plus âgé qu'on surnommait King. Des copains au lycée. J'étais impressionnée.

– Mais je ne sais pas trop quoi faire, a poursuivi Laine. Mon collège propose une semaine de ski et, si je veux, ma tante Mona et mon oncle Edgar m'offrent un billet d'avion pour aller les rejoindre en Floride : ils ont acheté un appartement avec vue sur la plage.

Soudain, j'ai eu une idée de génie. Ça m'est venu comme ça, d'un seul coup.

– Hé ! J'ai une meilleure idée. Pourquoi tu ne viendrais pas passer tes vacances à Stonebrook ? Ce serait super ! On ne sera pas encore en vacances, mais tu verras Claudia et les autres. Et tu n'es encore jamais venue ici. Tu ne connais ni la maison, ni la ville, ni mon collège. Tu n'as pas envie de revoir mes amies ? (Laine avait déjà rencontré plusieurs fois les membres du Club des baby-sitters.) Tu pourrais peut-être assister à quelques cours au collège. Ah, et aussi faire la connaissance des petits dont on s'occupe. Laine, ce serait flashant !

– Ce serait quoi ?

– Flashant. Ah oui, c'est vrai : c'est une expression qu'on a inventée, mes amies et moi. Ça veut dire vraiment génial.

Laine a marqué une pause.

– Je ne sais pas, Lucy.

– Oh, viens me voir, Laine. S'il te plaît !

Je me suis tue quand j'ai compris que je parlais comme une petite fille. Et que je ferais mieux de demander l'avis de ma mère avant que Laine accepte mon invitation.

– Laine ? Réfléchis, tu veux bien ? Je vais demander la permission à ma mère. Je te rappelle vers cinq heures. Avant la réunion des baby-sitters.

Bon, rien de plus facile que d'obtenir la permission de

ma mère. Comme je l'ai dit, elle est très amie avec celle de Laine. Ma mère connaît Laine depuis sa naissance, et elle la trouve adorable. L'idée de la recevoir quelques jours n'a donc pas posé le moindre problème.

Quand j'ai rappelé Laine (à cinq heures tapantes), j'ai tout de suite dit :

– Tout est réglé. On a le feu vert. Tu peux venir !

– OK..., a-t-elle répondu lentement.

– Tu viens, c'est d'accord ? Génial ! Comment vais-je faire pour attendre le 7 février ? J'ai l'impression que c'est dans dix ans !

J'ai continué à bavarder jusqu'à ce que Laine s'exclame :

– Tu n'avais pas une réunion du Club des baby-sitters ou un truc dans le genre ?

– Si, tu as raison. Il faut que je raccroche. Je te rappelle dans quelques jours pour qu'on se mette d'accord. Salut, Laine, à bientôt !

J'ai reposé le combiné. Mais, comme j'avais encore un peu de temps avant la réunion, j'ai commencé à penser à ce que Laine aimerait faire à Stonebrook. Elle pourrait passer une journée au collège. Faire du baby-sitting avec moi. Elle ferait peut-être la connaissance de Charlotte Johanssen ; de tous les enfants que je garde, c'est elle que je préfère. Nous pourrions faire les magasins ensemble. Aller au cinéma. Dommage qu'il n'y ait pas plus de restaurants ici. Laine aime bien manger dehors. A New York, elle n'a que l'embarras du choix. Mais pas ici.

En ce qui me concerne, ce n'est pas plus mal. Je dois sans cesse faire attention à ce que je mange. Je suis un régime assez strict, car j'ai du diabète. Une forme assez grave de diabète. Cela veut dire que je n'assimile pas le sucre de la même manière qu'une personne normale. Je dois donc m'abstenir de manger des desserts et des sucreries (j'ai quand même droit aux fruits), et me faire des piqûres d'une substance appelée insuline. Et une fois par jour, je contrôle le taux de sucre que j'ai dans le sang : si j'en ai trop ou pas assez, ça peut avoir de graves conséquences pour moi. Inutile de vous dire que manger n'est pas mon passe-temps favori.

Laine et moi, on a eu notre dispute la plus mémorable il y a sept ans, quand j'ai appris que j'étais malade. Elle n'avait rien compris et croyait que c'était contagieux. Toujours est-il qu'on a fini par se réconcilier. Comme on s'est réconciliées après d'autres disputes. Certaines amitiés fonctionnent ainsi : on se brouille, on se rabiboche, et ça recommence.

Je suis sortie de ma chambre comme une flèche. C'était l'heure de la réunion du club. Et accessoirement, l'heure de retrouver mon autre meilleure amie.

2

Je savais que Claudia serait ravie d'apprendre la venue de Laine à Stonebrook. Comme je l'ai dit précédemment, Laine a déjà rencontré mes amies baby-sitters.

En effet, la plupart d'entre elles sont déjà allées plusieurs fois à New York. Car, en dehors des réunions du club, on a beaucoup d'activités communes.

Une des choses que j'aime bien, c'est que les filles du club forment un grand groupe d'amies. Parfois, je me dis que c'est encore plus important que d'avoir une activité de baby-sitting qui marche bien et qui nous rapporte de l'argent de poche. Même si ce n'est pas non plus négligeable. Le Club des baby-sitters, au départ, c'est une idée de Kristy Parker. C'est la présidente du club à présent. Elle a su transformer toutes les gardes d'enfants qu'on nous proposait en un service organisé. Son raisonnement était le suivant : quand un père ou une mère a besoin de quelqu'un pour garder son enfant, il gagne du temps en passant un seul coup de fil qui lui donne accès à tout un groupe de baby-sitters. Sur le lot, il y en a sûrement une qui est disponible !

Le Club des baby-sitters a commencé à fonctionner avec quatre membres : Kristy, Claudia Koshi, Mary Anne Cook et moi-même. Carla Schafer a vite rejoint le club. Puis Jessica Ramsey et Mallory Pike (deux sixièmes) sont venues compléter l'équipe. Toutes les sept, on se réunit trois fois par semaine, les lundis, mercredis et vendredis après-midi de cinq heures et demie à six heures. Les parents savent qu'ils peuvent nous appeler à ce moment-là pour trouver une baby-sitter compétente. Comment sont-ils au courant ? Nous faisons de la publicité. Nous avons distribué des prospectus et passé une annonce dans le journal local. Notre activité est en plein essor !

Plusieurs facteurs expliquent le succès du club. Le principal, à mon avis, c'est que Kristy s'en occupe d'une manière très professionnelle, comme s'il s'agissait d'une véritable entreprise. Chaque membre du club a une fonction et des responsabilités bien précises. Claudia est vice-présidente, Mary Anne secrétaire, moi, je suis trésorière et Carla exerce la fonction de membre suppléant. Quant à Jessica et Mallory, ce sont des baby-sitters juniors. Avant que vous voyiez le club en plein travail, laissez-moi vous parler un peu de chacun de ses membres, de son histoire et du rôle qu'il joue au sein du club.

En tant que présidente, Kristy ne se contente pas de diriger le club, elle a sans cesse de nouvelles idées. C'est à elle que nous devons le journal de bord, par exemple. Il y a bien longtemps (OK, c'était l'année dernière. La plupart des baby-sitters avaient douze ans et étaient en cinquième), elle s'est dit que ça pourrait nous être utile de rendre compte de nos baby-sittings dans un cahier. Désormais, chaque fois qu'une de nous garde des enfants, elle écrit quelques lignes dedans. Une fois par semaine, nous devons le lire pour voir comment se sont passées les gardes, comment les autres baby-sitters ont résolu leurs problèmes, quels sont les événements nouveaux dans la vie des enfants que nous garderons peut-être à notre tour.

L'agenda du club, c'est aussi une de ses idées. Pour nous, c'est important de savoir où nous en sommes. L'agenda contient le nom, l'adresse et le numéro de téléphone de nos clients, le tarif qu'ils proposent et l'âge de leurs enfants. On y trouve aussi les dates et les horaires des gardes pour lesquelles chacune de nous s'est engagée.

Et puis nous avons des coffres à jouets. Kristy n'aurait pas pu trouver mieux pour plaire aux enfants. Chacune de nous a son propre coffre à jouets. C'est une simple boîte en carton peinte et décorée, qui renferme plein de petits objets dont les enfants raffolent : quelques-uns de nos vieux jouets, des jeux, des livres, des albums de coloriage, des feutres et des crayons de couleur, etc. Quand on les apporte avec nous lors de nos baby-sittings, les petits sont ravis. Ce qui est génial ! Des enfants satisfaits, ça veut dire des parents satisfaits et donc prêts à rappeler le Club des baby-sitters pour de futures gardes ! Mais que ferait le club sans Kristy ?

Kristy a une famille peu banale. Elle habite avec sa mère, son beau-père, ses trois frères (Samuel et Charlie, tous deux au lycée, et David Michael, qui vient d'avoir sept ans), sa grand-mère, sa sœur adoptive, Emily Michelle, deux ans et demi, et (mais pas tout le temps) sa demi-sœur Karen et son demi-frère Andrew, sept et quatre ans. Avant que la mère de Kristy rencontre Jim (le beau-père de Kristy), les Parker vivaient dans une maison toute simple en face de chez Claudia. Puis Jim est arrivé dans leur vie, et ils ont emménagé dans son immense villa à l'autre bout de la ville (Jim est milliardaire).

La vie de Kristy a changé du jour au lendemain, mais je crois qu'elle s'est bien adaptée à ce changement, et qu'elle s'est habituée à Jim. Kristy est quelqu'un de très fort (en fait, elle peut se montrer terriblement têtue). Elle a un caractère très ouvert, elle aime bien discuter, et a toujours d'excellentes idées. Elle a aussi des côtés garçon manqué : elle adore le sport, et elle porte tout le temps un jean, des baskets et un T-shirt, parfois même un pull et une casquette de base-ball. Elle a d'ailleurs créé une équipe de base-ball pour les petits. Ils se sont baptisés les Imbattables, par opposition aux Invincibles, l'équipe de Bart Taylor. Et vous savez quoi ? Kristy et Bart commencent à aller ensemble à des fêtes et à partager d'autres activités... Bref, on peut dire que c'est son petit ami (mais surtout pas devant elle !). Physiquement, elle n'est pas très grande – c'est la plus petite de sa classe –, elle a des yeux marron et des cheveux bruns mi-longs.

La meilleure amie de Kristy, c'est Mary Anne Cook, la secrétaire du Club des baby-sitters. Mary Anne ne manque pas de travail : c'est elle qui tient l'agenda du club, ce qui veut dire qu'elle doit coordonner tous les rendez-vous. Pour cela, il lui faut connaître l'emploi du temps des unes et des autres, et ce n'est pas chose facile ! Elle doit savoir quand Kristy entraîne les Imbattables, quand Claudia va à ses cours de dessin, quand Mallory a rendez-vous chez l'orthodontiste. Mary Anne est quelqu'un de soigneux et de très organisé ; elle est parfaite dans ce rôle.

A votre avis, la meilleure amie de Kristy Parker est-elle aussi ouverte et impulsive qu'elle ? Eh bien, pas du tout. Kristy et Mary Anne ont beau être très proches, Mary Anne est une fille timide, calme, pas très sûre d'elle et terriblement romantique. Elle pleure très facilement : il suffit qu'on fasse allusion à *Autant en emporte le vent* ou à *Love Story* pour qu'elle ait la larme à l'œil. Parmi les baby-sitters, elle a été la première à avoir un petit ami et, quand on y pense, ce n'est pas si étonnant.

Malgré leurs différences, elles se ressemblent pas mal. Mary Anne est petite elle aussi (mais pas autant que Kristy), et c'est une brune aux yeux marron. Toutefois, elle met des lunettes pour lire. Et son père, qui est quelqu'un de très sévère, ne la laisse pas suivre la mode de trop près mais, depuis peu, elle a quand même gagné le droit de porter des couleurs vives, des jeans et des bijoux fantaisie.

Mary Anne habite avec son père, sa belle-mère et sa demi-sœur (sa mère est morte il y a longtemps). Et cette demi-sœur c'est... Carla Schafer, l'autre meilleure amie de Mary Anne (elle est comme moi : elle a deux meilleures amies). Vous imaginez, votre meilleure amie qui devient soudain votre demi-sœur ? Moi, j'ai du mal. Quoique, je me dis parfois que je pourrais bien avoir une demi-sœur un de ces jours. Qui sait, si mon père ou ma mère se remarient ? Quoi qu'il en soit, Mary Anne, son père et son chaton Tigrou ont emménagé récemment dans la vieille ferme de Carla, et Mary Anne est contente de vivre au sein d'une grande famille pour la première fois de sa vie.

A présent, il est temps que vous fassiez la connaissance de ma meilleure amie de Stonebrook, Claudia Koshi. Si nous l'avons élue vice-présidente du Club des baby-sitters, c'est avant tout parce que les réunions du club ont lieu dans sa chambre. Ce qui signifie qu'on l'envahit plusieurs fois par semaine, qu'on lui mange ses chips et ses bonbons, et qu'on monopolise son téléphone. Comme Laine, elle possède sa propre ligne. C'est ce qui nous a amenées à choisir sa chambre comme quartier général du club. On peut utiliser son téléphone pendant les réunions sans se soucier de savoir si quelqu'un d'autre a besoin de passer un coup de fil urgent.

Claudia est née à Stonebrook et elle y a grandi. Elle vit avec son père, sa mère et sa sœur aînée Jane dans une grande maison. Elle est très douée pour les disciplines artistiques : elle fait du dessin, de la peinture, de la sculpture, des bijoux. Malheureusement, elle ne travaille pas très bien à l'école. Elle pourrait si elle le voulait, parce que c'est une fille intelligente. Mais les études ne l'intéressent pas beaucoup.

Claudia a deux passions : les friandises et les romans d'Agatha Christie. Comme ses parents ne partagent pas ses goûts, elle s'obstine à cacher livres et sucreries dans tous les recoins de sa chambre. Si vous soulevez son oreiller, vous découvrirez des Mars. Dans le tiroir de son bureau, vous trouverez des paquets de chips. Et si vous plongez la main dans le désordre de son armoire, vous tomberez peut-être sur *Le Crime de l'Orient-Express*. Claudia est comme ça.

Dommage que je ne puisse pas vous la montrer. C'est un vrai top model, très typé : elle est américano-japonaise. Elle a de longs cheveux noirs et soyeux. Et des yeux noirs en amande. Grande et mince, elle s'habille avec goût. C'est quelque chose que nous partageons, elle et moi. Si je puis me permettre, nous avons des goûts assez originaux. L'une comme l'autre, nous aimons les tenues un peu folles : santiags, minijupes, T-shirts superposés, chapeaux... Et nous faisons très attention à nos ongles, notre maquillage et nos cheveux. Je vais souvent chez les coiffeur, j'adore avoir une coupe à la mode. Claudia aime bien changer de coiffure. Et elle raffole des accessoires – pinces, chouchous, bandeaux. Vous savez ce qui est marrant ? C'est que Claudia et moi, on passe beaucoup de temps à parler des garçons, mais que nous n'avons de petit ami ni l'une ni l'autre (soupir).

Puisqu'on parle de moi, laissez-moi vous décrire mon rôle au sein du Club des baby-sitters. En tant que trésorière, je suis chargée de percevoir les cotisations lors de nos réunions du lundi. Comme j'aime bien les maths, je tiens les comptes sans trop me tromper. Je distribue au compte-gouttes l'argent dont nous avons besoin. En général, il permet d'acheter des fournitures pour les coffres à jouets, de payer le frère de Kristy, qui la conduit à nos réunions et revient la chercher après, depuis qu'elle a déménagé à l'autre bout de la ville, ou encore de régler les factures de téléphone de Claudia.

Nous avons décidé de nommer Carla membre suppléant du club (enfin, c'est Kristy qui a eu cette idée, comme d'habitude). Elle remplace n'importe quel autre membre du club quand il ne peut assister à une réunion. Cela ne se produit pas très souvent (il nous arrive rarement de manquer une réunion). Malgré tout, Carla doit bien connaître les attributions de la présidente, de la vice-présidente, de la secrétaire et de la trésorière. Elle a fait du très bon travail jusqu'à présent.

Comme moi, Carla n'est pas originaire de Stonebrook. Elle s'est installée ici quand elle était en cinquième. Ses parents étaient en instance de divorce, et sa mère voulait revenir vivre dans la ville où elle avait grandi. En plein milieu de l'année scolaire, elle a donc quitté la Californie pour venir s'installer ici avec Carla et son jeune frère David. Cela n'a pas été facile, mais Carla et sa mère se sont adaptées assez vite. David a eu beaucoup plus de mal, et il a fini par retourner auprès de son père en Californie. Il est plus heureux là-bas. Il manque beaucoup à Carla, évidemment, mais elle aussi est plus heureuse depuis que sa mère a épousé le père de Mary Anne. Du jour au lendemain, elle s'est retrouvée avec une deuxième famille. Carla est assez facile à vivre. C'est l'une des raisons pour lesquelles Mary Anne s'entend bien avec elle. Mais elle a quand même son petit caractère. En général, elle fait ce qu'elle a envie de faire, sans se soucier de ce que les autres vont penser d'elle (ce qui ne veut pas dire qu'elle s'en moque, elle sait ce qu'elle veut, c'est tout).

Carla est une jolie fille. Elle est mince, avec de grands yeux bleus, quelques taches de rousseur, et de très longs cheveux blonds. Côté vêtements, elle a son style, assez mode mais décontracté (elle cherche à être à l'aise tout en soignant son look).

Ne vous inquiétez pas ! Je n'ai pas oublié nos deux baby-sitters juniors : Mallory et Jessica (elles ont onze ans et sont en sixième). Le terme « junior » veut dire qu'elles sont plus jeunes et que leurs parents ne leur permettent pas de garder des enfants le soir, à part leurs propres frères et sœurs. Elles interviennent surtout l'après-midi et le week-end.

Jessica et Mallory font de parfaites baby-sitters. Elles sont à bonne école : l'une et l'autre ont des frères et sœurs plus jeunes qu'elles. Mallory en a sept au total, ce qui n'est pas rien ! Jessica a une petite sœur et un petit frère qui n'est encore qu'un bébé.

Elles ont beaucoup de choses en commun et sont très amies. Elles aimeraient bien que leurs parents cessent de les considérer comme des bébés. Et toutes deux adorent lire, surtout des histoires de chevaux. Mallory a aussi un penchant pour les romans policiers. Quant à Jessica, elle fait de la danse ; elle est très douée et a déjà participé à pas mal de spectacles. Mallory est un écrivain en herbe. Elle aimerait bien écrire des livres pour enfants un jour ou l'autre, peut-être même les illustrer.

Physiquement, Jessica et Mallory ne se ressemblent pas du tout. Jessica a la peau couleur d'ébène, des yeux et des cheveux noirs. Mallory a le teint pâle, des yeux bleus, des cheveux roux indomptables, et elle porte des lunettes. Ses parents disent qu'elle est trop jeune pour mettre des lentilles de contact. Mais ils l'ont quand même autorisée à se faire percer les oreilles (et les parents de Jessica ont cédé à leur tour).

Mes yeux ont parcouru la chambre de Claudia. Son réveil, qui donne l'heure officielle du Club des baby-sitters, indiquait dix-sept heures vingt-cinq. Les sept principaux membres du club étaient déjà là. Au fait, j'ai oublié de dire que le club compte deux autres membres, qui n'assistent pas aux réunions. Ce sont des membres intérimaires, très sérieux, auxquels nous pouvons faire appel si jamais on nous propose une garde et qu'aucune d'entre nous n'est disponible. Vous savez qui sont ces membres intérimaires ? Logan Rinaldi, le petit ami de Mary Anne, et Louisa Kilbourne, nouvelle voisine et amie de Kristy.

Nous occupions nos places habituelles. Mallory et Jessica étaient assises par terre, adossées au lit de Claudia. Mary Anne, Claudia et moi étions sur le lit, appuyées au mur. Assise à califourchon sur le fauteuil en bois de Claudia, le menton posé sur le dernier barreau, Carla mâchonnait le bout d'un stylo. Quant à Kristy, notre présidente, elle trônait sur le fauteuil de metteur en scène de Claudia, son fauteuil de présidente. Un crayon derrière l'oreille, elle fixait le réveil d'un air impatient, attendant qu'il marque cinq heures et demie.

– Salut tout le monde, ai-je dit. Je suis contente que vous soyez là en avance. Vous savez quoi ?

– Quoi ? a demandé Jessica.

– Dans une quinzaine de jours, on a de la visite.

– Qui ça, on ?

C'était Claudia. Elle a cessé de se tortiller les cheveux.

– Eh bien, je viens d'avoir Laine au téléphone.

Je leur ai expliqué ce que j'avais prévu.

– Flashant ! s'est exclamée Mallory. J'ai hâte de la revoir.

– Hé, elle sera là pour le bal de la Saint-Valentin, non ? Il doit avoir lieu vendredi 13.

Mary Anne a marqué une pause, avant de reprendre :

– Oh, là, là ! Prévoir un bal un vendredi 13 ! Qui a eu une idée pareille ?

– Nos profs, qui veux-tu que ce soit d'autre ? a dit Kristy.

– Le bal de la Saint-Valentin ! Je n'y avais même pas pensé ! me suis-je exclamée en me frappant le front. Cool ! Du coup, elle sera là aussi le jour de la Saint-Valentin. On va bien s'amuser.

Mallory s'est éclairci la gorge. Elle a retiré son chewing-gum de sa bouche.

– Euh, j'ai quelque chose à vous annoncer. Ben m'a invitée au bal.

Sincèrement, cela ne m'a pas vraiment surprise. Ben Hobart (qui habite en face de chez Claudia, dans l'ancienne maison de Mary Anne) avait déjà accompagné Mallory à la dernière soirée du collège. Quoique, à onze ans, on ne doive pas s'attendre à ce que les histoires d'amour durent bien longtemps.

– C'est super, Mallory, a fait Kristy. Moi, j'y vais avec Bart.

– Et moi avec Logan, s'est empressée d'ajouter Mary Anne.

– Quelle surprise ! s'est esclaffée Carla.

En fait, nous avions toutes été invitées au bal. Carla, Claudia et moi, nous y allions avec des garçons qui étaient de simples amis. Jessica sortait avec un garçon de cinquième et elle était tout excitée chaque fois qu'elle prononçait son nom : Curtis Shaller. Peut-être parce qu'elle était fière de sortir avec un garçon plus âgé. Ou bien parce qu'elle était tout simplement soulagée d'avoir trouvé quelqu'un pour l'accompagner au bal, sachant que Léo, son petit copain officiel, ne serait pas là (il habite New York).

– Un peu de silence, s'il vous plaît !

La voix de Kristy m'a fait sursauter. La réunion commençait.

Elle s'est déroulée à peu près normalement. Je dis « à peu près », parce qu'il s'est passé quelque chose d'inhabituel. Kristy a eu une de ses idées de génie. Elle en a souvent, comme je l'ai déjà dit, mais quand même pas à chaque réunion. Nous étions en train de prendre des appels, de faire le planning et de comparer nos emplois du temps quand Kristy s'est levée d'un bond.

– Ouais ! Je viens d'avoir une super idée ! La Saint-Valentin tombe un samedi cette année. Si on faisait une fête pour les enfants qu'on connaît ? Je suis sûre qu'ils adoreraient. Ils pourraient s'échanger des petits mots, et on pourrait leur acheter des cœurs en pain d'épice.

Kristy était tout excitée. Comme d'habitude, son idée était fantastique. Une fête, ça ferait de la publicité au club. Et surtout, les enfants seraient ravis.

La journée avait été bien remplie !

3

Samedi
Jour de pluie chez les Pike.

Hé, Lucy, arrête de râler. N'oublie pas que je suis en face de toi. Moi, Mallory. Et que, moi aussi, je suis une Pike. Et je ne dis pas ça pour

(Au cas où vous n'auriez pas compris, je viens d'arracher le stylo des mains de Mallory.) Bien entendu, je ne voulais pas dire de mal d'elle.

Alors ce sont mes frères et sœurs qui t'embêtent ?

Non, pas du tout. OK. Je recommence : ce merveilleux samedi, il pleuvait à verse. Mallory et moi, nous gardions ses charmants petits frères et sœurs... Ça te va, comme ça, Mal ?

Oui, je te remercie.

Les petits Pike. Rappelez-vous : Mallory est l'aînée de huit enfants. Et moi, je suis fille unique. Et je me verrais difficilement vivre au milieu d'une aussi nombreuse maisonnée.

Laissez-moi vous présenter le reste de la tribu Pike : Claire, cinq ans, est la plus petite. Elle est très forte pour faire l'imbécile. Margot a sept ans. C'est la meilleure amie de Claire. Ce doit être très agréable d'avoir sa meilleure amie au sein de sa propre famille. Claire et Margot ont de la chance (de même que Mary Anne et Carla). Bref. Avant Margot, il y a Nicky, huit ans. Il se sent parfois un peu à l'écart. Ses frères, plus vieux que lui, l'envoient souvent promener, et il n'a pas envie de rester en compagnie d'une « bande de gonzesses », selon ses propres termes. En tout cas, Nicky est un garçon sympa, et il a plein d'amis dans le quartier. Vanessa, neuf ans, est la poétesse de la famille (les Pike sont plutôt doués pour l'écriture). Elle passe son temps à rêvasser, la tête dans les nuages. Bon, je sais, vous vous demandez comment il se peut que les Pike aient huit enfants, sachant que l'aîné a onze ans et la cadette cinq ans, et qu'entre Vanessa et Mallory, il y a juste la place pour un autre enfant ? Bonne question. Le truc, c'est qu'il y a trois Pike de dix ans : les triplés ! Ils s'appellent Jordan, Adam et Byron. Quelle équipe !

Huit jours exactement s'étaient écoulés entre le moment où j'avais invité Laine à venir passer ses vacances à Stonebrook et cette journée de baby-sitting chez les Pike. Depuis, l'idée d'organiser une fête pour la Saint-Valentin avait fait son chemin.

A notre réunion du lundi, Jessica avait pris la parole :

– Autrefois, pour la Saint-Valentin, je crois qu'on s'envoyait des billets doux sans mettre son nom dessus. Vous savez, des petits mots anonymes, du style : « Joyeuse Saint-Valentin, mon petit canard en sucre. Avec tout mon amour. Signé : devine qui. »

Nous avions éclaté de rire et Mary Anne avait ajouté :

– Oh, mais ça me donne une idée. Et si, pendant la fête, les enfants s'échangeaient des mots signés d'un nom de code ? On pourrait leur dire à l'avance quels sont les autres invités, afin qu'ils préparent une carte pour chacun d'eux. Comme ça, ça leur donnerait une occupation rigolote pour la semaine qui précède la Saint-Valentin. On sait bien qu'ils ne tiennent pas en place quand ils savent que les vacances approchent. Ils pourraient apporter leurs cartes à la fête. Chaque invité ouvrirait celles qui lui sont destinées en essayant de deviner de qui elles viennent.

– C'est une idée géniale ! avait commenté Carla.

Mais Claudia était intervenue d'un air pensif :

– Alors les enfants qu'on invite doivent être assez vieux pour savoir lire. La fête ne devrait s'adresser qu'aux plus de six ans.

– Oh, je vous en prie, faites que les petits de cinq ans puissent y assister aussi, avait gémi Mallory. Si Claire est la seule de la famille à ne pas pouvoir venir, on n'a pas fini d'en entendre parler !

– Qui t'a dit que ta famille était invitée ? avait répliqué Kristy.

Mais tout le monde savait qu'elle plaisantait. Puis elle avait ajouté d'un ton résigné :

– D'accord, tous les enfants à partir de cinq ans sont invités.

Tout le monde avait poussé des hourras.

A ce moment-là, le téléphone avait sonné, si bien que nous n'avions pas pu continuer à parler de la fête. Pour le reste – le choix des jeux et la composition du buffet – nous avions encore un peu de temps devant nous. La chose à faire sans tarder, c'était d'envoyer les invitations.

Claudia avait proposé de s'en occuper :

– Je vais faire un joli dessin, puis je demanderai à ma mère de le photocopier à la bibliothèque (Mme Koshi est conservatrice à la bibliothèque de Stonebrook).

Néanmoins, le samedi suivant, Claudia n'avait toujours pas lancé les invitations. Pour ma part, je pense que c'était mieux comme ça. Attention, ne vous méprenez pas ! Claudia est l'une de mes deux meilleures amies, et je l'adore. Mais l'orthographe n'est vraiment pas son fort. Si elle avait rédigé les invitations, ça aurait sans doute donné quelque chose comme :

Vené fété la saint-valantin
avec le Clube des babi-sitteurs!

Quand j'ai débarqué chez les Pike ce samedi-là pour garder les enfants en compagnie de Mallory, nous n'avions toujours pas nos invitations pour la fête. Ah oui, au cas où vous vous poseriez la question, nous n'avons pas l'habitude de faire du baby-sitting à deux, mais M. et Mme Pike tiennent absolument à ce qu'on soit deux pour garder leurs sept petits. Et ça se comprend parce que ça fait du boulot !

Il avait plu toute la matinée. Et rien ne laissait prévoir une amélioration.

– Les enfants vont être surexcités, ai-je dit à ma mère en me dirigeant vers la porte de derrière. S'ils sont restés enfermés toute la matinée...

Elle m'a souri.

– Tu trouveras bien quelque chose, je ne m'inquiète pas (c'est grâce à ma mère que je ne manque pas trop de confiance en moi).

– Bon... A ce soir !

J'ai traversé le jardin d'un trait. Ma maison est située juste derrière celle de Mallory. Nos fenêtres de derrière se font face, et nos deux jardins ne sont séparés que par un parterre de fleurs.

Pliée en deux sous mon parapluie, j'ai foncé chez les Pike et j'ai pénétré dans le hall.

– Il y a quelqu'un ?

– Lucy ? a fait la voix de Mallory, quelque part au premier étage.

Elle a dévalé l'escalier pour venir à ma rencontre.

– Où sont-ils tous passés ?

– Mon père et ma mère sont dans le salon. Ils s'apprêtent à partir.

– Mais où sont les petits ?

– Je préfère ne pas te le dire.

– Comment ça ? La maison est étrangement calme, ai-je dit d'une voix hésitante.

Mallory a hoché la tête.

– Ils sont là-haut dans la salle de bains. Ils font des expériences dans la baignoire. Enfin, tous sauf Nicky.

– Et ils ont la permission ?

– Oui, hélas.

– Où est Nicky ?

– Quelque part dans le coin. On ne l'a pas beaucoup entendu aujourd'hui.

Hum.

Quelques minutes plus tard, lorsque M. et Mme Pike ont quitté la maison, Mallory et moi, on s'est aventurées au premier étage et on a jeté un coup d'œil dans la salle de bains. La baignoire était pleine d'eau, de bateaux improvisés et d'éponges, mais les enfants étaient juste assis tout autour, immobiles. Ils avaient l'air à court d'idées. J'ai proposé de vider la baignoire.

Personne ne s'y est opposé. Pendant que l'eau s'engouffrait dans le tuyau d'écoulement, Mallory a pris la parole :

– Bon, qu'est-ce que vous comptez faire cet après-midi, vous autres ?

Pour toute réponse, elle a obtenu six haussements d'épaules.

– Dommage que ce ne soit pas encore la Saint-Valentin, vous pourriez commencer à fabriquer vos cartes.

– Ben, a dit Vanessa, on pourrait peut-être prendre de l'avance.

– Attendez, j'ai une meilleure idée ! me suis-je exclamée. Ça vous dirait de nous aider à faire les invitations pour la fête de la Saint-Valentin ?

– Pour votre fête à vous ? a dit Margot.

Le visage de Mallory s'est illuminé.

– Super ! On a du bristol, de la colle et d'autres bricoles. Vous pouvez découper les cartes. Lucy et moi, on notera toutes les informations nécessaires dessus. Qu'est-ce que vous en dites ?

Mallory a reçu diverses réponses, allant de « Ouais, ce serait marrant ! » (Claire) à « Ah, la corvée ! » (Adam, qui plaisantait.) Quant à Nicky, qui venait d'entrer dans la salle de bains d'un pas nonchalant, il n'a fait aucun commentaire.

Mallory et moi, on a recouvert la table de vieux journaux, on a posé les fournitures dessus, et on a laissé les enfants se mettre au travail. Nous étions occupées à leur donner des instructions quand, je ne sais trop pourquoi, j'ai décidé de compter ceux qui étaient autour de la table.

Bon sang !

Il manquait quelqu'un.

– Où est passé Nicky ?

– Je ne sais pas. Il a déjà disparu ? Il est bizarre depuis ce matin.

– Je vais le chercher.

J'ai regardé dans le hall et dans la salle de bains. Pas de Nicky. Puis je me suis approchée de la chambre des garçons. La porte était fermée.

J'ai frappé.

– Nicky ? C'est moi, Lucy.

– Je t'interdis d'entrer !

– Et pourquoi donc ? Qu'est-ce que tu fais ?

– Rien.

– Je peux voir ? Est-ce que je peux entrer, s'il te plaît ?

– Non, je suis occupé.

– Hé, Nicky, qu'y a-t-il ? Tu as des ennuis ?

– Non.

– Nicky, tu m'inquiètes. Tu veux que j'appelle tes parents ?

– Non ! (Il avait l'air affolé.) Surtout pas !

– Alors, laisse-moi... (la porte s'est ouverte d'un seul coup) ... entrer.

J'ai fait quelques pas dans sa chambre.

– Qu'est-ce que tu fais ici tout seul ?

– Il faut que tu me promettes de ne rien dire, a-t-il répondu en refermant la porte.

– Entendu, je serai muette comme une tombe.

Du doigt, il m'a montré une carte de Saint-Valentin qu'il était en train de fabriquer sur son bureau. Apparemment, il s'était donné du mal, même si elle n'était pas tout à fait terminée.

– Elle est belle, ai-je dit d'une voix douce. C'est pour qui ?

– C'est pour, euh..., quelqu'un que tu ne connais pas.

– Ta petite copine ?

Nicky a hoché la tête.

– Oui. Elle est plus petite que moi. Elle n'est qu'en CE1.

– Comment elle s'appelle ?

– Je ne te le dirai pas ! Et n'en parle à personne. Je ne veux pas que mes frères le sachent. Ils n'arrêteraient pas de m'embêter avec ça.

– OK. Je t'ai promis de garder le secret et je le ferai. Je te laisse maintenant. En t'appliquant bien, tu devrais pouvoir finir la carte avant que tes frères remontent dans la chambre.

Nicky a poussé un bref soupir de soulagement. Il m'a souri.

– Merci, Lucy.

– Il n'y a pas de quoi.

Je suis sortie de la pièce, toute joyeuse. C'était trop mignon. Nicky était amoureux !

4

Debout au milieu de ma chambre, j'ai tourné très lentement sur moi-même, embrassant du regard le moindre recoin. Tout devait être parfait pour l'arrivée de Laine, aujourd'hui.

Du coin de l'œil, j'ai aperçu Lennie, la poupée de chiffon de Claudia. Elle l'avait apportée un soir où elle dormait à la maison, et elle avait oublié de la reprendre. J'ai ramassé Lennie et je l'ai glissée sous mon lit, puis je me suis dit que ce n'était pas une bonne idée et je l'ai cachée sous un tas de vêtements au fond de mon placard. Je me suis ravisée une nouvelle fois, et j'ai fini par l'enfouir dans le panier à linge. Personne n'irait la chercher là-dedans.

J'ai inspecté une nouvelle fois ma chambre. J'avais enlevé le poster avec un chaton dans une tasse de thé (cadeau de Mary Anne), pour le remplacer par plusieurs photos de Rétro, le groupe préféré de Laine. Mon cochon en peluche avait disparu. De même que toute ma collection de cochons. C'est que j'adore les cochons. Laine trouvait ça drôle avant, mais j'avais l'impression que ça ne la ferait plus rire. En fait, ce n'était pas qu'une impression. Une des dernières fois que je l'avais eue au bout du fil, elle m'avait dit en gloussant : « Tu as toujours tes cochons, Lucy ? Moi, je crois que j'ai dépassé ce stade maintenant. »

Après une ultime vérification, je me suis dit que ma chambre n'avait pas trop l'air d'une chambre de petite fille. J'ai dévalé l'escalier et ouvert la porte du réfrigérateur.

– Zut alors ! Maman, tu as acheté de l'eau gazeuse ? Laine ne boit que ça maintenant. Elle a arrêté les sodas, et je ne tiens pas à ce que...

– Mon chou, l'eau gazeuse est dans le placard près de l'évier. Mets-en une bouteille au frigo pour qu'elle soit bien fraîche. Et détends-toi un peu, tu veux bien ?

Impossible. Je n'arrivais pas à me calmer. Je courais partout dans la maison. Il fallait que tout soit parfait. J'ai jeté deux ou trois magazines qui faisaient mauvais effet, puis j'ai placé quelques exemplaires de *Vogue* en haut de la pile. J'ai retiré les photos de moi bébé, et celles du Club des baby-sitters en voyage à Disney World. J'ai enlevé d'autres babioles que Laine trouverait sûrement kitsch. Ça ne l'aurait pas dérangée il y a un an, mais elle avait grandi depuis.

En fin de matinée, je me suis attelée à un autre projet. Il fallait que je prépare les chambres pour le soir même. En effet, les membres du club devaient passer la nuit ici pour accueillir Laine à Stonebrook. Nous avions prévu de faire la même chose que d'habitude : écouter de la musique, nous maquiller et nous coiffer, grignoter des petits trucs. Évidemment, tout cela aussi devait être parfait. J'ai inspecté ma collection de CD, retiré les comptines et chansons pour enfants que j'utilise parfois pendant mes gardes, et j'ai mis en avant les groupes les plus récents et les plus à la mode, pour que Laine les voie bien. Une fois de plus, j'ai poussé un soupir en voyant le contenu du réfrigérateur, mais ma trousse de maquillage m'a paru tout à fait à la hauteur, et ça m'a réconfortée.

En début d'après-midi, ma mère m'a crié d'en bas :

– Lucy, il faut qu'on parte à la gare maintenant. Le train de Laine ne va pas tarder à arriver.

– Une petite seconde !

J'étais en train de vérifier que mon look était impeccable. Je me suis livrée à un examen très critique devant mon miroir. Voici la tenue que j'avais choisie : un haut moulant mauve, un pantalon noir très « classe » et des boots à petits talons. Dans les cheveux, une pince violette et, aux oreilles, de longues boucles argentées. Je n'ai rien trouvé à redire à ma propre image.

Ma mère et moi, nous sommes parties pour la gare de Stonebrook. On est arrivées cinq minutes avant le train de Laine. Quand j'ai aperçu la locomotive, j'ai murmuré :

– La voilà.

J'avais un de ces tracs.

Le train a émis un bruit strident en s'immobilisant. Les portes se sont ouvertes. J'ai repéré Laine dès qu'elle a sauté sur le quai. Il aurait été difficile de ne pas la voir : elle portait un manteau en jean avec un col en fourrure (j'espérais que ce n'était pas de la vraie), un pantalon à lacets en cuir noir et des bottines noires ultrachic. Sa tête était couverte d'un immense béret rouge vif.

Je me suis sentie aussitôt ringarde. J'ai hurlé :

– Laine ! Lai-aine !

Ma mère et moi, on lui a fait de grands signes de la main.

Laine nous a répondu par un petit hochement de tête. Elle est venue vers nous, traînant derrière elle un sac marin bourré à craquer.

J'ai couru à sa rencontre (un peu trop vite). J'ai failli la faire tomber.

– Holà !

– Excuse-moi ! ai-je dit en rigolant.

Ça ne l'a pas fait rire. Elle a dit bonjour à ma mère, puis elle a posé son sac par terre et son regard a glissé le long des rails. Il n'y avait pas grand-chose à voir, à part une rangée d'arbres et un guichet où l'on vendait des billets (pour ma part, j'ai appris à aimer ce paysage).

– C'est ça, Stonebrook ? a demandé Laine, incrédule.

– Ce sont les environs de Stonebrook. On va te faire faire le tour de la ville en rentrant à la maison. Oh, Laine, tu ne peux pas savoir comme ça me fait plaisir de te voir ! Je suis tellement contente que tu aies décidé de venir.

– Merci, a-t-elle dit en se déridant enfin. Moi aussi. Je te remercie de m'avoir invitée. Merci, madame MacDouglas.

– On va fêter ça ce soir, ai-je repris. Avec mes copines du Club des baby-sitters. Tout le monde veut te voir.

– Une fête ? Génial !

Ma mère est passée par le centre de Stonebrook sur le trajet du retour.

– Mais où est le centre-ville ? s'est exclamée Laine.

J'en suis restée bouche bée. Elle avait perdu la tête ou quoi ?

– Ben, on vient de le traverser.

– Quoi ? On vient de traverser le centre-ville ? Comment se fait-il que je n'aie rien vu ?

– Je n'en sais rien. Je t'ai montré la pizzeria, la bibliothèque et quelques magasins.

– Mais où est le reste ?

– Il n'y a rien d'autre.

– Mince alors. Que font les gens quand ils veulent s'amuser ?

– Ils vont à New York, ai-je répondu.

Je me suis sentie plus à l'aise en arrivant chez moi. Toutes les deux, on a foncé dans ma chambre, on s'est assises par terre et on a commencé à discuter comme on le faisait avant. Laine m'a parlé de King, qui avait l'air d'être quelqu'un… de particulier.

– Tes parents en pensent quoi de ses cheveux ?

King a les cheveux violets, mais seulement aux extrémités. A part ça, ils sont noirs. Tous les jours, il met de la mousse pour leur donner un aspect décoiffé et faire ressortir les pointes. Ou alors il les attache en queue de cheval.

Laine avait quatre photos de lui dans son portefeuille. Elle les a remises en place en haussant les épaules.

– Je ne crois pas que ça les dérange. Enfin non, ils détestent, mais ils ont arrêté de m'embêter avec ça... Et toi, tu as un petit copain ?

– Laine ! me suis-je exclamée. Je te l'aurais dit si j'en avais un, tu ne crois pas ?

Elle a souri.

– Si, sans doute. Et ce garçon qui t'avait invitée à la dernière soirée du collège ? Il te plaît ?

– Austin ? Non. Enfin, je l'aime bien, mais c'est juste un copain.

– Oh. Tu ne veux pas de petit copain ?

– Bien sûr que si. Mais il faut que ce soit le bon. Je n'ai pas envie de passer du temps avec quelqu'un que je n'aime pas vraiment. Quel intérêt ?

– Mmm, je vois, a fait Laine (mais j'avais l'impression qu'elle n'avait rien compris du tout).

Mes amies du Club des baby-sitters ont commencé à arriver à l'heure du dîner. Bien que nous soyons huit, je n'avais commandé qu'une seule pizza (végétarienne, pour que Carla puisse en manger), car nous finissons toujours par nous gaver de chips, de biscuits salés, de cacahouètes et autres cochonneries.

Après avoir englouti la pizza, nous sommes montées nous entasser dans ma chambre, avec les sacs de couchage, les pyjamas, des bols pleins de trucs à grignoter, des sodas et une bouteille d'eau gazeuse pour Laine. J'ai mis un CD dans mon poste. Claudia et moi, on s'est assises sur le tabouret devant ma coiffeuse. Claudia a commencé à se faire les ongles, Jessica à démêler les longs cheveux de Carla. Quelques minutes plus tard, nous étions toutes occupées à nous peigner, à nous maquiller, à nous faire les ongles. Toutes sauf Laine. Assise sur le lit, jambes croisées, elle feuilletait un magazine.

– Vous savez qui je trouve mignon ? a demandé Claudia en ajoutant une touche de vernis doré sur un de ses ongles peints en rouge.

Elle n'a pas attendu notre réponse :

– Ron Belkis. Dommage qu'il soit en cinquième. Tous les mecs qui me plaisent sont soit trop vieux, soit trop jeunes.

– Tu peux bien sortir avec un cinquième, Claudia, a dit Carla. Je ne vois pas où est le problème. Vous savez qui me plaît bien à moi ? David Griffin.

– Quel âge a-t-il ? a demandé Laine.

– Notre âge. Il est en quatrième.

Laine a hoché la tête.

– Même les mecs de treize ans sont nuls.

Mary Anne ne l'a pas très bien pris.

– Pas tous quand même !

– Bart n'est pas nul, a ajouté Kristy.

– Désolée, a fait Laine. C'est que... King a quinze ans.

– Il sait conduire ? a demandé Kristy.

– Il a le droit de vote ?

– Bien sûr que non !

– Alors à quoi ça sert de... ?

Laine était livide. J'ai coupé Kristy au beau milieu de sa phrase, avant que la dispute n'éclate.

– Laine, tu sais quoi ? Tu seras là pour le bal de la Saint-Valentin. Ce serait sympa que tu puisses venir. On y va toutes. Pour la plupart, on y retourne avec le même garçon qu'à la dernière soirée.

– Pas moi, a protesté Carla. Je crois que je n'irai plus nulle part avec Price. On n'a absolument rien en commun.

– Price, a répété Laine. C'est super comme nom.

– C'est un vrai bonnet de nuit, a dit Carla en réprimant un sourire.

– Bonnet de nuit ? a relevé Laine. Waouh ! On croirait

entendre ma grand-mère.

– Ça m'aurait étonnée..., a commenté sèchement Claudia.

Aïe ! aïe ! aïe ! Qu'est-ce qu'elles avaient, toutes ?

Mes amies se sont tues quelques minutes. Puis Laine s'est mise à bâiller et à s'étirer, avant de demander :

– Qu'est-ce qu'on fait ce soir ?

J'ai lancé un coup d'œil furtif à Claudia. En fin de compte, Laine avait peut-être bien perdu la tête. J'ai fini par prendre la parole :

– Eh bien, tu as oublié que tout le monde dormait ici ?

– Bien sûr que non. Mais qu'est-ce qu'on va faire ?

– Manger, a répondu Claudia.

– Je suis au régime.

– Papoter. (C'était Jessica.)

– Se faire belles. (C'était Mallory.)

Comme aucune de ces réponses n'avait l'air d'enthousiasmer Laine, j'ai dit en prenant un air faussement enjoué :

– Il va falloir qu'on te trouve un cavalier pour le bal.

– C'est quand ?

– Vendredi soir.

– Dans six jours, a précisé Mary Anne. Six longues journées.

– Je ne sais pas...

– Qu'est-ce que tu veux dire ? Que feras-tu vendredi soir si tu ne viens pas ? Nous y serons toutes.

– Que feriez-vous si vous n'alliez pas au bal ? a rétorqué Laine.

Silence.

– Nos devoirs ? a proposé Mallory.

– Un vendredi soir ?

J'ai poussé un soupir excédé.

– Eh bien, viens au bal !

– Il faut que je voie ça avec King.

J'ai vu Carla lever les yeux au ciel.

– Hé, vous savez quoi ?

Claudia venait de finir de se vernir les ongles. Elle feuilletait le programme télé d'une main délicate.

– Ils passent *Certains l'aiment chaud* ce soir !

– Génial ! s'est écriée Laine.

Elle avait l'air tout excitée.

On a allumé la télé. Et finalement tout le monde s'est bien amusé ce soir-là. Même Laine.

5

Lundi

C'est beaucoup plus sympa de garder Marylin et Carolyn Arnold, maintenant qu'elles ne sont plus identiques. Au moins, on ne les confond plus. Ce sont deux enfants très différentes, même si elles sont jumelles. Aujourd'hui, elles ont écrit des cartes pour la Saint-Valentin. Elles se sont bien appliquées, ça leur a plu. Et Carolyn a un secret : elle aime un garçon, mais refuse de dire qui c'est…

Marylin et Carolyn Arnold sont deux vraies jumelles. Avant, elles étaient coiffées et habillées exactement de la même manière. (Ce n'était pas leur choix, mais celui de leurs parents. Ils leur achetaient les mêmes vêtements et les mêmes accessoires !) Mais elles en souffraient vraiment.

Elles se savaient assez dissemblables, malgré leur ressemblance physique. Alors pourquoi vouloir en faire deux copies conformes ?

Juste après leur huitième anniversaire, elles ont enfin réussi à parler à leur mère et à lui dire ce qu'elles ressentaient. Maintenant, elles n'ont plus la même coupe de cheveux et chacune a son propre style vestimentaire. Marylin, qui s'est laissé pousser les cheveux, porte des vêtements simples et classiques. Elle aime bien les kilts, les robes à carreaux et les jolis chemisiers. Plus extravertie que sa sœur, Carolyn porte les cheveux courts. Elle préfère les tenues un peu plus mode : jeans, pantalons larges, jupes courtes. Contrairement à ce qu'on pourrait croire, c'est Marylin qui prend les décisions : c'est elle qui commande, alors que Carolyn se contente de suivre le mouvement. Autre point qui les distingue : Marylin se passionne pour le piano, tandis que Carolyn préfère les sciences. Désormais, ce sont deux sœurs jumelles que les enseignants et les élèves de l'école primaire de Stonebrook ont enfin cessé de prendre l'une pour l'autre.

Leurs baby-sitters ont, elles aussi, cessé de les confondre.

Mais vous savez quoi ? Les premières fois que les membres du club ont gardé Carolyn et Marylin, la seule façon de les distinguer, c'était de regarder discrètement leur poignet et de lire leur nom sur leur gourmette. Ce n'était pas très marrant ! On comprend que les jumelles en aient souffert. Comment réagiriez-vous si vos amis avaient besoin de lire un écriteau avant de savoir qui vous êtes ?

Mais tout cela, c'est du passé. Et c'est très bien ainsi. Mes amies et moi, on se réjouit quand on doit garder Marylin et

Carolyn, sachant qu'elles ne peuvent plus se faire passer l'une pour l'autre et en profiter pour nous faire tourner en bourriques.

Bref... c'était un lundi, deux jours après l'arrivée de Laine à Stonebrook. Claudia s'occupait des jumelles de quinze heures trente à dix-sept heures trente (juste avant notre réunion du club). La journée était ensoleillée, l'air sentait le printemps, ce qui était étonnant vu qu'on était début février et que l'hiver devait théoriquement durer encore six bonnes semaines (ce jour-là, je me suis dit que la planète était bel et bien en train de se réchauffer).

– Les filles, vous voulez qu'on aille jouer dehors aujourd'hui ?

Claudia a posé la question aux jumelles après le départ de Mme Arnold.

– Oui ! s'est écriée Carolyn, mais elle s'est ravisée en voyant sa sœur froncer les sourcils. Euh..., je veux dire non. Marylin et moi, on voudrait que tu nous aides à faire les cartes pour la fête de la Saint-Valentin, maintenant qu'on sait à qui les envoyer.

Les invitations faites par les petits Pike avaient été envoyées et tout le monde avait répondu.

Sur les vingt-deux enfants que nous avions conviés à la fête, une quinzaine allaient pouvoir venir. Parmi eux figuraient : Margot, Nicky, Claire et Vanessa Pike (les triplés s'estimaient trop vieux pour assister à une fête de la Saint-Valentin) ; Matt et Helen Braddock ; James et Chris Hobart ; Rebecca Ramsey ; Charlotte Johanssen ; Buddy Barrett ; Karen Lelland ; David Michael Parker ; et les jumelles.

Nous avions envoyé la liste des invités à chaque enfant pour qu'il puisse préparer des cartes pour tous les autres. Certes, on en trouvait des toutes faites dans le commerce, mais on s'était dit que ce serait plus amusant de les fabriquer nous-mêmes, et que cela ferait plaisir à la plupart des enfants.

Pas étonnant que les jumelles aient profité de la présence de Claudia. C'est quelqu'un de très manuel et de très créatif. Et quand Marylin a dit :

– On aimerait faire des cartes qui sortent vraiment de l'ordinaire, Claudia. Pas de simples trucs en forme de cœur avec un poème dedans.

Claudia a proposé :

– Et si on faisait des cartes en trois dimensions ? Vous savez, des cartes qui se déplient comme des livres animés ?

Évidemment, les jumelles ont adoré l'idée. Claudia les a aidées à rassembler les fournitures nécessaires et à installer un coin atelier dans le salon.

– Maintenant, vous allez voir comme c'est facile de faire de la 3-D, a-t-elle expliqué aux filles qui venaient de s'installer autour de la table. Il suffit de prendre une bande de papier et de la plier en accordéon, dans un sens, puis dans l'autre.

Claudia leur a fait une démonstration.

– Puis, a-t-elle poursuivi, vous collez une extrémité de la bande sur votre carte. A l'autre extrémité, vous collez ce que vous voulez voir apparaître en relief. Comme ce petit cœur par exemple. Vous voyez ?

Claudia a ouvert puis refermé la carte plusieurs fois de suite. Chaque fois qu'elle l'ouvrait, le cœur bondissait vers l'extérieur. Le papier en accordéon jouait le rôle d'un ressort.

– Super ! se sont exclamées les filles.

– Je vais fabriquer un énorme cœur bondissant pour..., a commencé Carolyn. Pour... pour... hum...

– Oui ? l'a taquinée Marylin.

– Pour Tu-sais-qui.

Puis elle a commencé à découper un morceau de bristol.

Claudia a failli dire « tu as un amoureux ? », mais elle a préféré ne pas gêner Carolyn. Elle s'est contentée de demander :

– Est-ce qu'il sera à la fête de la Saint-Valentin ?

– Ouais, a-t-elle répliqué en collant du papier brillant rouge sur le cœur. Et tu sais quoi ? Il est plus vieux que moi.

Claudia ne s'est pas affolée. Quand on est en CE1, un garçon de CE2 est déjà considéré comme quelqu'un de plus âgé. Pas de quoi s'inquiéter !

– Ouais, a renchéri Marylin, il est en CE2. (« Tiens, tiens ! » s'est dit Claudia.) Mais Carolyn refuse de me dire qui c'est. Enfin bon, je sais que je le verrai à la fête.

– Toi non plus, tu ne veux pas me dire le nom de ton amoureux, a répliqué sa sœur. Et je sais que tu en as un !

– Possible. (Marylin a rougi.) Mais je ne vais pas lui fabriquer une énorme carte à la noix. Je préfère lui en envoyer une normale.

Les jumelles ont travaillé avec application.

– Comment allez-vous signer vos cartes ? a demandé Claudia au bout d'un moment.

Marylin s'est empressée de répondre :

– Sur certaines, je vais dessiner un cheval. Tu imagines ?

Carolyn et Claudia ont froncé les sourcils.

– Ce sera une jument. Une jument qui me ressemblera un peu !

– Ouais, c'est mignon, a dit Carolyn. Moi je signerai les miennes avec un nombre qui correspondra aux lettres de mon prénom : un pour A, deux pour B, et ainsi de suite.

Elle a commencé à griffonner le code sur un bout de papier.

– Bon, C-A-R-O-L-Y-N c'est trois, un, dix-huit, quinze, douze, vingt-cinq et quatorze. Vous croyez que les autres arriveront à déchiffrer ce code ?

– Je n'en sais rien, a répondu Claudia. En tout cas, c'est une bonne idée.

– Oh, ça va être génial, cette fête ! Je me demande si ma carte est assez grande.

– Si tu en faisais une plus grande, il faudrait que tu loues un camion pour la transporter, a commenté Claudia.

Carolyn a hoché la tête d'un air satisfait.

– Parfait. Je crois que Tu-sais-qui appréciera.

Claudia a souri. Elle avait oublié à quel point les petits secrets de la Saint-Valentin pouvaient être amusants.

6

– Laine. Hé, Laine ! Debout… allez. Il faut qu'on y aille.

Penchée au-dessus du lit de la chambre d'amis, j'essayais de réveiller Laine, tas inerte sous les couvertures.

Au bout d'un moment, elle a émis un grognement. Puis elle a ronchonné :

– Je n'y crois pas : je suis en vacances et je dois quand même aller à l'école !

J'ai marqué une pause.

– Eh bien, tu n'es pas obligée de m'accompagner. Tu peux rester à la maison si tu préfères.

– Non, c'est bon.

Laine a enfoui sa tête sous l'oreiller avant de grommeler :

– J'arrive, j'arrive. Ne t'inquiète pas : on sera à l'heure.

Elle était restée toute seule la veille, pendant que j'étais en cours. J'étais sûre qu'elle s'était ennuyée à mourir. La première chose qu'elle m'avait dite à mon retour du collège cet après-midi-là, c'était :

– Heureusement qu'il y a la télé ici !

Elle était restée cinq heures d'affilée devant le petit écran. En rentrant, je l'avais emmenée faire un tour en ville. J'avais attendu que nous soyons installées chez Renwick, devant une portion de frites (Laine en avait grignoté deux ou trois du bout des lèvres) et une bouteille d'eau gazeuse, pour lui annoncer la nouvelle :

– Devine quoi ! J'ai obtenu la permission de t'emmener avec moi au collège demain. Tu n'auras pas à rester seule toute la journée.

– Tu veux m'emmener au collège ?

– Oui. Tu pourras assister aux cours avec moi.

– Mais, Anastasia, je suis en vacances. Le but, c'est de ne pas aller à l'école.

Laine m'appelait de plus en plus souvent Anastasia. Et ça ne me plaisait pas. Ceux qui se servent de mon deuxième prénom le font surtout quand ils ont des reproches à me faire ou quand ils sont en colère contre moi. Je savais que Laine l'utilisait parce qu'elle trouvait qu'il faisait plus adulte. Pourtant, chaque fois que je l'entendais, ça me faisait sursauter. J'avais envie de répliquer : « Mais qu'est-ce que j'ai fait de mal ? »

– Personne ne t'oblige à venir au collège. C'était une idée comme ça. Je voulais te présenter mes amis. Enfin, ceux qui ne font pas partie du Club des baby-sitters. Je voulais te montrer le collège où je vais. Je ne sais pas.. avant, on partageait beaucoup de choses. Quand j'habitais New York, on allait à la même école, on faisait toujours tout ensemble. Maintenant on a des vies complètement différentes. On se téléphone beaucoup, mais on ne se voit presque jamais. J'ai l'impression d'être en train de perdre une partie de moi-même. Tu me manques, Laine, tu me manques vraiment.

Elle avait souri.

– Ça me ferait plaisir de t'accompagner au collège demain.

Voilà pourquoi, ce mardi matin, j'étais penchée au-dessus de son lit, à essayer de la tirer du sommeil.

– Comment tu y vas aujourd'hui ? a-t-elle marmonné, la voix étouffée par l'oreiller.

– A pied. Ma mère me dépose quand il pleut, mais il fait un temps radieux aujourd'hui. On se croirait au printemps. Cui cui, les petits oiseaux chantent ! Tu ne les entends pas ?

Laine s'est mise à rire. Puis elle a repoussé l'oreiller et les couvertures, et elle s'est assise.

– Tu es complètement frappée !

– Merci. Je prends ça comme un compliment.

Bon, apparemment, la journée ne s'annonçait pas trop mal.

Laine, ma mère et moi avons pris un petit déjeuner rapide. Au moment où nous terminions, j'ai dit :

– Hé, Laine. Tu te souviens du code qu'on avait mis au point avec le téléphone ?

– Le code de l'école ?

J'ai hoché la tête. A New York, Laine et moi étions

inscrites dans la même école, mais nous n'habitions pas le même pâté de maisons. Si l'une de nous voulait donner rendez-vous à l'autre sur le trajet de l'école, elle composait son numéro, laissait sonner une fois et raccrochait (rien ne nous empêchait de passer un vrai coup de fil, c'est juste que nous aimions bien l'idée d'avoir un code entre nous).

– Eh bien, Mallory Pike et moi, on a aussi un code. Jette un coup d'œil par la fenêtre.

J'ai indiqué du doigt l'arrière de la maison des Pike.

– Tu vois ce tissu blanc sur la véranda de Mallory ?

– Oui, et alors ?

– Ça veut dire qu'elle veut qu'on fasse le trajet ensemble, avec Mary Anne et Carla. Un tissu rouge signifie qu'elle doit amener ses frères et sœurs à l'école.

Laine m'a regardée d'un air bizarre.

– Pourquoi vous ne vous appelez pas, tout simplement ?

Haussant les épaules, j'ai senti mon visage s'empourprer.

– Je ne sais pas. Pourquoi on ne s'appelait pas, toi et moi ?

– Parce qu'on avait dix ans.

Ma mère a mis un terme à notre conversation en me rappelant :

– Tu ferais mieux de te dépêcher, mon chou. Il se fait tard.

– Oups, tu as raison ! En plus, j'aperçois Mallory !

Laine et moi, on a accéléré le rythme. On a couru chez Mallory, puis chez Mary Anne et Carla. Toutes les cinq, on a foncé au collège. D'autres amis nous ont rejointes en cours de route. En arrivant devant les portes du collège, j'étais d'excellente humeur.

Apparemment, ce n'était pas le cas de Laine.

Voici un petit résumé de cette journée :

En milieu de matinée, Laine et moi avons séché l'étude pour aller rejoindre Claudia et Mary Anne, qui travaillaient à la bibliothèque. Tandis que nous étions assises à une table toutes les quatre, Laine a regardé par la fenêtre puis elle a demandé :

– Combien de temps dure cette pause ?

– Quarante-deux minutes exactement, a répondu Claudia.

– Ça nous laisse le temps de descendre en ville et d'aller faire un tour au café, non ?

– En principe, oui. Encore faudrait-il qu'on puisse s'absenter du collège.

– Et vous ne pouvez pas ?

– Négatif, ai-je dit en secouant la tête.

Mary Anne a expliqué :

– On n'a pas le droit de quitter l'enceinte de l'établissement pendant la journée (sincèrement, je pense que l'idée ne lui avait même jamais traversé l'esprit). A moins d'être accompagné d'un adulte, comme pour les sorties scolaires, par exemple.

Laine a levé les yeux au ciel.

– Arrête, Laine, ai-je protesté, sur la défensive. C'est déjà assez difficile de sécher l'étude… Je n'ai pas spécialement envie de me faire renvoyer.

Je m'attendais à une réaction, mais elle n'a rien dit.

Un peu plus tard, pendant un cours, elle s'est étonnée en apprenant qu'un seul élève à la fois avait le droit d'aller aux toilettes.

– Quel règlement idiot, m'a-t-elle dit à l'oreille.

– C'est pour éviter qu'on quitte la classe à plusieurs pour aller faire les zouaves dans les couloirs ou ailleurs.

– Et que se passe-t-il quand deux élèves ont vraiment un besoin urgent au même moment ?

– Je n'en sais rien. Je suppose que le prof peut faire une exception. Parle moins fort, Laine. On ne doit pas bavarder pendant les cours.

Elle a fait la moue.

Je me suis dit que la pause-déjeuner lui apparaîtrait comme un soulagement. Il n'y a presque pas de règles à respecter à la cafétéria (à part celles qui coulent de source comme ne pas lancer de nourriture, par exemple).

– Tu vois ? ai-je dit quand nous sommes entrées dans le grand hall. On peut s'asseoir où on veut, avec qui on veut. Manger ce qu'on veut. Changer de place si ça nous chante.

Je m'étais même débrouillée pour qu'il y ait des garçons à notre table. D'habitude, je me mets avec Claudia, Carla, Mary Anne et Kristy, et de temps en temps, Logan. Mais je me suis dit que Laine avait peut-être envie de voir d'autres têtes que celles des baby-sitters. J'ai donc demandé à Peter Blake, Rick Chow, Austin Bentley et quelques autres de se joindre à nous.

– Hé, regardez-moi ça, a dit Austin au milieu du repas. Quand on enfonce des bouts de bretzel dans un pruneau, on obtient un satellite artificiel.

On a éclaté de rire – sauf Laine, qui avait l'air consternée, et Peter, qui ne la quittait pas des yeux. Ah oui, et Kristy aussi, qui a fait la tête pendant tout le repas.

Mary Anne lui a donné un petit coup de coude.

– Qu'est-ce qui ne va pas ?

– Bart n'est pas sûr de pouvoir venir au bal, a-t-elle dit sèchement. Il m'a appelée ce matin, et il a eu le culot de me dire qu'il y avait un match à la télé vendredi soir.

Elle a fusillé Peter du regard.

– Qu'est-ce que tu regardes comme ça ?

Peter n'avait pas cessé de dévisager Laine. Il n'a même pas entendu la question de Kristy.

– Quel gros naze ! a-t-elle marmonné.

On ne savait pas si elle parlait de Peter ou de Bart.

– Hé ! s'est exclamé Rick, à qui l'idée des sculptures en bretzel avait bien plu. Si tu prends plusieurs pruneaux et que tu les relies entre eux par des morceaux de bretzel, tu peux fabriquer des molécules.

Il a brandi une sculpture.

– Ça, c'est de l'eau. H_2O. Et ça, c'est du monoxyde de carbone.

– Merci, professeur Chow, ai-je dit en rigolant.

– Comment peut-il avoir un tel culot? a marmonné Kristy, qui pensait toujours à Bart.

Carla lui a donné un coup de coude en murmurant :

– Hé, c'est bon, ne dramatise pas.

– Les garçons sont des nuls, a grogné Kristy avant de se taire, accablée.

Il valait mieux, car Laine lui lançait de drôles de regards.

Nous avons continué à manger tandis que les garçons construisaient des maquettes d'eau oxygénée et d'anhydride sulfureux avec des pruneaux en guise d'atomes.

Pendant que Rick se demandait comment représenter une molécule de triéthylamine (ou quelque chose dans le genre), notre tablée est devenue silencieuse. C'est le moment qu'a choisi Peter pour murmurer à l'oreille de Laine :

– Tu as une chevelure arachnéenne.

Elle a éclaté de rire. C'est la seule fois où je l'ai entendue rire durant cette journée au collège.

7

J'avais des devoirs à faire ce soir-là. J'ai regretté de ne pas pouvoir consacrer tout mon temps à Laine, mais les devoirs, c'est sacré.

Quoi qu'il en soit, vers vingt et une heures, je me suis dit que j'avais besoin d'une pause. J'en ai profité pour la rejoindre, elle lisait dans la chambre d'amis.

– Tu sais, je crois que tu as une touche avec Peter Blake.

Je me suis pelotonnée dans le fauteuil pendant qu'elle glissait un marque-page dans son livre. Elle a roulé sur le côté en prenant appui sur son coude.

– Il n'a pas été des plus subtils.

– Je me demande où il a été chercher le mot « arachnéen ».

– Va savoir ? On dirait que ça sort tout droit d'une liste de vocabulaire de contes de fées. Comme pâmoison ou cheveux d'argent.

– Ou cou de cygne, ai-je ajouté.

– Ça m'étonne qu'il ne m'ait pas parlé de mes lèvres vermeilles.

– Tu ne lui en as pas donné l'occasion, ai-je dit.

Puis une autre brillante idée m'a traversé l'esprit.

– Hé ! Pourquoi tu ne l'invites pas au bal de la Saint-Valentin ? Tu sais qu'il ne demande que ça. Comme ça, tu aurais quelqu'un avec qui sortir vendredi soir.

– Mais Anastasia, c'est un ringard !

– Peter ? Non, pas du tout. C'est un garçon intelligent et drôle...

– Mouais... Il m'a dit que j'avais une chevelure arachnéenne.

– Je trouve ça plutôt mignon. Pas toi ?

Laine a haussé les épaules.

– King ne dirait jamais une chose pareille.

– Et que dirait-il ? Enfin, comment est-ce qu'il te ferait un compliment ?

En guise de réponse, elle a de nouveau haussé les épaules. Puis elle a pris un air pensif. Au bout d'un moment, elle s'est lancée :

– Il me dirait : « Tu es vraiment canon, bébé. » C'est comme ça qu'il m'appelle, bébé.

– Il t'appelle bébé ?

Je n'en revenais pas. Personne ne m'avait encore appelée bébé. Et je crois que ça ne m'aurait pas plu.

Laine souriait.

– Ouais, a-t-elle repris. King m'appelle bébé et je l'appelle mon cœur.

– Mais ton cœur est resté à New York. Et je suis sûre que Peter Blake serait ravi de t'emmener au bal de la Saint-Valentin. Tu as envie d'aller danser, n'est-ce pas ?

– Oui, a répondu Laine.

– Alors, où est le problème ? Vas-y avec Peter.

– Le problème, c'est que Peter Blake est un naze, je te l'ai déjà dit.

– Ce n'est pas vrai. Mais même si ça l'était, qu'est-ce que ça peut bien faire ? Tu vas au bal avec lui vendredi, et samedi, tu rentres à New York retrouver King. Ce n'est pas comme si Peter te demandait de sortir avec lui pour de bon.

– Mais que vont penser les autres ?

– Quels autres ? ai-je demandé, déconcertée.

Laine m'a jeté un regard qui semblait dire : « Mais tu es bête ou quoi ? » Elle s'est adressée à moi en détachant ses mots, comme si j'avais le cerveau un peu lent :

– Tout le... monde... au bal... Tes amies... les autres, quoi... et même les profs.

– Ils ne te connaissent pas. Tout ce qu'ils verront, c'est Peter, un mec sympa, qui danse avec une fille inconnue.

– Je ne suis pas une inconnue pour les autres filles du club.

– Peter non plus, ai-je insisté.

Laine s'est tue. Elle étudiait de près la surface de son pull, dont elle a retiré quelques peluches. J'ai cru voir ses lèvres trembler.

– Laine, quel est le problème ?

– Eh bien... Je crois que j'ai peur de ce que King va penser.

– Qu'est-ce que tu veux dire ?

– Tu sais bien, si je lui fais des infidélités.

– Mais ce n'est pas être infidèle qu'accepter de danser avec quelqu'un d'autre. Essaie de considérer Peter comme un cavalier plutôt que comme un amoureux.

Laine s'est tortillée dans tous les sens.

– Je ne sais pas...

– Allez, vas-y, appelle-le !

Nouvelles contorsions. Laine a rejeté ses cheveux en arrière.

– Tu n'as pas peur à l'idée de l'appeler, n'est-ce pas ?

– Bien sûr que non. Regarde.

Elle s'est levée et m'a entraînée dans la chambre de ma mère. Puis elle a posé la main sur le téléphone. C'est alors qu'il s'est mis à sonner !

– Aaaahh ! avons-nous hurlé en chœur.

J'ai repris mon sang-froid, puis j'ai répondu :

– Allô ? a fait une voix que je n'avais jamais entendue.

– Allô ?

– Hum, salut. C'est King. Comment va bé... euh, comment ça va, les meufs ?

– Très bien, ai-je dit sèchement.

Puis j'ai tendu le combiné à Laine.

– C'est King, ai-je murmuré.

Elle a pris le téléphone.

– Salut ! s'est-elle écriée. Salut, mon cœur, c'est bébé.

Je me suis assise à côté d'elle sur le lit de ma mère. Je comptais lui donner du courage au cas où elle aurait du mal à parler de Peter à King. Mais, après quelques secondes de silence, j'ai vu qu'elle me dévisageait. Elle m'a montré la porte d'un signe du menton.

– Quoi ? ai-je murmuré.

Laine a répété le mouvement. J'ai regardé la porte sans comprendre.

L'air exaspéré, elle a posé la main sur le téléphone. Puis elle a chuchoté d'une voix assez forte :

– J'aimerais bien avoir un peu d'intimité, si ça ne te dérange pas.

– Oh ! Excuse-moi.

J'ai quitté précipitamment la chambre et je me suis réfugiée dans la mienne. J'ai pris un stylo et j'ai essayé de me concentrer sur mon travail. Mais des bribes de conversation téléphonique me sont parvenues malgré tout.

– ... au bal de la Saint-Valentin !

J'ai entendu Laine glousser. Puis il y a eu un silence. Et de nouveau :

– Oui. Je sais... je sais.

Quelques minutes plus tard, il m'a semblé entendre le mot « gamins ». Je me suis dit qu'elle devait parler des petits que nous gardons, moi et les autres baby-sitters. J'ai souri, contente qu'elle s'intéresse à ma vie à Stonebrook.

Un quart d'heure plus tard, Laine avait raccroché. Elle a fait irruption dans ma chambre. Avant même qu'elle ait pu s'asseoir, le téléphone a sonné de nouveau. J'ai foncé dans la chambre de ma mère en criant :

– J'y vais ! Allô ?

– Allô, Lucy ? (Autre voix de garçon vaguement familière.)

– Oui ?

– Ah bonjour, c'est Peter. Euh..., Peter Blake.

– Salut ! Que se passe-t-il ?

– Eh bien, je me demandais si… Est-ce que Laine est là ? Je pourrais lui parler ?

– Bien sûr !

Super ! J'étais sûre qu'il appelait pour inviter Laine au bal. J'étais fière de lui. En plus, elle aurait enfin un cavalier pour vendredi soir ; elle pourrait donc venir au bal avec nous et nos petits copains. Cela clôturerait en beauté sa première visite à Stonebrook.

J'ai appelé Laine et je lui ai dit tout bas que c'était Peter au bout du fil. Je m'apprêtais à sortir de la chambre quand elle m'a rattrapée par la manche, en me demandant de rester. Je ne voyais pas trop ce qu'elle attendait de moi, mais j'ai obéi.

Elle a répété une quinzaine de fois « Oui… ouais… » avant de conclure par :

– OK. Merci. A vendredi… oui… Salut.

Après avoir raccroché, elle s'est écroulée sur le lit de ma mère, tordue de rire. Elle riait tellement qu'elle en pleurait.

– Qu'est-ce qu'il y a ? ai-je demandé. Peter t'a invitée au bal ?

– Oui ! s'est-elle exclamée.

Elle a fini par se calmer et par articuler :

– Peter m'a dit qu'il me trouvait mignonne. Et que mes yeux étaient des étangs limpides. Il va falloir qu'on rajoute limpide à notre liste de vocabulaire, Anastasia.

Elle a été secouée par une nouvelle crise de rire. Mais elle a réussi à dire :

– Oh ! Il faut que j'appelle King pour lui raconter ça.

Puis elle m'a regardée fixement. J'ai compris qu'elle m'ordonnait de sortir.

Mais cette fois, je ne suis pas retournée dans ma chambre. Je suis restée dans le couloir et j'ai écouté sa conversation sans me gêner. Après avoir tant hésité à aborder le sujet avec moi, cela ne semblait pas la déranger de révéler à King qu'elle allait au bal avec un autre garçon. Elle lui a raconté dans le détail sa rencontre avec Peter et la manière qu'il avait eue de l'inviter au bal, en le faisant passer pour un imbécile.

Je suis rentrée dans ma chambre à pas lents. Quelque chose n'allait pas. Laine agissait-elle ainsi afin que King ne soit pas jaloux de Peter ? En tout cas, son attitude n'était pas correcte. Ni vis-à-vis de Peter, ni vis-à-vis de King. J'ai senti la colère monter. Puis je me suis souvenue que Laine et moi, on avait déjà eu d'énormes disputes depuis qu'on se connaissait. Et qu'on finissait toujours par se réconcilier.

8

Mercredi

C'est la fièvre de la Saint-Valentin chez les Hobart ! Aujourd'hui, je gardais James et Johnny pendant que Ben était à la bibliothèque avec Mallory. Chris et James vont venir à la fête, et ils sont tout excités à cette idée. Ils n'ont encore jamais assisté à une fête de la Saint-Valentin : c'est un véritable événement pour eux. Mon baby-sitting n'a pas duré bien longtemps car Ben est rentré de bonne heure Il s'était disputé avec Mallory.

Mes amies et moi, on aime beaucoup les Hobart. Comme je vous l'ai déjà dit, ils habitent en face de chez Claudia, dans l'ancienne maison de Mary Anne. Ils l'ont achetée quand son père s'est remarié et que les Cook ont emménagé chez Carla et sa mère.

Il y a quatre garçons chez les Hobart. Ben, dont j'ai déjà parlé, a onze ans ; c'est un peu le petit ami de Mallory. Ils vont beaucoup au cinéma et travaillent ensemble à la bibliothèque. Ensuite, il y a James, huit ans, Chris, six ans, et Johnny, quatre ans. Les Hobart vivaient en Australie avant de venir s'installer ici (moi qui trouvais que Carla avait fait beaucoup de kilomètres depuis la Californie !). Quand ils sont arrivés dans la région, ils avaient un accent charmant ; malheureusement, les garçons l'ont déjà un peu perdu. Les Hobart se sont fait plein d'amis dans le quartier et, comme nous les gardons assez souvent, nous avons invité James et Chris à la fête de la Saint-Valentin. (Ben est un peu vieux pour ça, et Johnny est trop jeune. Alors Ben lui a promis une surprise pour samedi, pour qu'il ne se sente pas exclu des festivités.)

Quand Jessica est arrivée chez les Hobart mercredi après-midi, les garçons étaient surexcités. James et Chris avaient hâte d'être à samedi.

– On n'est jamais allés à une fête pour la Saint-Valentin, a confié James à Jessica.

Il a croqué une poire, puis s'est essuyé le menton avec une serviette. Ils s'étaient installés dans la cuisine pour le goûter.

– Je crois que vous allez bien vous amuser, a-t-elle affirmé. Vous allez rencontrer les autres invités. Recevoir des tonnes de petits mots. Peut-être même gagner un prix en participant à l'un des jeux.

– C'est trop cool ! s'est exclamé James.

– Trop cool, a répété Chris. Jessica ? Comment on s'habille pour une fête de la Saint-Valentin ?

– Moi, je vais mettre..., a commencé Jessica.

Mais Chris l'a interrompue :

– Non, je veux dire comment s'habillent les garçons de six ans pour la Saint-Valentin ?

– Et ceux de huit ans ? a renchéri James.

– Oh... Eh bien, vous pouvez...

Mais Chris lui a coupé une nouvelle fois la parole :

– Je vais te montrer ce que j'aimerais mettre ! J'espère que ça ira.

– Ouais, moi aussi je vais te montrer ! a décidé son frère.

Ils ont laissé leurs fruits entamés sur la table et sont sortis de la cuisine en trombe. Quelques instants plus tard, ils dévalaient l'escalier et réapparaissaient dans la cuisine.

– Regarde ! se sont-ils exclamés en chœur.

James tenait un cintre qui supportait un élégant costume noir.

– Avec ça, je mettrai ma nouvelle cravate, a-t-il précisé.

Chris tenait un autre cintre sur lequel était suspendu un costume bleu.

– Ma mère a dit que je pourrais porter mes beaux souliers, a-t-il expliqué à Jessica.

Jessica est restée un moment sans voix. Comment faire comprendre aux deux garçons que la fête de la Saint-Valentin n'était pas une soirée chic ? Que les autres invités porteraient des jeans et des vêtements ordinaires ? Qu'ils seraient les seuls à être en costume ?

– C'est... ce sont de très beaux habits, a fini par dire

Jessica. Mais vous savez, vous allez jouer à des jeux pendant cette soirée. Courir partout. Ce serait peut-être plus pratique d'enfiler un jean et un sweat-shirt par exemple.

– Un jean ? a répété James, horrifié. Mais, ça ne va pas plaire à ma cavalière.

Ouh là ! Jessica commençait à s'inquiéter. Les garçons avaient pris tout ça très au sérieux.

– Qui avez-vous invité à la fête ?

Chris a pris la parole :

– On n'est pas encore tout à fait sûrs, mais on va les inviter.

– Des filles ? a demandé Jessica, pour en avoir le cœur net.

– Oui, a répliqué James. Et comme les messieurs qu'on voit à la télé, on mettra notre plus beau costume...

– ... et un œillet rouge. Et on offrira des fleurs à nos petites copines.

– Écoutez, les garçons, il vaut peut-être mieux que je vous explique ce que vous ferez ce jour-là. Comme je l'ai déjà dit, vous jouerez à des jeux. Et vous mangerez plein de trucs salissants : des gâteaux à la crème, des jus de fruits qui tachent, des biscuits qui s'effritent, des bonbons collants.

– Oh ! ont fait James et Chris.

– A mon avis, les autres vont s'habiller de manière très décontractée. Ça m'étonnerait qu'ils se mettent sur leur trente et un.

– Même les filles ?

– Même les filles. Et, vous savez, c'est une bonne idée d'offrir des fleurs à vos petites amies, mais je ne pense pas que les autres garçons seront aussi attentionnés.

– Est-ce qu'ils porteront un œillet ? a demandé Chris.

Jessica a secoué la tête.

Les garçons ont paru terriblement déçus. Elle les a poussés dans la cuisine en proposant d'une voix enjouée :

– Hé, il y a une chose que vous pouvez faire pour vous préparer.

– Qu'est-ce que c'est ?

– Vous avez fabriqué vos petites cartes ?

– Oh, ce n'est pas la peine, a dit James. Notre mère en a trouvé tout un stock dans un magasin.

– Mais c'est beaucoup plus rigolo de les faire soi-même. Il suffit d'avoir du bristol, des ciseaux, de la colle et des marqueurs. On découpe des cœurs, on fait des dessins et on écrit des trucs amusants. Même Johnny pourrait en faire une.

L'intéressé, qui jusque-là était resté à jouer aux Lego dans un coin de la cuisine, a hoché la tête.

Cette idée a eu l'air de plaire aux garçons, qui ont aidé Jessica à rassembler tout ce qu'il fallait. Elle était en train de recouvrir la table de la cuisine de papier journal quand elle a entendu la porte d'entrée s'ouvrir, puis se refermer violemment.

Son cœur s'est mis à battre à tout rompre.

Rassemblant tout son courage, elle s'est précipitée dans le hall. A mi-chemin, elle a buté contre quelqu'un. C'est alors qu'elle a poussé un hurlement.

– Jessica ?

Elle connaissait cette voix. Elle a réalisé qu'elle avait les yeux fermés. Elle les a ouverts. En face d'elle se tenait Ben Hobart.

– Ben ! J'ai failli avoir une crise cardiaque. Qu'est-ce que tu fais ici si tôt ?

Il a répondu d'un air renfrogné :

– Tu n'as qu'à demander à Mallory.

– Comment ça ?

– Elle t'expliquera pourquoi elle est en colère. Moi je ne sais même pas pourquoi on s'est disputés.

– Oh, non ! Vous vous êtes disputés ?

– Oui, à la bibliothèque. Et la bibliothécaire nous a fichus dehors. Si ça se trouve, on n'ira même pas au bal vendredi.

Oh, là, là ! C'était une vraie catastrophe. D'abord Kristy, puis Mallory. Jessi avait peur de se retrouver toute seule au bal finalement.

– Bon, ben, puisque tu es là, je crois que je vais y aller, a-t-elle annoncé brutalement. Tes frères se préparent à fabriquer des cartes de la Saint-Valentin. Les fournitures sont sur le plan de travail de la cuisine. Ta mère me paiera une autre fois. Salut !

Puis elle s'est dépêchée de partir. Elle a couru tout le long du trajet et, arrivée chez elle, a tout juste pris le temps d'enlever sa veste avant d'appeler Mallory.

– Que s'est-il passé ? Vous vous êtes disputés, Ben et toi ? Je n'arrive pas à y croire.

– C'est pourtant la vérité.

Mallory a marqué une pause, avant de reprendre :

– Comment es-tu au courant ?

– Je faisais du baby-sitting chez les Hobart. Donc j'étais là quand Ben est rentré de la bibliothèque.

– C'est vrai, j'avais oublié.

Mallory a poussé un soupir.

– On s'est disputés pour des bêtises. On cherchait un truc

dans le fichier. J'ai proposé de faire une recherche par sujet, mais Ben préférait rechercher par auteur. Je lui ai dit que c'était plus long, lui a affirmé que c'était le contraire et, avant qu'on se rende compte de quoi que ce soit, la bibliothécaire nous avait rejoints en faisant : « Chut ! CHUUUT ! » Puis elle a demandé ce qui se passait. En essayant de lui expliquer, on a recommencé à se chamailler. C'est là qu'elle nous a demandé de partir. Une fois dehors, j'ai crié à Ben : « J'espère que tu t'amuseras bien au bal, parce que, moi, je n'y vais pas ! » Puis je suis rentrée chez moi.

– Oh, Mallory, a soupiré Jessica. Je crois que ce bal est de plus en plus mal parti. J'ai un drôle de pressentiment. Je crois que Laine n'a pas franchement envie d'y aller, enfin, pas avec Peter Blake. Kristy et Bart se font la tête, et maintenant c'est toi et Ben.

– C'est vrai, ça. Qu'est-ce qui cloche tout à coup ?

– Tu ne crois pas que c'est parce que le bal a lieu un vendredi 13 ? a suggéré Jessi. Qu'est-ce que tu en penses ?

Mallory ne savait pas trop.

Jessica non plus, d'ailleurs.

9

– C'est un mauvais présage, a déclaré Mallory d'un ton sinistre. Un très mauvais présage.

Laine a levé les yeux au ciel. Mais Mary Anne a acquiescé.

– Je suis d'accord avec toi.

– Ce n'est pas un mauvais présage, a protesté Kristy. Ce sont les garçons : ils n'apportent que des ennuis.

– Tu peux le dire, a renchéri Mallory.

Ce mercredi-là, la réunion du Club des baby-sitters démarrait très mal. La moitié de mes amies étaient d'humeur massacrante. Kristy était contrariée par sa dispute avec Bart, Mallory parce qu'elle s'était fâchée avec Ben. Et maintenant,

Mary Anne en voulait à Logan. Et la réunion n'avait pas encore tout à fait commencé. Il n'était que cinq heures vingt. Les baby-sitters pouvaient continuer à bouder pendant dix minutes encore avant que Kristy ne réclame le silence.

– Mary Anne ? ai-je dit. Que reproches-tu à Logan exactement ?

Je n'étais pas sûre d'avoir bien saisi ce qui se passait.

– Il m'a dit qu'il avait l'intention de danser vendredi.

– Et alors ? a fait Laine.

– Et alors, je ne danse pas !

Mary Anne avait l'air très, très énervée.

– Qu'est-ce que tu veux dire par là ? a demandé Laine.

– C'est très clair. Je ne danse pas. Enfin, je danse très rarement. Je n'aime pas ça. Et Logan le sait. Bref, avant, ça ne le dérangeait pas. Il sait que je suis… comment dire… timide.

Laine a froncé les sourcils.

– Mais que faites-vous, Logan et toi, quand vous allez à une soirée ?

– Oh, on mange. On observe les autres. On discute.

– C'est captivant, a-t-elle commenté sur un ton très ironique.

J'ai décidé de voler au secours de Mary Anne.

– Bon, alors, Logan t'a dit qu'il avait envie de danser vendredi ?

Elle a hoché la tête, les larmes aux yeux.

– Vous vous êtes disputés ? a demandé Carla d'une voix douce.

– Pas exactement. Je lui ai juste rappelé que je ne danserais sans doute pas avec lui. Je lui ai dit qu'il pourrait danser avec vous. Il avait l'air tout déçu.

– C'est mignon ! s'est exclamée Claudia. Il ne veut pas d'autre cavalière que toi, Mary Anne. C'est tout.

– Je sais. Mais après, on a eu une grande discussion et...

Jessica l'a coupée :

– Tu as toujours l'intention d'y aller, n'est-ce pas ? Au bal, je veux dire. Si Mallory et Kristy n'y vont pas...

– Attendez !

Cette fois, c'est moi qui les ai interrompues :

– Qu'est-ce qui se passe ? Vous êtes toutes devenues folles ?

– C'est parce que vendredi 13 approche, a affirmé Mallory. Jessica et moi, on en est arrivées à cette conclusion hier.

A mon avis, le vendredi 13 n'y était pour rien, mais je me faisais néanmoins du souci pour le bal. J'avais peur que mes amies gâchent tout avec leurs chamailleries. Je savais que Laine se croyait plus mûre que la plupart d'entre nous, et je me disais que, si le bal était un fiasco, cela ne ferait que lui donner raison. J'espérais donc que Kristy, Mallory et Mary Anne se calmeraient d'ici le vendredi.

Laine a pris la parole :

– Vous savez, les filles, vous allez finir par tout gâcher si vous continuez comme ça.

J'étais surprise de l'entendre dire tout haut ce que je pensais tout bas mais, au moins, ça m'évitait d'avoir à intervenir.

– Mais non, personne ne va gâcher le bal, a répondu Carla.

– C'est pourtant ce qui risque d'arriver. Vous vous disputez vraiment pour des broutilles. J'imagine très bien ce qui se passera vendredi. Vous ne pourriez pas arrêter de vous comporter comme des…

– Cinq heures et demie ! a crié Kristy. C'est l'heure de la réunion. Un peu de silence.

– Tu m'as coupé la parole, lui a fait remarquer Laine.

– Chers membres du Club des baby-sitters, a poursuivi notre présidente, vous avez sans doute noté que nous avons une invitée aujourd'hui. Et, justement, l'invitée en question veut-elle bien se taire ? (Laine a fait un drôle de bruit avec sa langue et pris l'air contrarié, mais elle a obéi.) Quel est l'ordre du jour ?

– Il faudrait qu'on parle de la fête de la Saint-Valentin, a proposé Claudia.

J'avais raconté à Laine que nous organisions une fête pour les enfants, mais elle n'avait pas réagi. Je ne savais pas si ça devait me rassurer ou au contraire m'inquiéter.

– Mary Anne et moi, on a commencé à nettoyer la grange, a dit Carla. (Il y a une vieille grange derrière la ferme où habitent Carla et Mary Anne. Personne ne l'utilise, elle sert juste de remise.) C'est une excellente idée de faire la fête là-bas. Il n'y a pas de chauffage, mais il y fait plus chaud qu'à l'extérieur. Reste à espérer que ce sera une journée ensoleillée. En tout cas, si les enfants sèment la pagaille, ça ne dérangera personne.

– Le menu est toujours le même ? a demandé Kristy.

– Ouais, a répondu Claudia. Gâteaux à la crème, cœurs en sucre, biscuits divers, punch sans alcool.

– Très équilibré, a commenté Carla, et ça nous a fait rire.

– Les enfants sont en train de faire leurs cartes. Du moins, mes frères et sœurs, a précisé Mallory.

– Rebecca aussi, a dit Jessica. De même que Charlotte, et les petits Hobart.

– Pareil pour Matt et Helen Braddock, a ajouté Mary Anne. Et pour Buddy et les jumelles. Où en sont Karen et David Michael, Kristy ?

– Terminé. Ils ont fini ce week-end. C'est super, alors. Tous les invités seront prêts pour samedi. Ça va être génial !

Dring ! dring !

Je me suis jetée sur le téléphone.

– Allô, Club des baby-sitters, j'écoute… Bonjour, monsieur Marshall… Lundi en huit ? Je vous rappelle tout de suite… Entendu… Au revoir.

J'ai raccroché.

– M. Marshall voudrait une baby-sitter pour Nina et Eleanor lundi soir prochain. De sept heures à neuf heures trente.

Mary Anne a consulté l'agenda du club.

– Voyons voir… Lucy et Kristy, vous êtes libres ce soir-là.

– Vas-y, Lucy, a dit Kristy. Tu habites plus près de chez les Marshall.

– Merci !

J'ai rappelé M. Marshall pour lui dire que je viendrais garder ses enfants. J'avais à peine raccroché que la sonnerie du téléphone a retenti une nouvelle fois.

La réunion devenait de plus en plus animée.

Mais Laine avait l'air de s'ennuyer ferme. Bon, je la comprenais. Elle ne faisait pas partie du club. Elle n'avait rien à faire. Elle ne pouvait accepter aucune des gardes qu'on nous proposait.

C'est du moins ainsi que j'interprétais sa réaction. Mais

quand les appels se sont calmés et qu'il y a eu un temps mort, Laine a dit :

– Vous comptez toujours faire du baby-sitting cet été ?

Elle s'adressait à tous les membres du club.

– Bien sûr, ai-je répondu. Pourquoi cette question ?

Laine a haussé les épaules.

– Vous n'envisagez pas de trouver un vrai job d'été ?

– Le baby-sitting est un vrai travail, a objecté Kristy. Et il ne faut pas croire que c'est facile. On doit être très responsable. Après tout, les baby-sitters s'occupent des enfants, et les enfants, c'est l'avenir. (Laine a toussoté.) Oui, parfaitement.

– Oh, je t'en prie. Ça ne vous dirait pas d'avoir un véritable salaire, un chèque que vous déposeriez à la banque, comme les adultes ?

Je commençais à en avoir marre de ma meilleure amie new-yorkaise. Je suis intervenue :

– Laine, où veux-tu en venir ? Tu as bien une idée en tête.

– En fait, j'ai trouvé un vrai boulot pour cet été.

– Je plains ton patron, a grommelé Kristy.

Je l'ai fusillée du regard. Puis je me suis tournée vers Laine.

– Qu'est-ce que c'est, comme boulot ?

– Je vais tenir la caisse chez *Caramelo*.

– C'est quoi, *Caramelo* ? a demandé Claudia.

– C'est la boutique la plus branchée de l'Ouest new-yorkais. M. Kellner a dû recevoir des milliers de candidatures. Et il m'a choisie, moi. Je serai bien payée et j'aurai des bulletins de salaire.

« Eh bien, merci beaucoup, me suis-je dit. Merci Laine : grâce à toi je me sens complètement nulle. C'est vraiment très sympa de ta part ! »

Pendant cette petite conversation, Jessica et Mallory étaient plongées dans le journal de bord du club ; elles relisaient des passages récents. Soudain, Jessica a crié « Oh ! » et s'est mise à glousser. Puis elle a plaqué sa main sur sa bouche.

Mallory lui a donné un coup de coude.

– Chut !

Mais Kristy s'en est mêlée :

– Qu'y a-t-il, Jessica ?

– Je viens juste de réaliser un truc. Nicky Pike dit qu'il est amoureux d'une fille de CE1. Et Carolyn Arnold en pince pour un garçon plus âgé, un CE2 qui sera à la fête de la Saint-Valentin. Je suis sûre qu'ils se plaisent, mais qu'ils ne le savent pas encore. C'est trop mignon !

– C'est super ! ai-je renchéri. J'attends samedi avec impatience. Ça va être flashant comme fête. J'ai surtout hâte de voir la tête de Nicky et de Carolyn quand ils ouvriront leurs cartes.

– Excusez-moi, a dit Laine. Si j'ai bien compris, Nicky a huit ans et Carolyn sept, n'est-ce pas ?

– En fait, elle vient d'avoir huit ans, ai-je corrigé.

– OK, elle a huit ans. Et vous, vous êtes là à discuter des amourettes de deux gamins de huit ans ?

Kristy ne lui a même pas adressé un regard.

– Ouais, a-t-elle dit sans se troubler. Ça te dérange ?

J'ai eu du mal à me mêler à la suite de la conversation. Je pensais à Laine. Que nous était-il arrivé ? Nous étions à des années-lumière l'une de l'autre.

Vendredi. Le séjour de Laine touchait à sa fin. Demain, elle rentrerait à New York. Franchement, ça ne m'attristait pas.

Mais je n'étais pas heureuse non plus. J'étais affreusement déçue. Elle s'était montrée très désagréable. Jamais elle n'avait été comme ça avant. Sinon, elle ne serait pas devenue ma meilleure amie. Comment peut-on être ami avec quelqu'un qui vous casse les pieds ?

Je voulais qu'on me rende la Laine que j'avais connue. Celle sur qui je pouvais compter. Celle qui aimait bien faire du baby-sitting. Celle avec qui je pouvais passer deux heures au téléphone, avant de la rappeler parce que j'avais oublié de lui dire quelque chose, et de passer encore deux heures à papoter au bout du fil.

Celle que mes blagues faisaient rire et qui plaisantait avec mes amis. Apparemment, cette fille-là avait disparu. Et celle qui l'avait remplacée ne me plaisait pas du tout.

En rentrant du collège, ce vendredi-là, je m'étais promis de passer la plus grande partie de l'après-midi avec elle. Rien que nous deux. Je ne voulais pas la voir repartir à New York en ayant le sentiment que notre amitié était fichue.

– Laine ! ai-je crié en franchissant précipitamment la porte d'entrée. Laine !

– Lucy ? a répondu ma mère.

– Oui, c'est moi, maman. Bonjour !

Je suis passée devant elle sans m'arrêter, et j'ai grimpé l'escalier quatre à quatre.

J'espérais que Laine serait prête pour l'heure de vérité.

Je l'ai trouvée étendue sur son lit, plongée dans un épais roman.

– Salut ! C'est quoi, ça ? ai-je dit en désignant le livre.

Elle a pris un air rêveur.

– Oh, c'est fa-bu-leux, a-t-elle dit lentement. Ça s'appelle *Un été de diamants*. C'est l'histoire d'une jeune Américaine de dix-huit ans, Spectra – tu ne trouves pas que c'est un beau nom ? – qui part seule pour un pays lointain où elle tombe amoureuse d'un émir fabuleusement riche qui lui offre tout, y compris des diamants. Elle s'apprête à l'épouser quand elle rencontre un autre émir qui a perdu toute sa fortune ; elle tombe alors amoureuse de lui. Sauf que c'est un « rebelle politique », ou quelque chose comme ça, et qu'elle doit choisir entre les deux hommes qui sont des ennemis mortels. Là, il va y avoir la guerre entre leurs deux pays. Et toi, Anastasia, qu'est-ce que tu lis en ce moment ?

J'ai failli mentir et lui dire que j'avais entamé *Le Journal de Bridget Jones*, que ma mère était en train de lire. Mais j'ai eu peur qu'elle connaisse déjà l'histoire et qu'elle me pose des questions. Il était préférable de dire la vérité.

– Euh… *Black Beauty*, ai-je répondu. C'est Mallory qui me l'a prêté.

– Ah.

C'est tout ce qu'elle a trouvé à répondre.

– Écoute, ai-je dit en essayant d'adopter un ton enjoué. La semaine se termine. Demain, tu rentres chez toi. Je n'ai rien de prévu cet après-midi. (Kristy avait annulé la réunion du club à cause du bal. Claudia resterait dans sa chambre de cinq heures et demie à six heures pour prendre les appels.) Si on passait la fin d'après-midi ensemble ? Rien que toi et moi. On pourrait faire tous les trucs qu'on aimait bien.

– OK, a dit Laine.

Mais je voyais bien qu'elle avait du mal à s'arracher aux aventures de Spectra et des émirs.

Je l'ai prise par la main et je l'ai tirée hors du lit.

– Viens. On va dans ma chambre ! Je veux que tu m'aides à choisir ce que je porterai ce soir.

Laine a souri.

– Je sais. Tu vas mettre cette robe bleue qu'on a achetée à l'automne dernier, quand tu étais à New York. Celle qui vient de *L'Entrepôt.*

– Impossible. Je l'ai déjà portée à la dernière soirée. En plus, n'oublie pas que c'est la Saint-Valentin.

– Oui. Et alors ?

– Alors, il faut que je m'habille en rouge.

– Oh, Anastasia ! a-t-elle soupiré.

– Quoi ?

– Ce sont les petits de CM1 qui s'habillent en rouge pour la Saint-Valentin.

– Ma mère porte toujours du rouge ce jour-là.

– En fait, la mienne aussi, a dit Laine. C'est peut-être une question de génération.

– Ou alors, c'est peut-être pour ça que nos mères s'entendent si bien.

Elle a haussé les épaules.

– Peut-être bien.

– Bref, peu importe. Je pourrais mettre ça, par exemple.

J'ai sorti un petit haut rouge et une jupe en jean très courte de mon placard.

– Laine ? Je pourrais mettre ça, ai-je répété.

Mais elle était plongée dans la contemplation de ses mains.

– Je ferais bien de me remettre un peu de vernis. Le mien s'écaille. Anastasia, tu n'aurais pas un rose bien flash ? Oh et puis non, laisse tomber. Ça n'a aucune importance : Peter ne remarquera pas la différence.

J'ai froncé les sourcils.

– Ça a l'air de drôlement t'intéresser, ce que je raconte.

– Pardon ?

– Non, rien. Je n'ai plus de problème vestimentaire. Je viens de décider de ce que j'allais mettre.

J'ai accroché la jupe et le petit haut à la poignée du placard.

– Parfait... Hé, Anastasia ? a-t-elle dit d'un air distrait. En fin de compte, je devrais peut-être retoucher mes ongles. Je vais voir King demain.

– Oh, dans ce cas, c'est absolument indispensable, ai-je répliqué. Ciel ! Si King pose les yeux sur tes ongles, alors. Pas question d'offenser son regard avec du vernis écaillé. Quel drame !

J'ai fouillé dans un tiroir de ma coiffeuse. Je ne pouvais pas regarder Laine. Je savais que je n'étais pas gentille, mais elle ne l'était pas non plus. J'ai repéré un flacon de vernis rose fluo, et j'allais le jeter brutalement à ses pieds quand j'ai décidé de donner une nouvelle chance à notre amitié. Ou du moins, de rester courtoise.

– Et voilà, ai-je dit en lui tendant le flacon. J'espère que King aime cette couleur. Tu ne devineras jamais où j'ai trouvé ce vernis

– Où ? a-t-elle demandé avec intérêt. Chez *Fiorucci* ?

– Pas du tout. C'est en regardant *Tout est à vous.*

– Qu'est-ce que c'est que ça ?

Je croyais que tous les habitants de New York, du New Jersey et du Connecticut regardaient cette émission. Mais apparemment, je me trompais.

– C'est une émission de téléachat, ai-je expliqué à Laine. D'ailleurs, ça passe en ce moment même.

Elle a eu une moue de dédain.

– Une émission de téléachat ? Tu veux dire que tu as acheté ce truc dans une émission de télé ? Qu'as-tu acheté d'autre ? Des boucles d'oreilles en faux diamants ? Un clown en porcelaine ?

Effectivement, j'avais commandé un de ces clowns. Je le trouvais assez joli. Mais je me suis contentée de dire :

– Et comment se fait-il que tu sois si bien informée sur le téléachat ?

– Oh, à cause d'une fille qui est dans ma classe. Elle regarde tout le temps ces émissions. Et elle arrive toujours au collège avec des babioles atroces.

– Peut-être que ça lui plaît, ce qu'elle achète, ai-je dit en imitant son ton hautain.

Laine n'a pas répondu. Je ne savais pas si elle m'avait entendue. Je n'étais même pas sûre qu'elle écoutait. Le vernis à ongles semblait occuper entièrement ses pensées.

Je l'ai observée quelques instants. Puis j'ai dit :

– Ça te dirait de faire du pop-corn ?

– Non. Je suis au régime, tu as oublié ?

– On n'est pas obligées de mettre du beurre dessus.

– Ça va m'abîmer les ongles.

Sans compter que le vernis risquait de salir le pop-corn.

– Comment se fait-il que tu sois au régime ?

– J'ai trois kilos à perdre.

– Pourquoi ?

– Parce que je suis trop grosse. Ça ne se voit pas ?

– Non.

Je n'en revenais pas. Laine est toute mince. Elle n'a jamais eu de problème de poids.

– Tu ferais bien de te mettre au régime toi aussi, m'a-t-elle conseillé.

Moi, faire un régime ? Et d'une, je suis déjà au régime à cause de mon diabète, et de deux, je suis maigre comme un clou. C'est ce que disent tous mes amis. Ma mère répète tout le temps qu'il faut que je me remplume. Je suppose que toutes les mères sont plus ou moins pareilles. Parfois, même le docteur me trouve un peu mince. Vous en connaissez beaucoup, vous, des docteurs qui vous conseillent de manger davantage ? Je me suis demandé si Laine était anorexique. Mais j'ai renoncé à lui poser la question. Je ne voulais pas qu'on commence à se disputer. D'un autre côté, si elle l'était vraiment, je devais faire quelque chose. J'étais sa meilleure amie, n'est-ce pas ? Enfin, c'était ma meilleure amie (une de mes deux meilleures amies)... non ?

En toute honnêteté, je me suis dit que c'était plutôt Claudia, ma meilleure amie. Je me suis rendu compte que je l'appréciais davantage que Laine. Et ce n'était pas facile à accepter. Laine et moi, on se connaît depuis bien plus longtemps. Nos mères sont amies, en plus. Elles se connaissent depuis le baccalauréat ou quelque chose comme ça, c'est-à-dire depuis une vingtaine d'années. Ça fait un bail ! Comment pourrais-je faire abstraction de tout ce passé ?

« Attends, attends, a dit une petite voix dans ma tête. Qui te demande de faire comme si tout cela n'avait pas existé ? Pourquoi tous les torts seraient de ton côté ? »

« Il faut être deux pour danser le tango », comme disent les anglophones. Vous savez ce que ça veut dire ? Moi, j'ai mis un petit moment à comprendre. Le tango se danse en couple. Essayez donc de le danser tout seul : c'est impossible. En matière de disputes, c'est la même chose : pour se disputer, il faut être deux. Quand quelqu'un – le plus souvent, un adulte – dit « il faut être deux pour danser le tango », ça veut dire que les torts sont toujours partagés, que le problème ne vient pas uniquement d'une seule personne.

Autrement dit, si Laine et moi avions un problème, ce n'était pas seulement à cause de moi. Mais à cause de quoi, alors ? C'est ce qui me préoccupait pendant qu'elle se faisait les ongles. Tandis que je l'observais, une autre image s'est formée dans mon esprit. L'image d'une Laine beaucoup plus jeune. Les bras croisés, elle me tournait le dos. Nous étions en sixième. Et elle ne voulait plus me parler. Je n'avais pas oublié pourquoi : je venais d'apprendre que j'avais du diabète, et nous nous étions disputées à mort. Laine ne supportait pas ma maladie. En fait, nous étions restées brouillées longtemps, jusqu'à ce que je parte vivre à Stonebrook (pour la première fois) et même un peu après. Voilà un exemple de dispute entre nous.

Quel sens attribuer à ces périodes glaciales ? J'ai essayé de me convaincre que ce n'était que de mauvaises passes. Après tout, Claudia et moi avions aussi traversé des moments difficiles. Mais on ne s'était jamais brouillées aussi fort ni aussi longtemps. D'un autre côté, s'il est vrai que les gens changent, les amis doivent être capables d'affronter certains obstacles. « On grandit, me suis-je dit. Nous ne sommes plus les mêmes qu'il y a un an. Notre amitié doit évoluer en tenant compte de cela. » J'ai décidé de poursuivre mes efforts. Nos deux mères avaient tout un passé en commun. Laine et moi, c'était pareil : nous étions amies depuis huit ans (avec des hauts et des bas), ce qui n'était pas rien.

– Ce soir, on va bien s'amuser, ai-je dit pour rompre le silence.

– Au bal ? Ouais...

– Tout ce que j'espère, c'est qu'il n'y aura pas de bagarres.

– Pourquoi, c'est ce qui se passe en général lors de vos bals ?

– Non, je voulais dire : j'espère que mes amis ne vont pas se disputer entre eux. Et que tout le monde sera très, très cool.

Vendredi

Les enfants sont surexcités par cette histoire de fête de la Saint-Valentin ! Moi aussi, je dois dire. Par exemple, j'ai hâte de voir ce qui se passera quand Nicky ouvrira la carte de Carolyn et inversement. Aujourd'hui, je suis allée chez Carla et Mary Anne afin de les aider à décorer la grange pour samedi. J'ai amené Karen et David Michael avec moi. Je savais que ça les amuserait de donner un coup de main. Et je ne me suis pas trompée. Bon, j'espère que ça va se calmer d'ici là. Carla, ne sois pas trop en colère quand tu liras ces lignes mais tu as été un peu pénible aujourd'hui. Je ne sais pas trop comment ce bal va tourner, mais je sens que notre fête de la Saint-Valentin sera une vraie réussite!

– Merci, Samuel ! a crié Kristy.

Son grand frère venait de la déposer dans la rue qui borde la grange. De la voiture ont aussi débarqué Karen, sa demi-sœur, et David Michael, son frère cadet (ils ont sept ans tous les deux).

Kristy a refermé la porte du Tas de ferraille, la voiture de Samuel. C'est vrai que c'est une vraie poubelle. Il l'a achetée d'occasion, et il n'arrête pas de la bricoler : il la repeint (on distingue au moins quatre couleurs différentes à présent), il accroche des trucs au rétroviseur, il change les enjoliveurs, et ainsi de suite. En général, mes amies et moi, on a un peu honte d'être vues dedans. Néanmoins, quand c'est le seul véhicule disponible, on est bien contentes d'en profiter.

– Merci, Sam ! ont fait David Michael et Karen.

– De rien. Je repasse vous prendre vers cinq heures.

Il a démarré en douceur. Sa voiture est peut-être une poubelle, mais il conduit prudemment. Et puis il est serviable : il n'arrête pas de faire le taxi pour les membres du Club des baby-sitters.

– Hé, les filles !

Ne sachant pas si Carla et Mary Anne étaient dans la grange ou dans la maison, Kristy avait hurlé (pour changer).

– On est là !

C'était la voix de Carla, en provenance de la grange.

– OK.

Kristy s'est tournée vers son frère et sa demi-sœur.

– Vous avez tout ce qu'il faut ?

– Ballons et papier crépon, a répondu Karen.

– Ciseaux, Scotch, ficelle, a complété David Michael.

– Il ne nous reste plus qu'à commencer.

Kristy a fait entrer les petits dans la grange. Ils ont aussitôt laissé tomber les objets qu'ils portaient pour se précipiter dans le grenier à foin.

– Je vous signale que vous êtes là pour travailler ! leur a crié Kristy.

– On revient tout de suite. Juste un ou deux petits sauts ! a supplié Karen.

Ils aiment bien grimper à l'échelle et se laisser tomber dans le foin.

– Salut, Kristy ! ont dit en chœur Carla et Mary Anne.

Et Carla a ajouté :

– Alors, ça te plaît ce qu'on a fait jusqu'à maintenant ?

Kristy a parcouru la grange des yeux.

– C'est super !

Les filles avaient accroché des cœurs rouges et roses un peu partout.

– Et regarde ça, a dit Mary Anne en désignant une table dans un coin.

– Oh, comme c'est mignon !

Les assiettes étaient rouges avec des cœurs blancs, les tasses blanches avec des cœurs rouges et une anse en forme de cœur. Le tout était complété par des serviettes à rayures rouges et blanches.

– Bon, tu es prête à te mettre au travail ? a demandé Kristy.

– Ouais. J'appelle Karen et David Michael pour qu'ils commencent à gonfler les ballons.

Cinq minutes plus tard, tout le monde était bien occupé. Carla continuait à fixer des cœurs sur les murs, Mary Anne sortait les tasses, les assiettes et les serviettes de leur emballage plastique, Kristy déroulait du papier crépon et les petits gonflaient des ballons en forme de cœur.

Karen a contemplé son premier ballon.

– Ça ne ressemble pas vraiment à un cœur ; ce n'est qu'un ballon avec des bosses.

– Ce n'est pas grave : du moment que nous, on sait que c'est des cœurs, l'a rassurée Kristy.

– Coucou !

Kristy s'est retournée. Nicky Pike se tenait dans l'encadrement de la porte.

– Coucou ! a-t-elle répondu.

– Est-ce que je peux me rendre utile ? a-t-il demandé.

– Ça te dit de gonfler des ballons ?

– Bien sûr !

Nicky a traversé la grange à grandes enjambées. Kristy a jeté un coup d'œil à Carla et Mary Anne, qui essayaient de réprimer un sourire. Apparemment, il était tout excité à l'idée de la fête. Kristy s'est dit que Carolyn Arnold éprouvait certainement le même sentiment.

Mary Anne a reposé une pile de tasses et d'assiettes, et elle s'est précipitée vers Kristy et Carla.

– Oh, il est adorable.

– Je me demande ce que font les petits de huit ans quand ils s'aiment bien, a dit Carla d'un air songeur. Ils ne sortent pas vraiment ensemble.

– Peut-être qu'ils sortent ensemble, mais pour eux ça consiste à aller au magasin de jouets ou au terrain de jeux. Ou d'autres choses dans ce goût-là, a suggéré Mary Anne.

Kristy et Carla ont eu un grand sourire.

Mes amies se sont séparées et ont repris leurs occupations.

Au bout d'un moment, Kristy a rompu le silence :

– En fin de compte, Bart et moi, on va venir au bal ce soir.

– C'est vrai ? s'est exclamée Mary Anne. Pourquoi tu ne me l'as pas dit plus tôt ?

– Oh, ça vient juste de me traverser l'esprit. Bart a appelé quand je rentrais du collège hier. Mais je lui en veux toujours.

– C'est pas vrai, a grogné Carla.

– Si, on ne dit pas à quelqu'un qu'on l'emmène au bal, puis qu'on n'est pas sûr de pouvoir y aller... on n'a pas le droit de laisser les gens dans l'incertitude jusqu'au dernier moment.

– Oui, mais l'important, c'est que vous veniez.

– Tu as sans doute raison.

Kristy s'est tournée vers Mary Anne :

– Toi et Logan, vous serez là ou pas ?

– Ouais.

Elle faisait une tête d'enterrement.

– Oh, je vous en prie, a supplié Carla. Faites un effort, d'accord ? Pas de chamailleries. Le but, c'est quand même de passer une bonne soirée.

– Entendu, a dit Kristy.

– OK, a fait Mary Anne.

– Merci.

Mes amies se sont remises à fabriquer des décorations.

A peu près au même moment, je regardais Laine se faire les ongles. Vers cinq heures et demie, heure à laquelle aurait dû avoir lieu la réunion du club, Laine et moi étions en train de nous préparer pour le bal.

– Je me demande ce que Peter aura sur le dos, a crié Laine depuis la chambre d'amis.

– Un costume, ai-je répondu.

– Tu plaisantes ?

– Attends... tu te mets bien sur ton trente et un, non ?

– Je sais, mais quand moi je m'habille, King porte généralement...

Je me moquais des habitudes vestimentaires de King. Cependant, je n'ai pas interrompu Laine. J'ai cessé de prêter attention à ce qu'elle disait, c'est tout. Mais quand elle s'est tue, j'ai dit :

– Laine ? Sois gentille avec Peter ce soir.

Je savais que j'avais une attitude assez maternelle envers lui, mais je ne pouvais pas m'en empêcher. A l'évidence, Laine n'arrêtait pas de comparer Peter à King, et Peter n'était jamais à son avantage.

– Qu'est-ce que tu dis ? a-t-elle hurlé.

– Rien, laisse tomber.

Une minute plus tard, elle a fait irruption dans ma chambre.

– Comment tu me trouves ?

– Splendide ! me suis-je exclamée.

Peter allait tomber raide. Laine était en noir des pieds à la tête. Veste noire cintrée, pantalon noir fluide, talons hauts noirs. Petite exception : les bijoux étaient argentés. J'ai examiné ses boucles d'oreilles.

– C'est celles que je t'ai offertes ?

Elle a hoché la tête.

– Exact. Pour mon anniversaire. Je les mets tout le temps.

– C'est vrai ? C'est chouette.

– Tu sais ce que je porte tout le temps aussi ?

– Non ?

– Les boucles que Claudia m'avait faites. Celles en forme de poisson tropical.

Je me suis contentée de fixer Laine quelques instants. Puis je l'ai serrée dans mes bras.

Elle a eu l'air étonnée.

– Lucy, pourquoi tu fais ça ?

J'ai souri sans rien dire.

Un peu plus tard, nous avons pris un dîner rapide et léger. Debout dans la cuisine, ma mère s'est exclamée en nous regardant :

– Vous êtes resplendissantes, les filles. Et vous faites au moins quinze ans.

– Oh, maman, l'ai-je grondée en riant.

Laine a dit d'un ton très sérieux :

– On me donne parfois dix-huit.

J'étais assez impressionnée. Mais ma mère a répliqué :

– Tu as encore le temps d'avoir dix-huit ans, mon chou. Pourquoi tu ne profiterais pas un peu de tes treize ans ?

– Ouais. Pourquoi supprimer cinq années de ta vie ? ai-je ajouté.

Laine a haussé les épaules.

– Bon, tout le monde est prêt ? a demandé ma mère.

– Je crois, ai-je dit en me dirigeant vers le placard de l'entrée. Voilà ton manteau, Laine. Allons-y. J'aimerais bien être l'une des premières sur place.

Elle a pris son manteau, mais ne l'a pas enfilé.

Elle m'a attrapée par le coude et m'a attirée dans un coin de l'entrée.

– Les garçons ne passent pas nous chercher ? a-t-elle murmuré, horrifiée.

– Non, on les retrouve directement au bal.

– On fait quoi ?

– On les retrouve au collège.

– Oh, Anastasia, c'est tellement puéril. Les garçons sont censés passer nous prendre à la maison. Avec leur voiture.

– Peut-être, mais ils n'ont pas le permis, ai-je répliqué en serrant les dents. King non plus, que je sache. Et arrête de m'appeler Anastasia. Mon prénom, c'est Lucy.

– Oh, désolée.

– OK, maman. On est prêtes, ai-je annoncé.

Nous sommes sorties toutes les trois et nous nous sommes installées dans la voiture. Ma mère nous a conduites au collège de Stonebrook.

Laine et moi n'avons pas dit un mot de tout le trajet.

12

Ma mère s'est garée devant l'entrée du gymnase. Je l'ai regardée du coin de l'œil, puis j'ai observé Laine, assise sur la banquette arrière.

J'ai respiré un grand coup et j'ai pris une décision. J'avais le choix ce soir-là (Laine aussi) : soit je me montrais mûre et raisonnable, j'essayais de bien m'amuser avec Austin Bentley, qui était mon ami et ne se doutait pas de ce qui se passait entre Laine et moi.

Soit je me laissais aller à mes sentiments et je me comportais comme une gamine.

J'ai opté pour la première solution.

J'ai fait un grand sourire et j'ai dit, sur un ton un peu trop enjoué peut-être :

– Merci, maman. Bon, tu repasses nous prendre à dix heures, n'est-ce pas ?

Ma mère m'a rendu mon sourire, apparemment soulagée (elle sentait que quelque chose n'allait pas entre Laine et moi, sans savoir quoi au juste).

– C'est ça, à dix heures, a-t-elle répété.

– Viens, Laine, ai-je dit en ouvrant la portière et en m'extirpant de la voiture.

Elle m'a suivie en grommelant :

– Merci, madame MacDouglas.

Pendant que ma mère s'éloignait, nous avons marché vers l'entrée du gymnase.

– Hé, Lucy, dépêche-toi ! a crié quelqu'un.

Laine a regardé autour d'elle, pas très à son aise.

Mais ça m'a fait sourire. Je ne connaissais qu'une seule personne capable de m'interpeller de la sorte à un bal de la Saint-Valentin.

– Kristy ? ai-je répondu.

– Par ici !

Elle se tenait juste à côté de l'entrée, un grand sourire aux lèvres. Bart avait passé son bras autour de ses épaules. Chose incroyable, elle avait mis une robe. Pas une robe habillée, bien sûr, mais une robe quand même. Ça lui donnait une allure terrible.

Apparemment, Bart et Kristy étaient contents d'être ensemble. Voilà au moins un couple qui ne me causerait pas de souci ce soir-là. Si seulement Mary Anne et Logan ainsi que Mallory et Ben pouvaient faire un effort pour que tout se passe bien.

J'ai rejoint Kristy.

– Tu es drôlement belle !

– Merci. J'ai l'impression qu'on est les premiers arrivés.

Mes amis et moi (nous sept plus nos petits copains), nous nous étions donné rendez-vous aux portes du gymnase, pour entrer tous ensemble. On aime bien être en bande parfois.

Les autres sont arrivés un par un ou deux par deux : Carla et Mary Anne, Logan et Ben. Et enfin, Peter et Austin.

– Les voilà ! me suis-je écriée en voyant la voiture de M. Blake s'engager sur le parking.

La portière arrière s'est ouverte et Peter est sorti, suivi d'Austin. Comme je l'avais prévu, Peter portait un costume. Austin aussi. Chacun d'eux avait un œillet rouge à la boutonnière et portait une petite boîte qui semblait contenir des fleurs.

– Oh, ai-je dit à voix basse. Regarde, Laine. Je crois qu'ils ont apporté des fleurs.

Effectivement, quand Austin et Peter sont arrivés à notre hauteur, ils nous ont offert leurs boîtes.

– Merci, ai-je dit dans un souffle.

J'ai défait le ruban rose pendant que mes amis faisaient cercle autour de moi pour regarder. En ouvrant la boîte, j'ai découvert un petit bouquet rouge et blanc à porter au poignet. Austin l'a extrait de la boîte et l'a glissé autour de ma main. En toute modestie, je dois dire que ça s'accordait très bien avec le petit haut rouge que j'avais choisi de porter. Une fois de plus, je n'ai rien trouvé d'autre à dire que merci.

– De rien, a répondu Austin, tout sourire.

A côté de moi, Peter tenait maladroitement la boîte dont Laine défaisait le ruban. Quand il a approché les fleurs de son poignet, elle a bougé et les fleurs ont atterri sur les marches pour finir piétinées par un groupe d'enfants qui arrivaient en courant. Les vandales ont disparu à l'intérieur du gymnase. Après leur passage, nous avons contemplé les fleurs écrasées.

– Oups ! a fait Peter.

Laine l'a écarté d'un geste, comme si ni lui ni le bracelet de fleurs n'avaient la moindre importance à ses yeux. Au moment où nous entrions dans le gymnase, elle m'a murmuré :

– Tu ne m'avais pas dit qu'il était aussi empoté.

– J'ai eu tort, ai-je grommelé.

Mais au fond de moi je me disais : « Je ne pensais pas que tu lui ferais perdre tous ses moyens. »

A l'intérieur, le gymnase n'avait plus rien d'un gymnase. C'était devenu un endroit splendide. Des cœurs en papier rose et des guirlandes argentées pendaient du plafond. Des serpentins roses couraient d'un bout à l'autre de la salle.

– Waouh, c'est très très… rose ? a dit Logan, ce qui nous a fait rire.

– Je trouve ça beau, a commenté Mary Anne.

– Moi aussi, ai-je dit.

– C'est beau pour un enfant de deux ans.

– La ferme, Laine, ai-je dit sèchement, renonçant à la décision que j'avais prise.

– Qui est-ce qui joue ce soir ? a demandé Bart (lui-même joue dans un groupe, et ça l'intéresse toujours de savoir ce que font les autres musiciens).

– Je ne sais pas exactement, a dit Kristy.

En fait, aucun de nous n'était bien informé. Quelques instants plus tard, la musique a démarré.

– Hé, ce n'est qu'une sono ! s'est exclamée Laine, consternée.

– Attends, le groupe est en train de se mettre en place, a corrigé Austin. Je les aperçois. Je suis sûr qu'ils ont mis un peu de musique pour nous faire patienter, le temps qu'ils soient prêts. Tu danses, Lucy ?

– Avec plaisir.

Au même moment, j'ai observé Mary Anne pour voir comment elle réagissait.

Elle était un peu pâle. Mais, quand Logan lui a dit « Viens, Mary Anne, on va se chercher quelque chose à manger », elle s'est détendue. Jusqu'ici, tout allait bien.

Austin et moi, on s'est dirigés vers un endroit dégagé au milieu du gymnase, et on a commencé à danser. Du coin de l'œil, j'ai vu que Peter et Laine nous suivaient. Peter ne voulait sans doute pas trop s'éloigner d'elle. C'est là que j'ai remarqué autre chose : les pieds de Peter.

Il portait des baskets avec son costume.

J'avais oublié ce petit détail. Peter est toujours en baskets. En y réfléchissant, je me suis dit que je ne l'avais jamais vu chaussé autrement. C'est son signe distinctif, sa marque de fabrique. Mes amis et moi, on a tellement l'habitude de le voir avec qu'on n'y prête plus vraiment attention.

Laine a remarqué les baskets en même temps que moi. Elle a eu le mérite de ne rien dire. Mais elle a eu l'air horrifiée, comme si un serpent venait de s'échapper d'une des chaussures de son cavalier.

Peter a dû voir la tête qu'elle faisait. C'est sans doute ce qui l'a conduit à dire :

– Mon père et ma mère ont décidé de faire agrandir la maison. Ils font construire une nouvelle aile.

Je pense qu'il éprouvait le besoin de dire quelque chose, d'entamer la conversation pour meubler, pour dissiper le malaise.

– Ils vont faire un salon et une salle de bains en bas, plus une chambre et une salle de bains en haut. Enfin, en bas ce sera plutôt une salle d'eau mais, en haut, on aura une vraie salle de bains. Tu connais la différence, n'est-ce pas ? Dans une salle d'eau, il n'y a pas de baignoire. En ce moment, mes parents sont en train de choisir le carrelage…

– Pardon ? a dit Laine.

– … pour mettre par terre. Mon père veut du blanc tacheté de noir pour la salle de bains du premier, et des carreaux bleus unis…

– Peter ?

– … pour celle du bas. Ma mère préférerait des carreaux roses et jaunes pour en haut, et des petits carreaux à fleurs pour en bas. Ils n'arrivent pas à se décider parce qu'il y a du plâtre et de la poussière partout. Même sur les échantillons de carrelage, tu comprends ? Est-ce que tu as…

– Peter !

– … déjà respiré de la poussière de plâtre ? Ça te reste dans la gorge. Tu as l'impression que ta bouche est sèche comme un désert.

– Ouille ! a hurlé Laine. Tu m'as marché sur le pied.

C'est ainsi que le bal a commencé. Voici un résumé de ce qui s'est passé dans l'heure qui a suivi :

Quelqu'un a renversé son verre juste à côté de Laine. Elle n'a pas été éclaboussée. Pas une seule goutte ne l'a atteinte. Mais elle s'est détachée de Peter assez longtemps pour me dire sur un ton cinglant :

– Voilà pourquoi les sixièmes ne devraient pas être autorisés à assister à des bals où il y a d'autres élèves plus âgés. Leurs mouvements ne sont pas très coordonnés.

Je l'ai fusillée du regard.

– Je te rappelle que Jessica est en sixième.

C'est tout ce que j'ai trouvé à dire. Mais Laine a compris.

Le groupe a commencé à jouer. Laine n'a pas aimé leur musique.

Peter est allé chercher à boire et à manger pour Laine – un cocktail de fruits et un biscuit en forme de cœur. Elle a mangé le biscuit du bout des lèvres, en lui faisant comprendre que cela relevait davantage d'un goûter de maternelle que d'un bal de collégiens.

Vers neuf heures du soir, le groupe a fait une pause. Quelqu'un a mis un slow.

– Pfft, c'est un CD, a dit Laine, comme si les musiciens lui avaient fait un affront.

– Tu veux danser ? a proposé Peter, plein d'espoir.

– Non. Je suis fatiguée.

– OK. On va en laisser passer une ou deux.

Il a entraîné Laine hors de la piste de danse. Ils se sont faufilés entre les autres invités. Tandis qu'ils approchaient du buffet (pardon, du goûter d'école maternelle), un garçon très mignon a tapé sur l'épaule de Laine et lui a dit :

– On danse ?

Elle l'a regardé, intimidée.

– D'accord, a-t-elle réussi à articuler.

Peter en est resté bouche bée. Il a regardé Laine retourner sur la piste de danse en compagnie du garçon. Puis il s'est mis à tousser (je crois qu'il luttait contre les larmes).

– Austin ? ai-je murmuré.

Nous avions suivi Peter jusqu'au buffet.

Austin a secoué la tête.

– Non, il vaut mieux le laisser tranquille. J'irai lui parler dans un petit moment.

J'ai observé Laine pendant quelques minutes. Elle avait passé ses bras autour du cou du garçon et lui souriait de toutes ses dents.

J'ai détourné les yeux, furieuse.

– Je n'arrive pas à y croire, ai-je grommelé.

– Hein ? a dit Claudia, qui se tenait derrière nous.

– J'ai dit : « Je n'arrive pas à y croire. »

– Qu'est-ce que tu n'arrives pas à croire ?

Du doigt, j'ai montré Laine et son cavalier, qui virevoltaient au milieu de la salle.

– Et alors ? a dit Claudia. Elle a le droit de danser avec un autre.

– Pas après avoir rejeté la proposition de Peter. Quand ils ont mis un slow, il l'a invitée à danser. Elle a refusé. Et quand cet autre type lui a demandé, elle n'a pas hésité une seule seconde. J'ai cru qu'elle allait tomber raide.

Kristy nous avait rejoints.

– Je me demande si Laine est au courant que le garçon de ses rêves n'est qu'un humble cinquième. Je me demande également si elle pense que les cinquièmes sont suffisamment coordonnés dans leurs mouvements.

Claudia a éclaté de rire, mais pas moi. J'avais dépassé le stade de la saine colère. J'étais au bord de l'explosion. Quand le morceau s'est terminé et que Laine, tout excitée, est accourue vers nous, je l'ai prise par le coude et je l'ai entraînée sans ménagements dans un coin du gymnase.

– Qu'est-ce qui te prend ? m'a-t-elle demandé.

– Tu dépasses vraiment les bornes ! me suis-je exclamée.

– Qu'est-ce que j'ai fait ?

– Tu ne vois vraiment pas ?

Laine regardait ses pieds. Je me suis dit qu'elle avait très bien compris.

– Tu es vraiment vache avec Peter. Et il ne mérite pas ça. C'est un garçon sensible. Je n'en reviens pas que tu déclines son invitation et que, deux secondes plus tard, tu acceptes celle d'un autre juste sous son nez. Tu te crois peut-être supérieure à tout le monde, Laine Cummings, mais tu te trompes.

– Je n'ai jamais dit ça.

– Oh si, tu l'as dit. Tu l'as dit de mille manières différentes. Tu es mieux habillée que les autres, tu es plus adulte, tu as des goûts beaucoup plus raffinés...

– Excuse-moi, m'a-t-elle coupée d'une voix glaciale. Je veux rentrer maintenant.

– Très bien. J'appelle ma mère.

– Attends : je veux rentrer à New York.

13

– Très bien, Laine. J'appelle ma mère, ai-je répété. Je ferai tout ce que je pourrai pour que tu puisses rentrer à New York le plus vite possible.

- Parfait.

Je me suis dirigée à grands pas vers l'entrée du gymnase. Je n'étais pas sûre d'avoir de quoi téléphoner. Quand j'ai repéré Austin, j'ai voulu aller le voir. Mais, comme il discutait avec Peter, je les ai laissés tranquilles. J'ai couru à travers le hall.

Je ne m'étais pas rendu compte que Laine me suivait. Je ne m'en suis aperçue qu'au moment où j'atteignais les cabines situées à hauteur du parking.

– Qu'y a-t-il ? lui ai-je demandé. Tu as peur que je ne l'appelle pas ? Crois-moi, je suis aussi pressée que toi de te voir rentrer à New York.

– Oh, je te crois. Je veux juste entendre ce que tu vas dire à ta mère. Je ne voudrais pas que tu...

– Racontes des bobards, c'est ça ?

– Ce n'est pas moi qui l'ai dit.

Évidemment, ça n'a fait qu'accentuer ma colère. J'ai tourné le dos à Laine, j'ai décroché le téléphone le plus proche et j'ai attendu la tonalité. Comme il ne se passait rien, j'ai raccroché bruyamment et j'ai décroché l'appareil d'à côté.

– Ce que tu peux être soupe au lait, a dit Laine.

– La ferme !

J'ai mis une pièce dans la fente et j'ai composé le numéro de la maison.

– Allô ? a dit ma mère.

– Salut, maman, c'est Lucy. Est-ce que tu pourrais venir nous chercher ?

J'avais la gorge serrée.

– Déjà ? a-t-elle répondu. Que se passe-t-il ?

– On s'est disputées, Laine et moi. Elle veut rentrer à New York. Dès ce soir.

– Je n'ai pas dit que je voulais rentrer ce soir, m'a interrompue Laine.

J'ai posé une main sur le combiné.

– Non, c'est moi qui le dis.

A l'autre bout de la ligne, ma mère semblait perplexe :

– Quoi ?... Lucy ?

– Rien, ai-je dit. Tu peux venir nous chercher ?

– Maintenant ? Bien sûr. J'arrive.

– Merci. A tout de suite.

J'ai raccroché et j'ai commencé à remonter le couloir d'accès au gymnase.

– Où vas-tu ? a crié Laine derrière moi.

– Je retourne chercher mes affaires, dire au revoir et m'excuser de ta grossièreté auprès des autres. Auprès des six cents autres.

– Ce n'est pas parce que je pars qu'il faut que tu partes. Et tu n'as pas à t'excuser pour moi. Je suis tout à fait capable de le faire toute seule.

– Tu ne saurais même pas à qui tu dois faire tes excuses, ai-je répliqué.

– Bien sûr que si. A Peter.

– Et à qui d'autre ? (Laine a pâli.) Tu vois, tu ne sais pas.

– OK. A qui d'autre ?

J'ai arrêté de courir.

– Tu pourrais peut-être commencer par mes autres amis. Puis...

Elle m'a regardée sans comprendre.

– Tu veux dire Claudia et les autres ? Mais... qu'est-ce que je leur ai fait ?

– Laine...

J'étais atterrée. Elle ne se rendait même pas compte.

– Toute la semaine, tu les as traitées avec mépris. Tu as snobé tout le monde. Je ne vois pas comment je pourrais le dire autrement. Et puis, si tu t'en sens encore capable, tu peux t'excuser auprès des musiciens pour les avoir sifflés. Tu peux t'excuser auprès de ceux qui ont décoré le gymnase parce que tu as dit que ça te faisait penser à une classe de maternelle. Tu peux t'excuser auprès des sixièmes qui n'ont paraît-il aucune coordination.

– Qui d'autre, madame le juge ?

– Oh, je suis sûre qu'il y en a plein d'autres. Quand ça me reviendra, je te ferai signe.

Laine a fait la moue.

Je suis entrée dans le gymnase. Austin, Claudia et le reste de mes amis se tenaient à proximité de la porte.

– Austin ? Je peux te parler ?

Nous sommes allés dans un coin un peu isolé. J'ai commencé par dire :

– Je suis vraiment désolée.

– De quoi ?

Il avait l'air tout étonné.

– Je suis désolée pour Laine.

– C'est à elle de s'excuser.

– Je sais. Mais je ne pense pas qu'elle le fasse. De toute façon, je m'excuse aussi parce que je dois partir.

– Tout de suite ?

– Ouais. Laine veut rentrer. On s'est disputées sérieusement. Il faut qu'on parle, surtout si elle rentre à New York par le prochain train.

– Entendu.

J'ai jeté un coup d'œil au bracelet de fleurs qu'Austin m'avait apporté. Puis je l'ai regardé et j'ai lu de la déception dans ses yeux.

– Austin, il faut que je m'excuse pour autre chose : j'ai gâché cette soirée. Je me faisais vraiment une joie d'être ici, et je suis certaine que toi aussi. Je n'ai pas envie de rentrer, mais je crois que je n'ai pas le choix. Ça m'embête aussi de voir Peter dans cet état ; il y a de quoi être bouleversé. Dis-lui que je l'appellerai ce week-end. Toi aussi, je t'appelle. OK ?

– OK.

Austin a hoché la tête.

– Merci. Il faut que je dise deux mots à Claudia. Puis je prends mon manteau et je file. Ma mère est déjà en route.

Je suis retournée vers mes amies.

– Claudia ?

– Oui ?

– Ma mère va arriver. Laine et moi, on rentre à la maison. Et elle reprend le train pour New York. On s'est disputées.

Claudia s'est mordu la lèvre. Après un silence elle a dit :

– Je dois reconnaître que je ne suis pas mécontente. Enfin, de voir Laine partir. Mais ça m'embête que tu ne restes pas ce soir.

– Moi aussi, ai-je répondu. Écoute, on se voit demain. Austin sait que je m'en vais. Je te charge de le dire aux autres.

– Ne t'en fais pas. Salut, Lucy. Je penserai à toi.

– Merci.

J'ai récupéré mon manteau et je suis ressortie dans le couloir. Laine était là, appuyée contre le mur.

– Où est mon manteau ? a-t-elle demandé.

J'ai haussé les épaules.

– Au vestiaire, j'imagine.

– Tu ne l'as pas pris avec toi ?

– Non.

A vrai dire, ça ne m'avait même pas effleuré l'esprit,

alors que, avec n'importe qui d'autre, j'y aurais pensé tout de suite.

Laine m'a jeté un regard mauvais, que j'ai fait semblant de ne pas voir. Je suis passée devant elle et je me suis dirigée vers la sortie qui menait au parking.

– Où tu vas maintenant ? a-t-elle crié derrière moi.

– Je vais attendre ma mère.

– Mais avant il faut que j'aille chercher mon manteau

– Eh bien, vas-y.

– Ce n'est pas mon collège. J'ai un peu de mal à me repérer.

– Eh oui, c'est dur, la vie !

J'ai marché vers la porte sans me retourner.

Quelques secondes plus tard, j'ai entendu du bruit derrière moi. Je ne sais pas exactement comment elle a récupéré son manteau, mais elle a fait vite. Elle a sûrement réussi à convaincre quelqu'un d'aller le chercher à sa place. Quoi qu'il en soit, juste au moment où ma mère arrivait sur le parking, Laine est sortie en trombe. Elle m'est passée devant et s'est précipitée vers la voiture. Avant que je puisse dire quoi que ce soit, elle s'est installée sur le siège avant, côté passager.

J'ai saisi la portière avant qu'elle la referme.

– Dehors, ai-je ordonné. Tu vas derrière. Je veux être assise à côté de ma mère.

– Pas question, a répondu Laine avec détermination.

– Lucy, monte derrière, mon chou, a dit ma mère. Ça ne vaut pas la peine de se disputer.

Elle m'a jeté un regard bienveillant.

Persuadée qu'elle souhaitait rentrer à la maison sans

nous entendre nous chamailler, je n'ai pas dit un mot à Laine, qui est restée muette elle aussi. C'est ma mère qui a pris la parole :

– Je voudrais savoir ce qui vous arrive à toutes les deux.

– C'est elle qui a commencé ! s'est exclamée Laine en me montrant du doigt.

– « Elle » a un nom, lui a rappelé ma mère.

– Ouais, et ce n'est pas Anastasia, ai-je précisé.

– Ne nous éloignons pas du sujet. OK, Laine, parle la première. Raconte-moi ta version de l'histoire.

– Anas… euh, je veux dire Lucy déraille complètement.

– Je t'en prie, ça ne m'aide pas à comprendre, l'a interrompue ma mère.

– OK. Lucy m'a accusée de manquer de respect à ses amis. Elle m'a mise dans une situation très embarrassante. Puis elle a eu le culot de vous appeler.

– C'est toi qui m'as dit de le faire ! ai-je protesté.

– Ce n'est pas vrai. J'ai juste dit que je voulais rentrer.

– Et alors, tu serais rentrée comment si je n'avais pas appelé ma mère ?

– Les filles ! Je ne sais pas pourquoi vous m'avez téléphoné. Une chose est sûre : vous vous disputez, et j'aimerais bien savoir à cause de quoi… avant la Saint-Glinglin.

– Maman, Laine a humilié Peter. Elle l'a traité d'empoté. Elle ne l'a pas remercié pour les fleurs qu'il lui a apportées, même s'il n'a pas eu le temps de les lui offrir puisque quelqu'un les a piétinées. Elle l'a éconduit et, quelques secondes plus tard, elle a accepté l'invitation à danser d'un autre sous son nez. Elle n'a pas arrêté de se lamenter et de tout critiquer. En fait, elle a passé la semaine à nous insulter, mes amies et moi. Rien de ce que nous faisons n'est assez bien pour elle. Elle nous trouve puériles, elle n'aime ni notre collège, ni nos petits amis. Le bal ne lui a pas plu, les musiciens étaient nuls, le buffet était nul. Je n'ai jamais entendu quelqu'un se plaindre autant. Si on est aussi nulles que tu le prétends, tu n'aurais pas dû venir, Laine.

– Je te rappelle que c'est toi qui as insisté, a-t-elle répliqué.

– Ce n'est pas toi que j'ai invitée, enfin pas celle que tu es devenue. Moi, je pensais retrouver Laine Cummings, mon amie de toujours.

– J'ignore de quoi tu parles, et je m'en moque.

– Tout est dit.

– Je suis d'accord avec toi.

Ma mère s'est garée dans l'allée devant la maison. Elle ne nous a pas demandé de poursuivre notre conversation, si bien que nous sommes entrées dans la maison sans décrocher un mot.

Mais dès que nous avons enlevé nos manteaux, elle a tendu l'index vers le salon et nous a demandé de nous y asseoir.

Nous avons obéi.

– Allez-y maintenant, videz votre sac.

– Je veux rentrer chez moi. Immédiatement, a dit Laine.

– Et moi je veux qu'elle s'en aille, ai-je ajouté.

Laine s'est levée.

– Tu ne peux pas partir tant que je n'aurai pas eu ta mère au bout du fil, a décrété maman. Venez avec moi dans la cuisine.

Nous avons écouté la conversation qu'elle a eue avec Mme Cummings. Elle a commencé sur un ton poli, en disant d'une voix enjouée :

– Les filles ont eu une petite dispute. Laine voudrait reprendre le train pour New York dès ce soir

Un instant plus tard elle a dit :

– Je ne sais pas. Je ne leur ai pas demandé.

Puis :

– Pas raisonnable ? Excuse-moi, mais Lucy n'est pas... Comment ? Entendu... Non non, ça ira très bien. Celui de vingt-deux heures quarante. D'accord.

Je n'ai pas eu souvent l'occasion d'entendre ma mère raccrocher sans dire au revoir, et je n'aime pas beaucoup ça. Après avoir reposé le combiné, elle s'est tournée vers Laine :

– Bon, va préparer tes affaires. Tu prends le prochain train pour New York. Ton père et ta mère viendront te chercher à la gare.

Quelques minutes plus tard, ma mère s'est rangée sur le parking de la gare de Stonebrook. Elle est sortie de la voiture avec Laine. Moi, je suis restée à ma place. Je ne sais même pas pourquoi j'étais venue jusque-là. Peut-être pour tenir compagnie à ma mère pour le retour.

Depuis le siège passager, j'ai vu le train de vingt-deux heures quarante s'immobiliser dans un grand bruit de ferraille, et Laine s'engager dans un portillon automatique. Ma mère lui a tendu son sac marin. Je n'ai pas réussi à savoir si elles avaient échangé quelques mots. A ce moment-là, la porte s'est refermée et Laine a disparu.

Ma mère est revenue vers la voiture.

En l'attendant, j'ai songé à Laine. Ce n'était pas un simple tournant dans notre amitié. C'était bel et bien terminé.

J'étais à peu près sûre de ne plus jamais la revoir.

14

La journée du samedi a commencé par des coups de téléphone et des excuses. Austin a été mon premier interlocuteur.

– Comment va Peter ? lui ai-je demandé après m'être excusée une centaine de fois.

– Comme ci, comme ça. Il est vexé. En colère. Gêné Enfin, tu imagines.

– Tout à fait.

– Mais il survivra.

– Je peux l'appeler ?

– Si tu en as envie. Mais ne t'inquiète pas, ce n'est pas à toi qu'il en veut. Il sait ce qui s'est passé.

– OK. Bon, je vais peut-être le laisser décompresser jusqu'à lundi, alors.

Puis j'ai appelé Claudia.

– Laine est partie, ai-je annoncé. Elle est rentrée à New York hier soir. Je suis désolée pour le bal. Je suis désolée de...

– Elle est rentrée hier soir ?

– Oui. Elle a pris un des derniers trains.

– Je suppose que vous êtes brouillées à mort.

– On peut dire ça comme ça.

– Lucy ? Je ne voulais pas me mêler de quoi que ce soit... enfin, je ne serais pas intervenue, mais puisque vous vous êtes disputées Eh bien, voilà, je pense que Laine a changé. Avant, je l'aimais bien. Mais, maintenant, c'est fini. Elle n'est ni sympa ni rigolote.

– Je sais. C'est une tout autre personne. Je me demande si j'ai cette impression parce qu'elle et moi, on ne s'est pas vues beaucoup ces derniers temps, ou si je l'aurais trouvée changée même si j'étais restée à New York.

– Je ne sais pas non plus.

Pour moi, une chose était sûre : je ne reverrais plus jamais Laine, du moins pas en tant qu'amie. On serait peut-être amenées à se revoir à un moment ou à un autre, si nos deux familles faisaient quelque chose ensemble... C'est alors qu'une autre pensée m'est venue. J'ai dévalé l'escalier pour faire des excuses à quelqu'un d'autre.

– Maman ! ai-je crié après avoir raccroché. Je viens juste de penser à la discussion que tu as eue avec la mère de Laine hier soir. Vous devez être en colère toutes les deux, n'est-ce pas ? Tu avais l'air remontée en tout cas.

– Elle n'était pas très contente, a reconnu ma mère. Elle s'est tout de suite rangée du côté de Laine.

– Vous êtes en bons termes toutes les deux ?

– Oh, ne t'en fais pas. Je suppose qu'on finira par se rabibocher.

– Bon.

Je suis remontée dans ma chambre en traînant les pieds. J'ai refermé la porte et je me suis allongée sur mon lit. J'avais le cafard. J'avais envie de pleurer, mais les larmes ne venaient pas.

« Courage, me suis-je dit. Cet après-midi, il y a la fête des petits, et tu dois y aller. Même si tu as le moral dans les chaussettes. Tu dois faire ton possible pour que les invités s'amusent bien. »

Avec cet objectif en tête, je me suis levée, j'ai fini de passer quelques coups de fil pour m'excuser, et je me suis habillée pour la fête.

Tout en rouge, rien que pour embêter Laine.

Qu'est-ce qu'elle y connaissait, elle ?

Mes amies et moi, on s'est retrouvées à la grange une heure avant l'arrivée des premiers invités.

– Waouh, c'est trop flashant ici ! me suis-je exclamée.

– Merci, ont répondu en chœur Kristy, Mary Anne et Carla.

– Et toi aussi, tu es flashante, Lucy ! a ajouté Claudia.

– Tu ne trouves pas que ça fait un peu trop petit chaperon rouge ? (Je portais un caleçon rouge, des bottines rouges, un gros pull rouge et des barrettes rouges.)

– Pas du tout. Je ne me permettrais pas de te faire ce genre de réflexion. Je ne m'appelle pas Laine…

Mes amies ont éclaté de rire, et je les ai imitées, mais une légère tristesse s'est emparée de moi. Après tout, Laine et moi étions restées amies longtemps. Nous avions vécu de bons et de mauvais moments. Partagé des vacances et des anniversaires mais aussi mes séjours à l'hôpital et le divorce de mes parents. Nous avions partagé huit années de notre vie. Ça me faisait de la peine de laisser tout cela derrière moi, même si Laine était devenue quelqu'un que je n'avais plus envie de fréquenter.

J'ai néanmoins réussi à me secouer, et je me suis plongée dans les préparatifs de la fête. Nous avons disposé des biscuits dans des assiettes, réparti le punch (sans alcool évidemment !) dans de grands saladiers, rempli des coupes de sucreries. Claudia a installé une boîte aux lettres de sa fabrication, pour que les enfants puissent y glisser leurs billets doux. Kristy serait chargée de les remettre aux invités un peu plus tard.

Jessica a fini de remettre en place un cœur rose qui s'était détaché et elle a jeté un coup d'œil à sa montre.

– Bon, que la fête commence maintenant !

C'est là que quelqu'un a crié :

– Joyeuse Saint-Valentin !

Marylin et Carolyn Arnold se tenaient dans l'encadrement de la porte. Marylin portait une tenue assez décontractée, dans les tons de rouge ; Carolyn était vêtue de rouge elle aussi, mais son look était beaucoup plus branché. Les jumelles tenaient à la main une pile de cartes faites maison.

– Joyeuse Saint-Valentin ! ai-je répondu.

– Où est-ce qu'on les met ? a demandé Carolyn en agitant ses enveloppes.

J'ai désigné la boîte aux lettres du doigt.

– Là-dedans !

Puis j'ai souri à Claudia, car nous savions parfaitement pourquoi Carolyn était si excitée. Mon sourire s'est élargi quand Nicky a fait son apparition. Ça ne m'a pas vraiment étonnée qu'il reste à l'écart des jumelles. Il voulait sans doute voir comment Carolyn réagirait en ouvrant sa carte avant de prendre le risque d'aller lui parler. Inutile de souffrir pour rien.

La porte de la grange s'est ouverte une nouvelle fois, et elle n'a pas arrêté de s'ouvrir jusqu'à l'arrivée de tous les invités.

Tout le monde était là. Kristy a pris les choses en main.

– Vous avez tous posté vos cartes ? (Elle se tenait devant les enfants comme un commandant de l'armée.)

– Oui ! ont-ils répondu d'une seule voix.

– Super. Alors la fête peut commencer. J'espère que vous avez de l'énergie à revendre, parce qu'il va vous en falloir pour le relais de la Saint-Valentin.

Nous avons réparti les enfants en équipes pour la course. Conformément aux instructions de Kristy, ils ont couru autour de la grange avant de rejoindre les stalles où les attendaient les autres membres de leur équipe. Ils hurlaient et poussaient des cris d'excitation. Quand la course a pris fin, nous avons remis à chaque membre de l'équipe gagnante un stylo orné d'un cœur. Les autres participants ont eu droit à un autocollant en forme de cœur.

– Vous avez faim ?

Ce n'est pas une question à poser à une bande de gamins qui viennent de participer à un relais ! Évidemment qu'ils avaient faim. Ils se sont rués sur la nourriture.

Karen Lelland et Claire Pike se sont amusées à jouer les snobs. Comme si elles étaient dans une soirée mondaine.

– Ces petits-fours sont exquis, a dit Claire.

– Oui, ils sont tout simplement divins, a renchéri Karen.

Les autres enfants ont mangé, bavardé et fait les imbéciles, les garçons d'un côté, les filles de l'autre. Le buffet était presque vide quand Nicky a pris la parole :

– Et maintenant, Kristy, qu'est-ce qui est prévu ?

– Il faut que je réfléchisse, a-t-elle répondu. Vous pourriez nettoyer la grange, par exemple.

– Oh non !

– Vous pourriez faire vos devoirs.

– Pas question !

– Ah oui, je pense à un truc, mais ça m'étonnerait que ça vous intéresse.

– Dis toujours ! a crié Vanessa Pike.

– Vous pourriez peut-être ouvrir vos cartes de la Saint-Valentin. Mais si c'est trop pénible, rien ne vous empêche de donner un coup de main à…

– Les cartes de la Saint-Valentin ! a hurlé Nicky d'une voix stridente.

– D'accord, d'accord !

Kristy s'est frayé un chemin jusqu'à la boîte aux lettres, elle l'a vidée sur la table, puis elle a tendu les cartes aux enfants, qui finissaient leur goûter à la hâte. Le spectacle n'était pas triste : les enfants étaient couverts de miettes, de traces de chocolat, de taches de punch, tandis que le sol de la grange disparaissait sous les papiers de bonbons et autres débris. En voyant l'étendue des dégâts, Chris Hobart s'est tourné vers James et lui a murmuré à l'oreille :

– Je comprends maintenant pourquoi on n'était pas censés s'habiller chic pour la fête de la Saint-Valentin.

Dès qu'ils ont eu les enveloppes en main, les petits ont commencé à les déchirer. Certains sont allés se mettre à l'écart, d'autres les ont ouvertes sous les yeux de leurs amis.

J'ai observé la tête qu'ils faisaient en découvrant le contenu des cartes. La plupart commençaient par froncer les sourcils : il leur fallait d'abord décrypter les noms codés. Soudain j'ai entendu crier :

– Celle-ci vient d'Helen !

– J'y suis : ça, c'est Buddy !

Au bout d'un certain temps, je me suis concentrée sur les visages de Nicky et de Carolyn, attendant de les voir s'épanouir en un grand sourire. Mais ils ont ouvert leurs cartes d'un air très sérieux. De temps à autre, ils bougeaient les lèvres en essayant de déchiffrer un code, mais toujours pas de sourire.

Quand Nicky a eu fini d'ouvrir toutes ses cartes, je suis allée le voir.

– Alors, tu as reçu de belles cartes de la Saint-Valentin ?

– Oui, je crois que oui.

Il me les a tendues et j'ai jeté un coup d'œil dessus. Celle de Carolyn était une carte comme les autres; elle ne lui avait pas envoyé le cœur géant qu'elle avait fabriqué. D'un côté il y avait une devinette, de l'autre c'était signé : « De la part de ARNCAROLOLD. »

– C'est mignon comme code, ai-je commenté. Carol à l'intérieur de Arnold... Carolyn Arnold. Et Marylin, quel code a-t-elle choisi ?

Nicky a haussé les épaules. En faisant défiler les cartes

une nouvelle fois, j'ai trouvé celle de Marylin, ornée d'une énorme fleur en accordéon. C'était signé : « Plein plein plein de bisous de la part d'ARNMARILOLD. »

– Waouh ! me suis-je exclamée. Ça c'est une super carte de la Saint-Valentin.

Mais Nicky ne m'écoutait pas, il s'était précipité sur Carolyn en criant :

– Hé, ça va pas, non ? !

Il lui a arraché quelque chose des mains.

– C'est la carte de Carolyn ! C'est moi qui l'ai faite. Pourquoi c'est toi qui l'as ?

Carolyn la lui a reprise d'un geste sec.

– Parce que c'est la mienne. C'est mon nom que tu as marqué dessus, tu ne vois pas ?

Nicky a eu l'air affolé. Il s'est tourné vers Marylin.

– Tu n'es pas Carolyn ?

– Non, je m'appelle Marylin.

« Ouille ! ouille ! ouille ! ai-je pensé. Vraies jumelles, vraie confusion ! » En fait, c'est de Marylin que Nicky était amoureux. Il avait mélangé les prénoms des deux sœurs.

– Nicky, ai-je murmuré, assez fort cependant pour qu'il m'entende

Je l'ai entraîné à l'écart et je lui ai dit à voix basse :

– Regarde la carte que t'a adressée Marylin. Elle t'aime bien, elle aussi !

Son visage s'est éclairé d'un coup.

Mary Anne, à qui rien n'échappait, s'est penchée vers moi et m'a dit à l'oreille :

– Hé, si Nicky et Marylin sont amoureux l'un de l'autre, alors qui est ce garçon plus âgé pour qui Carolyn a le béguin ?

Nous avons cherché Carolyn des yeux.

– La voilà ! ai-je dit en la repérant.

Elle était en grande conversation avec James Hobart. Elle lui souriait d'un air rêveur.

– James pensait peut-être à Carolyn quand il disait qu'il allait inviter une copine à la fête, a dit Mary Anne en repensant à la note de Jessica dans le journal de bord du club.

– Ils m'ont l'air de bien s'entendre, ces deux-là.

– Tout est bien qui finit bien, ai-je répondu en regardant les visages satisfaits autour de nous.

Notre fête de la Saint-Valentin était une belle réussite !

Ce jour-là, en fin d'après-midi, je suis rentrée chez moi et je suis montée dans ma chambre avec lassitude. La fête était finie, le bal aussi, Laine était repartie et la Saint-Valentin touchait à sa fin.

Presque rien ne s'était déroulé comme je l'avais prévu.

La fête avait été un succès. Tous les invités étaient rentrés chez eux contents, mais les plus heureux de tous étaient James et Carolyn, ainsi que Nicky et Marylin, qui avaient même été jusqu'à se tenir brièvement par la main. Le bal avait été une catastrophe, mais je pensais avoir réussi à arranger les choses auprès des autres membres du club et d'Austin. Quant à Peter, j'avais décidé d'attendre lundi avant de lui parler en tête à tête. J'étais sûre qu'il comprendrait.

Je ne savais pas exactement ce que j'attendais de la Saint-Valentin, mais j'ai été très étonnée en recevant un énorme bouquet de roses rouges de la part de mon père, et des boucles d'oreilles en argent de celle de ma mère.

J'ai repensé à la visite de Laine. Quel gâchis ! Elle était repartie, mais il manquait un point final à sa visite. Vous voyez ce que je veux dire ? Laine était rentrée chez elle, mais qu'allait devenir notre amitié ? Que s'était-il passé ? Pourquoi avait-elle agi ainsi ? Avait-elle une dent contre moi ? L'avais-je blessée sans m'en rendre compte ? Que pensait-elle de notre relation ? Pensait-elle qu'il s'agissait d'une grosse dispute, mais que nous pourrions de nouveau être amies ?

J'avais besoin de lui parler, mais je ne voulais pas le faire par téléphone. Je ne m'en sentais pas la force.

Je suis restée debout à regarder par la fenêtre, le regard perdu dans les branches dénudées des arbres. J'ai repensé aux disputes de mes parents. C'était avant le divorce. Au début, quand ils se disputaient, ils se réconciliaient toujours après. Un peu plus tard, ils ne se réconciliaient que plus rarement. Puis ils ont fini par divorcer.

Les gens ne font pas toujours la paix après une dispute, me suis-je dit. Parfois, ils n'arrivent pas à surmonter ce qui les sépare. Parfois – ça n'arrive pas souvent, mais ça arrive –, une dispute marque vraiment la fin d'une relation d'amour ou d'amitié.

J'essayais de tirer un trait sur huit ans d'amitié avec Laine Cummings sans l'avoir en face de moi.

J'étais contente d'avoir une autre meilleure amie, et plein d'autres amis tout court. Comme j'avais Claudia, je ne me sentais pas aussi abattue que si j'avais perdu mon unique meilleure amie.

– Tu peux venir à la maison ? lui ai-je demandé un après-midi, tandis que nous rentrions du collège.

– Avec plaisir, a-t-elle répondu.

On a marché jusqu'à chez moi. Dans la cuisine, on a mangé des fruits. Enfin, moi, j'ai mangé des fruits, pendant que Claudia engloutissait une part de tarte aux abricots. Nous étions assises l'une en face de l'autre.

– Tu penses à Laine ? m'a-t-elle demandé.

– Oui. Comment tu le sais ?

– J'ai deviné. Ce n'est pas difficile : on peut tout lire sur ton visage.

– Oh.

– Tu lui as parlé, Lucy ?

J'ai secoué la tête.

– Non.

– Pas depuis vendredi soir ?

– Négatif.

– Je pense que tu devrais.

– Parce que sinon, notre relation sera fichue pour de bon ? ai-je demandé.

– Parfaitement. Tu te souviens quand Mimi est morte ?

– Évidemment.

Mimi était la grand-mère de Claudia. Elle vivait chez les Koshi depuis des années. C'était un peu la grand-mère de tout le monde.

– Eh bien, je n'aurais pas pu la laisser partir sans lui dire au revoir. J'avais besoin d'un dernier adieu. Pour mettre les choses au clair. Ça m'a aidée. Je crois que tu devrais vider ton sac, expliquer à Laine comment tu te sens et ce que tu penses de votre dispute. Ça lui fera du bien de savoir. Et toi, tu te sentiras mieux si tu le lui dis.

Deux jours plus tard, j'ai suivi le conseil de Claudia. Néanmoins, je n'ai pas pu décrocher le téléphone. C'était peut-être lâche de ma part, mais je redoutais d'avoir Laine au bout du fil. J'avais peur qu'elle s'énerve... et que je me mette à crier moi aussi. Nous aurions pu nous dire des choses que nous aurions toutes les deux regrettées par la suite.

J'ai donc choisi de lui écrire.

Chère Laine,

Si tu lis ces lignes, c'est que tu n'as pas jeté l'enveloppe dès que tu as vu mon nom dessus. Je ne t'en aurais pas voulu, mais je suis tout de même contente que tu me lises. Je voulais que tu connaisses le fond de ma pensée.

Tout d'abord, je suis désolée. Je ne m'excuse pas. Je ne pense pas que c'était de ma faute, mais je suis désolée que les choses se soient passées ainsi. Je ne sais pas pourquoi on s'est disputées. Enfin, je sais que j'étais en colère à cause de tes paroles et de ta façon d'agir, mais j'ignore pourquoi tu t'es comportée ainsi. Pourquoi avoir été méchante envers Peter? Pourquoi être venue à Stonebrook si tu n'en avais pas envie? Je ne t'ai pas forcée. Je t'ai juste dit que j'avais très envie que tu viennes.

Et ainsi de suite sur plusieurs pages. Je lui ai rappelé certains des propos qu'elle avait tenus et que je trouvais méprisants. Puis j'ai écrit :

Comme je te l'ai déjà dit, je regrette qu'on se soit disputées. J'aurais bien aimé qu'on reste amies, et je sais que tu vas me manquer. Pas toi telle que tu es maintenant, mais la Laine que j'ai connue : celle qui était sympa avec mes amis et qui aimait bien passer du temps avec moi. Je ne sais pas ce qu'est devenue Laine Cummings, mais elle a disparu.

Adieu, Laine.

Ton ex-meilleure amie,
Lucy (pas Anastasia)

J'ai relu ma lettre. Puis je l'ai pliée et je l'ai glissée dans une enveloppe. J'étais en train de lécher la partie gommée quand une idée m'est venue. J'ai reposé l'enveloppe ouverte et j'ai fouillé dans ma boîte à bijoux. Sous un pin's que m'avait fait Claudia, j'ai trouvé la moitié du collier qui symbolisait notre amitié, à Laine et à moi. Elle me l'avait donné quand j'étais retournée vivre à Stonebrook après le divorce de mes parents.

J'ai sorti l'objet de la boîte. Puis je l'ai glissé dans l'enveloppe dont j'ai fermé le rabat. J'ai noté l'adresse de Laine et la mienne au dos, j'ai collé un timbre et je suis allée jusqu'à la boîte aux lettres au coin de la rue.

Je suis rentrée à la maison à pas lents. Je pensais avoir envie de pleurer, mais pas du tout. Je n'étais peut-être pas d'une humeur radieuse, mais je ne me sentais pas si mal. J'avais fait ce que je devais faire.

J'ai appelé Claudia.

– Salut ! Qu'est-ce qu'il y a ?

– Je viens d'écrire à Laine.

– Waouh ! Comment tu te sens ?

– Ça va. Comme quelqu'un qui aimerait bien avoir sa meilleure amie à ses côtés, quand même. Tu n'as pas envie de passer à la maison ?

– Bien sûr que si. Si on regardait *Tout est à vous* ? J'aimerais bien avoir un clown comme celui que tu as commandé.

– Tes désirs sont des ordres.

– Et on pourra se mettre du vernis à ongles et faire du pop-corn ?

– Pas de problème.

– Super ! J'arrive tout de suite.

– Je te remercie. Salut.

– Salut, Lucy.

J'ai raccroché et j'ai attendu l'arrivée de ma meilleure amie.

A propos de l'auteur

ANN M. MARTIN

Ann Matthews Martin est née le 12 août 1955. Elle a grandi à Princeton, aux États-Unis, avec ses parents et sa jeune sœur, Jane.

Elle a été enseignante, puis éditrice de livres pour enfants, avant de se consacrer à la littérature. Pour écrire, elle s'inspire d'expériences personnelles, mais aussi de sa connaissance du monde de l'enfance et de l'adolescence.

Tous ses personnages, même les membres du Club des baby-sitters, sont des personnages imaginaires (ainsi que la ville de Stonebrook). Mais beaucoup d'entre eux ressemblent à des gens qu'Ann M. Martin connaît.

Ann M. Martin vit actuellement à New York et ses passe-temps favoris sont la lecture et la couture – elle aime particulièrement réaliser des habits pour les enfants.

Sa série *Le Club des baby-sitters*, dont nous avons regroupé ici trois titres, s'est vendue à plusieurs millions d'exemplaires et a été traduite dans plusieurs dizaines de pays.

Retrouvez
LE CLUB DES BABY-SITTERS
dans cinq volumes hors série :

Nos plus belles histoires de cœur

Mary Anne et les garçons
En vacances au bord de la mer, Mary Anne rencontre un garçon formidable. Le problème, c'est qu'elle a déjà un petit ami. Et elle ne sait lequel choisir…

Kristy, je t'aime !
Kristy, la présidente du club, reçoit de mystérieuses lettres anonymes. Qui peut bien être son admirateur secret ?

Carla perd la tête
Pour plaire à son petit copain, Carla a décidé de changer… et de devenir une nouvelle Carla. Mais ses copines du club ne sont pas vraiment d'accord !

Nos dossiers TOP-SECRET

Carla est en danger

C'est la panique au club. Les événements bizarres se multiplient : coups de fil et lettres anonymes... Les filles sont très inquiètes. Il faut agir vite et démasquer le coupable !

Lucy détective

Lucy et la petite fille qu'elle garde, Charlotte, sont témoins de phénomènes étranges dans une maison abandonnée. Quel secret abritent ses tourelles biscornues ? Serait-ce une maison hantée ?

Mallory mène l'enquête

Mallory entend un miaulement à vous glacer les sangs... dans une maison où, normalement, il n'y a pas de chat ! Les filles partent à la recherche du chat fantôme...

Nos passions et nos rêves

Le rêve de Jessica

Jessi a décroché le premier rôle de son spectacle de danse, mais elle commence à recevoir d'étranges menaces. Malgré la jalousie, elle est prête à aller jusqu'au bout de son rêve...

Claudia et le petit génie

Claudia garde une enfant prodige qui chante, danse, joue du violon... mais elle aimerait elle aussi avoir du temps pour se consacrer à sa passion : la peinture.

Un cheval pour Mallory

Mallory va prendre son premier cours d'équitation, quelle aventure ! Elle a beaucoup de choses à apprendre et à découvrir, même si ce n'est pas toujours facile.

Nos joies et nos peines

Félicitations, Mary Anne

Le père de Mary Anne va épouser la mère de Carla ! Il faut préparer le mariage, déménager… Que de bouleversements en perspective… mais aussi tant de joies !

Pauvre Mallory

Le père de Mallory se retrouve brusquement au chômage. Heureusement, Mallory a plein d'idées pour faire vivre sa grande famille.

Lucy aux urgences

Lucy ne se sent pas bien du tout : elle n'arrive plus à contrôler son diabète et doit aller à l'hôpital. Mais ses parents et ses amies sont là pour la soutenir.

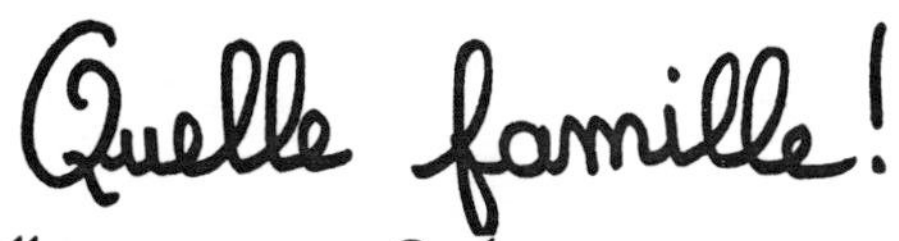

Une nouvelle sœur pour Carla

Mary-Anne est devenue la demi-sœur de Carla ! Mais depuis qu'elles vivent sous le même toit, elles se disputent souvent. Pas si facile de former une nouvelle famille !

D'où viens-tu, Claudia ?

Claudia se sent vraiment différente du reste de la famille. Elle se demande si elle n'est pas une enfant adoptée. Pour en savoir plus sur ses origines, Claudia décide de mener l'enquête.

Mallory fait la grève

Entre les cours, les baby-sittings et ses sept frères et sœurs, Mallory n'a pas une minute à elle. Pour réussir à participer au concours des jeunes auteurs, elle ne voit qu'une solution : faire la grève !

À paraître en septembre,
un nouveau volume du
Club des Baby-Sitters !

Maquette : Natacha Kotlarevsky

Loi n° 49-956
du 16 juillet 1949
sur les publications
destinées à la jeunesse

ISBN : 978-2-07-057538-1
Numéro d'édition : 183765
Numéro d'impression : 104255
Imprimé en France
par CPI Firmin Didot
Premier dépôt légal : juin 2006
Dépôt légal : mars 2011